очень страшный детектив

ЛАНА СИНЯВСКАЯ

ПОСЛЕДНЯЯ НОЧЬ КОЛДУНА

Москва
«Эксмо»
2008

УДК 82-3
ББК 84(2Рос-Рус)6-4
С 38

Оформление серии *С. Груздева*

Синявская С.

С 38   Последняя ночь колдуна: Роман / Лана Синявская. — М.: Эксмо, 2008. — 384 с. — (Очень страшный детектив).

ISBN 978-5-699-30631-2

Даже среди бела дня, при большом скоплении людей Глаша безумно боялась своего деда. Девушка узнала о его существовании совсем недавно от адвоката, приехала в деревню и выяснила: она — внучка колдуна! Старик сказал, что завтра умрет, и взял с Глаши обещание положить в его гроб лаковую шкатулку с древним свитком, строго-настрого запретив читать его. И предсказание сбылось! Девушка выполнила просьбу колдуна, еще не зная, что очень скоро снова увидит свиток — кто-то рискнул раскопать могилу, чтобы заполучить древний артефакт...

УДК 82-3
ББК 84(2Рос-Рус)6-4

ГЛАВА 1

Букет роскошных лилий — это было первое, что она увидела, придя на работу. Белые, неправдоподобно огромные, они лежали на витрине у входа, роняя на стол ядовито-ржавую пыльцу с угрожающе растопыренных тычинок. Разложенные на стекле топики были небрежно сдвинуты на самый край, а на самом верхнем, белом с голубой бабочкой, вышитой стразами, красовалась неопрятная, смазанная полоса цвета свежего лошадиного помета. Топик был безнадежно испорчен.

Замерев на секунду, Глаша нахмурилась, потом коротко вздохнула и обвела глазами торговый зал. Из-за решетчатого стенда, который отгораживал небольшой закуток продавца, неторопливо выплыла Неля с равнодушно-скучающим выражением на широком лице. Подобное выражение Глаша наблюдала уже несколько месяцев, все это время пытаясь понять, откуда оно взялось у человека, которого она знала девятый год и, без преувеличения, любила, как самую близкую подругу.

Теперь они едва кивнули друг другу.

— Откуда это здесь? — спросила Глаша со вздохом, кивком указав на букет.

Неля пожала плечами и нехотя ответила:

— Это цветы Амалии.

— Вот как? И что они делают в моем отделе? — Глаша все еще старалась сохранять спокойствие.

5

ЛАНА СИНЯВСКАЯ

●

Неля приоткрыла рот, потом ее нижняя губа искривилась в точно рассчитанной обиде.

— Ты же знаешь, что у Амалии мало места.

Она сделала паузу, когда Глаша не отреагировала на ее слова, потом заговорила снова, как будто через силу:

— Выставка цветов в магазине закончилась. Образцы разрешили разобрать бесплатно. Вот Амалия и взяла себе букет. Что тебе, жалко, что ли?

— Нет, не жалко. Муля могла забрать себе цветы вместе с ведром, если ей так этого захотелось. Ее любовь к халяве мне известна. Но какого черта...

В отдел вошла покупательница, и Глаше пришлось понизить голос:

— Какого черта ты разрешила свалить этот пачкающий веник на наш товар?

Глаша схватила топик, демонстрируя безобразное пятно. Ни один мускул не дрогнул на равнодушном Нелином лице. Швырнув топ обратно, Глаша поспешно отошла к покупательнице.

Дама весом под центнер, благополучно проигнорировав все модели своего размера, резво протопала к стойке с мелкогабаритными кофточками и, протянув пухлую руку, ухватила одну из них. Предвидя неминуемые последствия, Глаша рысью подскакала к ней и замерла рядом. Это был испытанный способ отделаться от неприятного клиента.

Дама с явным удовольствием разглядывала фитюльку и даже пару раз приложила ее к груди, любуясь на себя в широкое настенное зеркало.

Представив, что будет, если дама возжелает это на себя натянуть, Глаша крепко зажмурилась и тут же услышала:

— Есть еще что-нибудь веселенькое на меня?

— Нет, мадам, — не открывая глаз, пробормотала Глафира, — вас хочется обнять и плакать.

В зале повисла тишина.

ПОСЛЕДНЯЯ НОЧЬ КОЛДУНА

●

Глаша испуганно приоткрыла один глаз, ожидая справедливого возмездия. Но бог миловал, дама лишь возмущенно фыркнула, швырнула блузку в руки Глаше и вынеслась вон, как небольшой ураган.

Закончив операцию по спасению блузки-малютки, Глаша обнаружила, что Неля успела ретироваться в закуток и теперь преспокойно пьет чай с миндальным печеньем. Букет остался лежать на прежнем месте, так же как и испорченные топики.

— Неля! — окликнула Глаша. Та недовольно обернулась. — Пожалуйста, отнеси Муле букет!

Неля хмыкнула, не торопясь подняться с места. Дожевав печенье и громко отхлебнув чая, она неторопливо встала, обогнула Глашу и пошла к витрине. При этом даже ее спина демонстрировала возмущение. Глаша видела, как Неля взяла букет в руки. Потревоженная пыльца посыпалась на стекло, но Неля не обратила на это внимания. Бережно держа цветы перед собой, она шагнула к выходу, но в последний момент обернулась.

— Раз уж ты все равно здесь, я могу уйти пораньше? Мне срочно нужно домой. Муж просил.

Глаша отметила, что вопрос прозвучал как утверждение, но все равно обреченно кивнула, ругая себя мысленно за безвольный характер.

— Вот и хорошо, — Неля восприняла поблажку как должное, — все равно никто ничего не покупает!

Это был удар ниже пояса. Глафира не была жадной до денег, но сейчас каждую копейку приходилось считать, и Неля прекрасно это знала. Говоря так, она намеренно ткнула хозяйку в больное место.

Да, Глафира была хозяйкой этого крошечного отдела модной одежды в огромном старом магазине. А Неля — всего лишь продавцом. Когда-то они очень дружили, но это было словно в другой жизни. В той жизни все было по-другому. В ней были деньги, большое дело и успех. И любовь. И уважение. Теперь не осталось ничего.

Или почти ничего. Так мало, что скоро и это немногое уйдет, просочится, как песок сквозь пальцы.

Глаша сосредоточенно посмотрела на свою ладонь, будто ожидала увидеть на ней крохотные песчинки. Подавив вздох, она вернулась за перегородку, повесила сумку на вешалку, сменила туфли на более удобные, затем нашла влажную тряпку и отправилась оттирать прилавок от пыльцы.

Пыльца оказалась въедливой и вездесущей, как кислота. Глафира снова и снова терла тряпкой казавшуюся чистой поверхность, но все равно появлялись новые следы. В конце концов она сгребла топики в охапку и решила перенести их в другое место, чтобы потом развесить на плечиках. Было очевидно, что пользоваться прилавком в ближайшее время не стоит.

Неожиданно в отдел повалили одна за другой покупательницы. Глафира едва успевала подносить вещи. От природы она обладала очень хорошим чувством стиля, и ей почти всегда удавалось подобрать клиентке такой ансамбль, который скрывал все недостатки фигуры и делал достоинства неоспоримыми. Постоянные клиентки не только шли специально «к Глаше», но и знакомых посылали исключительно к ней, поэтому в дни, когда Глафира сама становилась за прилавок, выручка всегда была приличная. Сегодняшний день не стал исключением. Когда последняя покупательница покинула отдел, нагруженная фирменными пакетами, Глаша буквально не чувствовала ног от усталости, а до закрытия магазина оставалось всего полчаса.

— Кончай вкалывать, пошли чай пить, — раздался от входа веселый резкий голос. — Всех денег не заработаешь!

Глаша с улыбкой обернулась к Вале — роскошной коротко стриженной блондинке гренадерского роста — и согласно закивала головой.

Когда они вместе, заперев отдел, отправились в соседний отсек, где Валя торговала детской одеждой, Глаша с удивлением увидела стоящих рядышком Нелю и Мулю. Женщины что-то оживленно обсуждали, но Муля, заметив Глашу, приторно-сладко поздоровалась.

— Ишь, разулыбалась. Точно гадость какую-то замышляет. — В голосе Вали сквозила презрительная усмешка. Мулю она терпеть не могла, впрочем, как и все остальные, кто работал в магазине. Единственным человеком, проникшимся симпатией к этой скользкой неприятной особе, оказалась Неля.

— Ну что там опять твоя кукунда отколола? — встретила их вопросом Динка — темноволосая худенькая, как подросток-акселерат, очень высокая женщина. Она разлила всем чай и разложила на тарелке сладости.

— А то ты не знаешь, — опередила Глашу с ответом Валя. — Опять перед Мулькой выслуживается. Глашка скачет как очумелая, а эти две мымры болтают. Ты куда смотришь, Глаш, а? Ты ей за это деньги платишь? Или они у тебя лишние?

— Но она... — Глаша мучительно покраснела, — она отпросилась. Сказала, что срочно надо...

— Давно? — мрачно спросила Валя.

— Что «давно»?

— Отпросилась, говорю, давно?

— Часа два назад... — Глаша опустила голову, спрятав лицо в пышных золотисто-рыжих волосах.

— Не два, а три, — безжалостно поправила Динка. — И долго это будет продолжаться? — обратилась она почему-то к Вале.

Та презрительно фыркнула. Глаша устало опустилась на стул и подперла щеку кулаком. Девчонки были правы. Они искренне беспокоились из-за того, что творилось между Глашей и Нелей. Все они познакомились не так давно, где-то полгода назад, и первое время Глаша их немного побаивалась. Дело в том, что обе девушки, как нарочно, оказались очень высокими, тогда как Глашин рост не превышал метра шестидесяти. Разговари-

•

вая с ними, ей постоянно приходилось смотреть снизу вверх, и это было непривычно. Сейчас она уже не обращала внимания на разницу в росте, а иногда даже извлекала из этого некоторую выгоду. Динка, например, могла легко открыть форточку, до которой Глаша не доставала даже с табуретки. А Валя обладала недюжинной силой и бойцовским характером — сказывалось наличие двух сыновей-подростков.

Помимо невысокого роста, Глаша обладала чересчур мягким характером, который ее муж окрестил патологической вежливостью. Валя с Динкой единодушно взяли шефство над своей мелкокалиберной подругой.

Никогда в жизни о ней никто не заботился. А ведь меньше чем через год Глаше исполнится тридцатник. Мама умерла почти десять лет назад, отца Глаша даже не знала. Была еще бабушка, но та, хоть и любила внучку, воспитывала ее в строгости, сюсюканий не признавала.

Что касается мужа, то особой заботы от него ждать не приходилось. Глаша выбрала его из многочисленной толпы поклонников лишь потому, что он больше других соответствовал одной ей известной цели. Он был положительным и предсказуемым. Он жил словно по раз и навсегда установленному порядку: всегда пребывал в ровном настроении, приходил на все встречи заранее, по пятницам пил пиво с друзьями (не более одной кружки), не ел жирного и острого. Это было здорово, но всему есть предел. Иногда Славик начинал бесить ее своей предсказуемостью.

Глаша гнала прочь свое раздражение, ибо характер Славика гарантировал безупречную репутацию, а репутация — это то, чем девушка дорожила больше всего на свете.

Грязные сплетни, которые ходили о ее матери многие годы, заставили Глафиру выверять каждый свой шаг, носить нарочито бесформенную одежду и не пользоваться косметикой. Она достигла совершенства в умении ловко сочетать немаркость с практичностью, не выходя из серо-коричневой гаммы. И все ради сохранения безупречной репутации. Несмотря на это, ее бабушка то и дело повторяла: «Дурная кровь». Эти слова были для Глаши как пощечина. Иногда все в ней бунтовало, ей хотелось послать всех куда подальше, нарушить правила и сделать ошибку. Здоровый пофигизм ей был необходим, как приправа к мясу, но она не умела им пользоваться и довольствовалась преснятиной.

Глаша очень любила мать, но ненавидела мир, в котором та жила. Этот мир играл с ней и в конце концов сломал, как надоевшую куклу. Глаша не хотела стать куклой, а для этого здесь, в городе, где родилась мать и куда бабушка привезла Глашу после ее смерти, никто не должен был догадаться, чья она дочь. Так советовала бабушка, и так хотела сама Глаша. Она не перестанет любить свою знаменитую и непутевую мать, но она никогда не станет на нее похожей.

ГЛАВА 2

— Ты должна ее уволить, — Валя резко пододвинула свой стул, царапнув пол металлическими ножками.

— Не могу, — Глаша улыбкой попыталась подсластить свой отказ.

Валя глубоко вздохнула и принялась выкладывать из пакета свои запасы: бутерброды с ветчиной, картофельные чипсы и небольшой, по ее понятиям, вафельный тортик. Глаша смутилась, вспомнив, что сегодня ничего не принесла к общему столу.

— Ешь, — придвинула к ней бутерброд Валя.

— Спасибо, что-то не хочется, — соврала Глаша.

— А я говорю — ешь. — Валя с хрустом разорвала пакет с чипсами и высыпала их на пластиковую одноразовую тарелку.

ЛАНА СИНЯВСКАЯ

•

Вкусно запахло жареным картофелем. Глаша сглотнула слюну и постаралась смотреть в другую сторону. «Девчонки подумают, что я настоящая свинья, — пришло ей в голову. — Лучше уж немного поголодаю».

— Глафира, хватит ломаться. Жуй давай! — Валентина нахмурила светлые брови. — А то будешь, как Динка.

— Это ты о чем? — насторожилась та.

— Все о том же, — хмыкнула Валя. — Ты такая же худющая.

Динка в шутку замахнулась на Валю, которая осталась невозмутимой.

У каждой из них имелись свои слабости, но они были уже настолько близки, что над этими слабостями позволялось шутить. На Вальку вообще невозможно было обидеться. Внешне суровая, она была добрейшим существом, и девчонки это прекрасно знали.

— Валя права, тебе, наверное, стоит расстаться с Нелей, — вздохнула Дина немного погодя.

Глаша хотела ответить, но сначала ей пришлось дожевать только что откушенный кусок бутерброда.

— Знаю, знаю, ты не можешь, — ответила за нее Валя язвительным тоном. — Ну и дура. Тебе на голову сели, а ты и рада.

— Ну почему сели? Неля очень обязательная. Я ее давно...

— Ты ее давно знаешь, — закончила Валя с усмешкой. — Ни черта ты не знаешь. Динка, скажи ей наконец.

Валя требовательно обернулась к Дине. Та пожала плечами.

— А что говорить? Снюхалась твоя Неля с Мулей. Но ты и сама это знаешь.

— Знаю. Наверное, Муля ей чем-то нравится.

— Ну ты и клуша! — Валя возмутилась всерьез. — Чем может нравиться эта тварь, а?

— Ты не права, — вмешалась Дина. — Муля, когда захочет, умеет влезть человеку в душу.

ПОСЛЕДНЯЯ НОЧЬ КОЛДУНА

●

— Это да! Это она умеет. Только не забывай, что наша крыса ничего не делает просто так. Если она тебе улыбается и льет в уши конфитюр — жди подлянки.

— Неля сама должна решать... — заикнулась было Глаша.

— Да насрать мне на твою Нелю! — заорала Валя. — Они на пару тебя обворовывают! Без тебя Муля в твоем отделе хозяйничает. Сколько раз клиентов выпроваживала: то магазин закрывается, то ляпнет какую-нибудь гадость по поводу одежды, то еще что.

— Действительно, — кивнула Дина. — Муля постоянно говорит гадости про твой товар. И Неля сама должна была бы пресечь это безобразие.

— Видимо, Неле не нравятся наши вещи, — грустно предположила Глафира.

— Хм, не нравятся! А что она вообще понимает в одежде? Ты глянь на нее — зимой и летом одним цветом, и все цвета — с китайского рынка, — съязвила Валя.

— Дело не в этом, — досадливо поморщилась Дина. — Нравится — не нравится, это все философия. Если она продавец, то ее задача — объяснить клиенту, почему ему необходимо купить этот конфетный фантик за миллион долларов. Нужно любить свой товар, даже если это трудно. А твоей Неле легко, у тебя тряпки — загляденье!

— И она умудряется ни черта не продать. — Валя сердито фыркнула. — Заметь, как Глашка сама выходит — есть выручка, как Неля стоит — сплошные нули. Да вот хоть сегодня!

— Может, ей Муля мешает? — робко высказалась Глаша.

— И что? Ей Муля, что ли, зарплату платит? — нахмурилась Дина.

— Да нет, конечно.

— Вот именно, что нет, а Нелька у нее на побегушках: подай-принеси, покарауль прилавок... Она и рада стараться, отдел бросит и бегом к Муле. Тьфу, смотреть противно. — Валя сунула в рот горсть чипсов и так остервенело стала перемалывать их зубами, будто это были Мулины косточки. Глаша растерянно повернулась к Дине, но та отвела глаза со вздохом.

— Валя правду говорит. Неля как загипнотизированная. И ведь взрослая женщина, а повелась на такую дешевку.

— Ты еще про пироги расскажи! — вставила Валя.

— Какие пироги?

— Да обычные. — Дина снова вздохнула. — Неля каждую неделю дома пирог печет с мясом и Муле приносит.

— А зачем? — Глаша растерялась. Ничего подобного по отношению к ней самой Неля никогда не делала, хотя действительно умела печь великолепно — Глаша как-то раз пробовала ее выпечку на одной из корпоративных вечеринок.

— Зачем? — переспросила Валя мрачно. — А хрен ее знает. От большой любви, наверное.

Глаша кивнула понимающе, в ее глазах стояли слезы.

— За что? — прошептала она еле слышно.

— Ну, знаешь ли... — Короткая светлая челка Вали воинственно встопорщилась.

— Валя, хватит. Оставь ее в покое! — решительно сказала Дина и за спиной Глаши показала Вале кулак. Валя насупилась.

— Ой, Глаша, — встрепенулась Дина, — ты ж сегодня дежурная!

Глаша застонала. Этого еще не хватало. Дежурство выпадало всем арендаторам по очереди раз в месяц. И сегодня была Глашина очередь.

— Ну надо же! А я Славку попросила за мной к семи подъехать. Он злиться будет, ждать не любит, — сокрушенно покачала она головой.

— Подождет, ничего ему не сделается, — фыркнула

ПОСЛЕДНЯЯ НОЧЬ КОЛДУНА

•

Валя. — На твои деньги живет, так может и потерпеть лишние полчаса.

Глаша, торопливо запихнув в рот остатки бутерброда, умчалась ко входу в магазин. Время подходило к семи вечера, и в обязанности дежурного входило не впускать внутрь припозднившихся покупателей.

Сегодня покупатели попались на редкость упорные, и Глаше пришлось проторчать возле дверей лишние двадцать минут. Мимо нее пробегали продавцы других отделов, бросая на ходу «пока». Это коротенькое слово имело массу оттенков — от искренне дружелюбного до холодно-официального. Дружелюбных «пока» было больше. Глашу в магазине любили.

К тому моменту, когда Глаша наконец освободилась, на улице уже смеркалось. День выдался хмурый, по-настоящему осенний. Небо словно обложили грязной ватой, моросил дождь. Глаша не очень огорчилась из-за плохой погоды. Ей нужно лишь добежать до машины, и она окажется в теплом и сухом салоне. Помня о том, что Славику пришлось ждать ее дольше, чем предполагалось, она так торопилась, что даже забыла поменять туфли. Лодочки на каблуке она носила на работе, для улицы у нее были устойчивые полусапожки на плоской подошве.

Быстро идя по асфальту, Глаша оступилась и угодила в лужу. Одна туфля мгновенно намокла, на тонкой замше проступило некрасивое пятно. Глаша поморщилась, но не остановилась. Щурясь, она вглядывалась в ряды машин на стоянке, вытискивая бежевую «девятку» Славика. Бежевых машин было несколько. Глаша добежала до одной, но вблизи обнаружила совершенно другой номер. Вторая оказалась вообще «восьмеркой». Наконец девушка добралась-таки до своей машины. Зонта у нее не было, так как с утра на небе вовсю сияло солнце, и теперь волосы ее намокли и некрасиво облепили голову, тушь наверняка потекла, с кончика носа капала вода.

15

●

Возле машины Глашу поджидал сюрприз. Когда она дернула за ручку, машина оказалась запертой и противно квакнула, намекая на включенную сигнализацию. Девушка растерянно покрутила головой в поисках мужа.

Лучше бы она этого не делала. Его фигуру она разглядела под навесом возле магазина, но долго не могла поверить, что это он. Разве может на шее у ее благопристойного Славика висеть какая-то посторонняя девица в кожаных малиновых брючках и красном кокетливом берете? Но девица была. Причем одними объятиями дело не ограничилось. Прежде чем помахать ему рукой на прощание, она чмокнула в щеку благоверного Глаши ярко-красными хищными губами.

И Глаша и Славик провожали девицу глазами до тех пор, пока она не скользнула в маленькую алую машинку, припаркованную неподалеку, только выражение их глаз было диаметрально противоположным.

Забыв про дождь, Глаша никак не могла прийти в себя от только что увиденного. Стерев ладонью воду с лица, она машинально прикусила пальцы, ощутив во рту странный вкус дождевых капель. Они почему-то были солеными и слегка отдавали хлоркой.

Славик возник рядом, когда она совсем забыла о нем, погруженная в собственные мысли. Услышав его хмурое «привет», она вздрогнула. Неловко попятившись, она чуть было не споткнулась о толстую ветку, взмахнула руками и, чтобы не упасть, ухватилась за лацкан его плаща. Легкое презрение, на мгновение проскользнувшее в его взгляде, было столь очевидно, что Глаша внутренне содрогнулась. Она вдруг почувствовала, что он едва сдерживается, чтобы не отцепить ее пальцы от своей одежды. Она знала, что он этого не сделает, но ей от этого было не легче.

— Ну, что стоишь? Давай в машину, — проговорил он нетерпеливо. — И так столько ждать пришлось.

ПОСЛЕДНЯЯ НОЧЬ КОЛДУНА

•

Глаша нервно хихикнула. Славик недоуменно вскинул бровь.

— Тебе весело? — хмыкнул он.

— А тебе?

Глаша склонила голову набок и посмотрела ему в глаза. В них плескалось жидкое равнодушие, слегка разбавленное раздражением. Славик пожал плечами, не собираясь отвечать на глупые вопросы.

— Ты чего опять кислая? — спросил он, доставая из кармана брелок сигнализации после того, как Глаша выпустила наконец его лацкан.

— Опять? А я что, часто бываю кислая? — спросила Глаша с искренним интересом. Он что-то уловил в ее тоне и быстро обернулся, взглянув ей в лицо. Лицо ухмылялось с таким выражением, которое могло бы напугать даже зеркало. Славик вздрогнул.

— Что это тебя сегодня на разборки потянуло? — Его голос звучал угрюмо, но где-то в самой его глубине таилось беспокойство.

А Глаша, напротив, внезапно успокоилась. К ней вернулась способность думать.

Она поняла, что все кончилось, внезапно, сразу. Их брак с самого начала был никому не нужным, всего лишь жалкая ширма для ее комплексов. И все же, все же... Сначала Неля — близкий, хорошо знакомый человек, почти подруга. Теперь вот Славик, чье общение с миром было стабильно, как расписание немецкой пригородной электрички. Слишком много для одного дня. Слишком жестоко потерять в один день всех, к кому ты был привязан долгие годы. И почувствовать себя преданной и никому не нужной тоже жестоко. Но такова жизнь. Так всегда говорила ее бабушка. Еще она утверждала, что человек рожден не для радостей, его удел — страдание во имя искупления грехов. А что делать, если у тебя нет грехов? Во имя чего она переживает сейчас все эти муки и унижения? Или во всем виновата ее мать? Может ли такое

17

быть, чтобы дочери выпала доля платить по счетам матери? Мама стремилась жить на виду, делая свою жизнь одним бесконечным праздником, полным веселья, музыки, поклонников. Она так много веселилась, так ярко блистала, что на долю ее дочери остались лишь серые будни.

Нет! Глаша тряхнула головой так яростно, что с ее волос полетели брызги. Она не должна так думать о матери. Вот это и есть грех — предательство. Пусть ее сегодня дважды предали, пусть будут предавать и в дальнейшем, она это вытерпит как-нибудь. Вытерпит, но сама никого не предаст.

— Заснула ты, что ли? — донесся до нее, как сквозь вату, раздраженный голос мужа. — Садись в машину, холодно!

Глафира недоуменно посмотрела на него, словно не узнавая.

— Я не поеду, — выдохнула она и сразу почувствовала облегчение. Сказать это оказалось так просто.

— Как это? Ты что, спятила?

— Нет. Я не поеду с тобой домой. И ты не поедешь. Мы больше не будем жить вместе.

— С каких это пор?

— С этой минуты.

— Да ты что такое говоришь? Какая муха тебя укусила? — Славик наконец сообразил, что происходит что-то серьезное. Сложить в уме два и два было несложно. — Ты что, шпионила за мной? — прошипел он, хищно щурясь. Глаша впервые увидела, каким злым и неприятным может быть его всегда спокойное лицо. Нос заострился, губы сжались в узкую полоску, глаза угрожающе поблескивали.

— Я не шпионила! Впрочем, ты особенно и не таился, — пожала она плечами, пытаясь сглотнуть колючий комок, который застрял в горле и мешал ей дышать.

— Так ты видела? Ну что ж, сама виновата! — воскликнул Славик с неожиданным пафосом. — Нечего совать свой нос куда не надо. Меньше знаешь — крепче спишь. Слыхала?

Глаша удивленно посмотрела на него. Он говорил, высунувшись из машины по пояс, а она продолжала стоять под дождем, но они не обращали на это внимания, как будто каждый занял свою территорию и не собирался переступать невидимую границу.

— В чем я виновата? — тихо спросила Глаша.

— Ты еще спрашиваешь? Посмотри на себя! На кого ты похожа! Лахудра лахудрой! Надо мной все друзья смеются, говорят, что я живу с дохлой курицей!

— И ты нашел себе павлина, — вяло парировала Глаша.

Обидные слова больно ранили Глашу, но она старалась не замечать этой боли. Ей лишь хотелось, чтобы все поскорее закончилось, и тогда она сможет пойти домой, выплакаться, зализать свои раны и подумать, как жить дальше. Только домой она должна попасть одна, она не могла больше терпеть этого человека рядом с собой ни одной лишней минуты. Для этого нужно было потерпеть еще немного, выслушать все оскорбления до конца, а потом забрать у него ключи от квартиры. Ему есть куда пойти: у него есть друзья, мать с отцом, наконец, эта фифа на алой малолитражке, а у нее нет ничего, кроме дома. Ее дом — все, что у нее осталось.

Славик тем временем все больше входил в раж. Его словно прорвало. Он бросал ей в лицо гадости одну за другой, она молча слушала, терпеливо дожидаясь, когда ему надоест поливать ее помоями. Странно. Изменил ей он, а оскорбления получает она. Где справедливость?

Оказалось, что Глаша сама во всем виновата, нечего было носить бабкины вязаные душегрейки. Раздеть ее взглядом не сможет даже сексуальный маньяк, а ее самое вызывающее белье может соперничать в сексуальности разве что с байковой пижамой советских времен.

ЛАНА СИНЯВСКАЯ

●

Выяснилось, что он, Славик, тоже человек и он не хочет из-за ее дурацких комплексов лишаться визуального аспекта своей и без того нелегкой сексуальной жизни. Продолжая выкрикивать гадости, Славик яростно захлопнул дверцу, едва не прищемив ей нос. Глаша была раздавлена, однако, вместо того чтобы спасаться бегством с места своего позора, она нагнулась к машине и постучала в стекло костяшками пальцев.

— Верни мне ключи, пожалуйста, — тихо, но твердо попросила она.

Он приоткрыл окно, взгляд его потемнел. Какое-то время он сидел, тупо глядя на нее. Потом, точно вспомнив что-то, сунул руку в карман просторного плаща, достал ключи, демонстративно отстегнул брелок и швырнул связку под ноги Глаше в грязную жижу. Взревел мотор, и машина, обдав Глашу напоследок брызгами, с визгом покрышек по асфальту рванула с места.

Девушка сгорбилась, низко опустила голову и некоторое время стояла, глядя на мутную воду и не решаясь достать из лужи ключи. Затем медленно, как бы через силу, нагнулась, опустила руку в грязь — при этом лицо ее жалко сморщилось — и выудила кольцо, на котором, позвякивая, болтались два ключа: один простой, а другой — длинный с затейливой бородкой. С ключей капала грязная вода. Глаша, неловко держа ключи двумя пальцами, свободной рукой расстегнула сумочку и долго шарила в ней в поисках носового платка. Он обнаружился в боковом кармашке и вид имел не очень свежий. Правда, после того, как она обтерла им ключи, его вообще осталось лишь выбросить. Что Глаша и сделала, как только ей на пути попалась урна.

Уже совсем стемнело, а ей еще предстояло минут двадцать ковылять до остановки троллейбуса. В легких туфлях на шпильках, под дождем по сплошной грязи это

●

путешествие представлялось настоящей пыткой, но отступать было некуда.

Глаша поправила на плече сумочку, вздохнула и сделала первый шаг в новую жизнь.

ГЛАВА 3

Улица была почти пуста. Редкие прохожие обходили Глашу стороной. Она была похожа на пьяную: без зонта, мокрая, жалкая в осенней куртке и летних туфлях. Тонкие каблуки то и дело попадали в скрытые водой выбоины, и Глафиру пошатывало.

Асфальтовая дорожка, по которой шагала девушка, тянулась вдоль трассы с довольно оживленным в этот час автомобильным движением. Глаша, погруженная в свои мысли, не обращала на него внимания. Она не сразу увидела, что рядом с ней едет машина, но когда раздался резкий гудок, она, вздрогнув, остановилась.

Пьяный голос из автомобиля окликнул ее:

— Эй, телка, ты свободна?

Из открытых окошек «Нексии» на нее скалились четверо парней самого похабного вида. Голова того, что сидел рядом с водителем, напоминала шерсть бродячего пса в колтунах и репейнике. Глаша знала, что эта прическа называется «дреды». Вдобавок к живописной шевелюре парень имел в ухе сразу три серьги и пирсинг под нижней губой. Все вместе выглядело угрожающе.

Глаша содрогнулась от отвращения, когда тип в дредах высунул в открытое окошко руку и попытался ухватить девушку за рукав. Она шарахнулась в сторону, а тип под гогот своих товарищей вновь спросил:

— Прокатимся, детка?

— Отвяжись!

Глаша развернулась и ускорила шаг. Машина после-

●

довала за ней, вкатившись на тротуар и чуть не наезжая на пятки.

— Ты куда? — летело ей вдогонку. — Как насчет свидания? Нас всего четверо, и мы ребята что надо!

— Да ну ее, — раздался другой голос, более тонкий и сиплый. — Она вся какая-то облезлая и мокрая, загваздает нам салон.

— А мы ее обсушим, — загоготал кто-то третий. — Мы ребята горячие!

Глаша почти бежала. Машина не отставала, а парни в машине уже икали от смеха.

Глаша поняла, что ей не убежать. Еще немного покуражатся и затащат ее в салон, завезут в какую-нибудь подворотню и будут глумиться, пока не устанут. Хорошо, если убьют. А если оставят в живых?

Девушка судорожно всхлипнула, озираясь на бегу, как загнанное животное, ничего не видящими от слез глазами. Машина лениво преследовала ее, сигналя и слепя фарами.

— Оставьте меня в покое! — закричала она.

— Ох, какие мы недружелюбные, — придурок с дредами погрозил ей пальцем. — Мы к тебе по-хорошему, а ты...

В машине опять загоготали.

— Отвалите, уроды! — взвизгнула она.

— Глянь, телка заводится, — заметил водитель, мерзко ухмыляясь.

Вильнув рулем, он попытался прижать ее к стене дома. Глаша увернулась в последнюю секунду. Она чувствовала, как у нее бешено колотится сердце. Ухмыляющиеся морды расплывались перед ее глазами. Она задыхалась.

Отморозок в дредах по-прежнему тянул к ней руки. Водитель стал теснить ее к стене, чтобы тот мог ее схватить.

ПОСЛЕДНЯЯ НОЧЬ КОЛДУНА

●

— Нет! — уворачиваясь от него, вопила Глаша сквозь слезы.

Из заднего открытого окна в нее швырнули тлеющий окурок. Он попал ей в карман.

— Гол!!! — завопили в машине с экстазом.

Ткань куртки задымилась. Глаша сунула руку в карман, обожгла пальцы и, совершенно обезумев от ужаса, стала стаскивать с себя куртку.

— Стриптиз! О-о-о! Давай, детка!

Она услышала, как захлопали дверцы, завизжала, швырнула в них куртку и бросилась бежать. Топот и улюлюканье следовали за ней по пятам.

«Звери! Тупые животные!» — рыдала она.

Глаше показалось, что она налетела на столб. От удара у нее зазвенело в голове. Она отшатнулась. Столб оказался человеком. Огромный, как гора, он стоял и с недоумением взирал на нее сверху.

Сначала она подумала, что это один из преследователей, который забежал вперед. Но этот тип не делал попытки схватить ее, просто стоял и смотрел, не говоря ни слова.

Преследователи почему-то остановились. Глаша боялась повернуть голову, чтобы посмотреть, что происходит у нее за спиной.

— Эй, детка, отцепись от дяди и топай сюда, — с ласковой угрозой позвал ее парень в дредах. — Это наша девка! — пояснил он мужчине, давая понять, что добычей делиться не станет.

Глаша всхлипнула, замотала головой и попятилась.

— А ну, двигай сюда, живо! — проревел еще один.

Шагнув вперед, он попытался схватить ее за руку. Глаша дико завизжала. Она не соображала, что делает, но делала все быстро. Она повисла на шее у мужчины, вцепившись ногтями в его кожаную куртку.

— Это кто тут у нас? — пророкотал у нее над ухом очень низкий, слегка гортанный голос.

— Г-Глаша, — прошелестела она.

Метнув вверх затравленный взгляд, она, к своему ужасу и позору, обнаружила, что вопрос был обращен вовсе не к ней. Мужчина пристально, но спокойно смотрел на сбившихся в кучу Глашиных преследователей.

Вообще-то парни настроились хорошенько повеселиться с насмерть перепуганной девушкой. Она так славно удирала, что в них проснулся азарт. Мужик, на шее которого грушей повисла их законная добыча, заметно портил пейзаж.

Их первой реакцией было одно — попытаться дать в «бубен» мужику, тем более что он был один, а их — четверо. Но вдруг их что-то остановило. Возможно, ледяной взгляд этого типа. Он их не боялся, и они это чувствовали. Кроме того, Баклану — парню с дредами — тип показался знакомым. Когда его утонувшие в пиве мозги не без усилий всплыли на поверхность и он смог сообразить, кто перед ним, его спине стало жарко и веселиться как-то сразу расхотелось.

— Святой? — неуверенно пробормотал он, все еще надеясь, что обознался.

Глаша с удивлением уловила в его голосе страх.

Мужчина не ответил. Он продолжал стоять, засунув руки в карманы куртки и как будто не замечая Глаши, болтавшейся на его шее.

— Святой, ты каким ветром здесь? — Баклан попытался скрыть позорную дрожь в голосе за фамильярностью. — Твоя, что ли, девка?

Глаша знала ответ и в испуге вцепилась в кожаного изо всех сил. Но он не сказал «нет», зато тихо и зло прошипел ей в ухо:

— Отцепись...

Глаша лихорадочно соображала. Предстояло выбрать из двух зол.

Ублюдки позади или разъяренный тип прямо перед

носом. Она выбрала второе и обняла мужика покрепче. Он тихо крякнул.

Парни занервничали. Похоже, прозвище «Святой» было им хорошо знакомо и они предпочитали с ним не связываться.

— Ладно, Святой, без обид, — раздался писклявый голос, — мы отваливаем! Девка эта нам по фигу.

— А чего ловили? — спросил Святой без любопытства.

— Да так... скучно.

— Если скучно, Чика, тебя ведь так звать? — езжай на проспект, сними там шлюху и оттянись по полной, — посоветовал Святой почти по-отечески. — Нехорошо пугать обывателей.

На «обывателей» Глаша почему-то обиделась.

— Кто ж знал, что она эта... как его... обывательница. Мы думали, обычная соска. Иначе с какого кайфа она на шпильках в такую погоду?

Святой пропустил оправдание мимо ушей, и тогда третий парень добавил:

— Мы ж ничего ей не сделали!

«Ничего себе ничего! — возмутилась Глаша. — Напугали до смерти и куртку почти новую прожгли!» — но возмутилась она про себя и только скрипнула зубами.

— Ну что, пошли мы? — спросил тем временем Баклан.

— Валите, — разрешил Святой.

Топот ног стих подозрительно быстро. Глаша пошевелилась.

— Может, наконец слезешь с моей шеи? — язвительно обратился к Глаше ее спаситель.

Глаша мгновенно разжала скрюченные от напряжения пальцы и быстро отпрыгнула в сторону. Сумочка, которая не потерялась во время погони каким-то чудом, больно ударила ее по бедру.

— Спасибо, — неуверенно пробормотала она.

— Не стоит.

Он сказал это таким тоном, что Глаша покраснела. Она поняла, что на спасенную героиню в его глазах явно не тянет. Он оглядел ее с ног до головы без интереса и даже вроде бы презрительно. Только на мокрых открытых туфлях взгляд задержался чуть дольше.

— Я не успела переобуться, — Глаша зачем-то начала оправдываться. — Меня должны были встретить... после работы... на машине...

— Чего ж не встретили? — Насмешка его была просто оскорбительной.

— Не ваше дело! — огрызнулась она.

— Далеко в таком виде ты не утопаешь. Баклан с бандой на улицах не единственные, — проинформировал Святой.

— Доберусь как-нибудь, — попыталась Глаша продемонстрировать свою независимость.

— До дома подбросить?

А вот этого она не ожидала. Предложение Святого вдруг напугало ее. С чего вдруг такая доброта? Как женщина она его не заинтересовала, это и слепому ясно, а свой лимит на добрые дела он исчерпал на год вперед тем, что отбил совершенно незнакомую девицу у шпаны. Что, если он тоже какой-нибудь браток или — бери выше — авторитет? Напугать тех психов было непросто. Они сами кого хочешь испугают, и все же они убрались, поджав хвосты, хотя Святой даже ни разу не повысил голос.

Испугав сама себя до дрожи в коленках, Глаша, мелко семеня ногами, попятилась.

— Спасибо, до дома не надо, — сказала она, изобразив на застывшем лице подобие вежливой улыбки.

— Дело твое, — легко согласился «браток-авторитет».

Она уже вздохнула было с облегчением, расслабилась и тем самым допустила ошибку. Святой вдруг резко шагнул к ней, обхватил, сунул себе под мышку. Потом свободной рукой открыл дверь стоящего рядом джипа и зашвырнул ее на заднее сиденье, как куль с мукой.

Глаша рухнула вниз с протестующим визгом и тут же вскочила, как будто по мягкому кожаному сиденью были рассыпаны канцелярские кнопки. Девушка метнулась к дверце и принялась двумя руками остервенело дергать ручку. Замки оказались заблокированы.

Святой невозмутимо уселся на водительское место и повернул ключ зажигания. Мотор тихо заурчал. Какая-то тряпка пролетела мимо Глаши и шлепнулась рядом на сиденье. Интересно, когда он успел подобрать ее куртку?

Глаша сопела ему в затылок, кося глазами по сторонам и прикидывая, чем бы половчее огреть негодяя.

— Попробуешь напасть сзади — получишь в ухо, — услышала она его спокойный голос.

— Да как вы смеете?! — Глаша задохнулась от возмущения. — Что вам от меня надо?!

— От тебя? Ничего. Довезу до места, высажу, где скажешь, и топай на все четыре стороны. Ничего личного, так что не обольщайся.

Глаша зарычала от ярости. Да что он о себе возомнил? Почему издевается над ней? С какой стати?

— Это вы не обольщайтесь, — прошипела она. — Признаться, я предпочитаю мужчин помоложе, а то с возрастом мужчины киснут, знаете ли. Что это с вами? — изобразила она удивление. — Вы так нахмурились, глядя на меня, что на вашей физиономии не сморщились только зубы.

На этот раз она достала его. Всегдашняя невозмутимость дала трещину. Глафира отчетливо видела, как на его лице идет борьба между желанием вышвырнуть ее на улицу немедленно и нежеланием отступать от своих слов.

Он оказался человеком слова и на улицу ее не выкинул, но это решение далось ему с трудом.

— Вот что... Глаша, — надо же, даже имя запомнил! —

ЛАНА СИНЯВСКАЯ

●

Твои сексуальные предпочтения мне до лампочки. Я сказал, что довезу тебя до дома, — и сделаю это. Говори адрес и сиди тихо, как мышь за печкой. — Он помолчал немного и добавил: — Тебе же будет лучше.

— А зачем вам это надо? — пискнула Глаша.

Он ответил не сразу, и у Глафиры было время пожалеть о своем любопытстве.

— Я всегда довожу дело до конца. — Он позволил Глаше обдумать сказанное, затем продолжил: — Иногда это занимает много времени, но в конце концов я всегда добиваюсь своего. Запомни это.

Его угроза словно зависла над Глашей хмурым облаком. Она по-настоящему испугалась и вжалась в спинку кожаного сиденья. Напрасно она пыталась разозлить его. Что-то подсказывало ей, что этот Святой — человек мстительный.

До самого конца пути она неподвижно сидела на заднем сиденье. Она даже дышать старалась бесшумно, только взглядывала изредка в зеркало заднего вида, больше всего боясь встретиться там с его глазами.

В салоне было почти темно, и Глаша явственно ощущала силу личности сидящего за рулем человека. Он действительно смахивал на святого своим суровым, даже аскетичным лицом. Но Глаша знала твердо одно — заработать на такую тачку и при этом сохранить даже отдаленное сходство со святым невозможно.

Глаша бы очень удивилась, если бы узнала, что Святой тоже думает о ней. Эта странная девушка с лицом осиротевшего ребенка, потерявшегося в жестоком мире, заинтриговала его. Наверняка она сболтнула про молодых любовников, чтобы досадить ему, отомстить за безразличие. Впрочем, какое ему дело? И, что бы она там ни болтала, в свои сорок он чувствует себя прекрасно. У него железный удар и цепкий ум. Он прошел через ад и сумел снова оказаться наверху. Он умеет побеждать, и ему это нравится. А что касается этой нелепой девицы,

28

●

то она будет занимать его мысли только до определенного времени. Совсем недолго. Скоро он ее высадит и забудет о ней как о досадном эпизоде.

Он лгал себе. Миниатюрная рыжеволосая женщина с полными чувственными губами и неожиданно большой грудью, легко угадывающейся под насквозь промокшей кофточкой свободного покроя, привлекла его внимание...

* * *

Собственная квартира в этот раз показалась Глафире самым безопасным, самым уютным уголком на всем белом свете. Захлопнув за собой входную дверь, она словно отгородилась от всех неприятностей, обрушившихся сегодня на ее голову. Глаша даже удивилась, обнаружив, что совсем не переживает. А ведь должна бы...

Она взглянула в зеркало в прихожей, но собственный затрапезный вид не расстроил ее. Все поправимо. Сейчас она примет ванну, вымоет волосы и обязательно поест. Глаша почувствовала, что ужасно проголодалась.

Испорченную куртку она бросила у входа в прихожую прямо на пол. Что-то звякнуло. Ключи! Ну, конечно. Это ключи ее мужа. Теперь, наверное, уже бывшего. Глаша поморщилась, как от зубной боли. Ну нет, она не позволит затянуть себя обратно в мутную воду переживаний. Только не сегодня.

В подтверждение своей решимости Глаша, скинув на ходу туфли, прошлепала к телефонной розетке и выдернула ее из гнезда. Вот так. Теперь ее никто не потревожит.

Удовлетворенно вздохнув, она отправилась в ванную. Сняла с себя все и свалила кучей в углу. Завтра она соберет все это, включая куртку и туфли, и отнесет на помойку, чтобы ничто не напоминало о сегодняшнем отвратительном дне. Нет, пожалуй, куртку стоит оставить. Она совсем новая. Глаша не планировала покупать другую как минимум два сезона, да и денег сейчас лишних нет. Пообещав себе посмотреть завтра, что там можно сообразить с прожженным карманом, Глаша постаралась расслабиться и погрузилась в ароматную пену.

После ванны, распаренная, она отправилась на кухню. Желудок урчал от голода. На средней полке холодильника стояла сырая курица — Глаша заранее разморозила ее, чтобы запечь вечером в духовке. Ее муж не признавал ни колбасу, ни пельмени, ни, боже упаси, полуфабрикаты. Только свежеприготовленное мясо.

Глаша мрачно усмехнулась и отправила птицу обратно в морозильник. Сегодня она будет есть то, что хочется. Глаша обожала картошку с тушенкой и холодным молоком. И еще овощи, которые муж тоже терпеть не мог. Даже из супа вылавливал все до последней морковки.

Почистить картошку и поставить ее на огонь было делом нескольких минут. Глаша убавила огонь, когда картошка закипела, открыла банку тушеной говядины. Уже помытые помидоры и зеленый огурец, прижавшись друг к другу, лежали в глубокой эмалированной миске. Глаша удовлетворенно обозрела натюрморт, втянула носом вкусный запах и отправилась в комнату. Пока картошка варится, делать все равно нечего.

Квартира в старом сталинском доме, которая досталась Глаше от бабушки, была однокомнатной. Для двоих, пожалуй, тесновато, но для нее одной места вполне достаточно.

Глаша остановилась напротив большой фотографии в рамке, висящей на стене. С нее на Глашу, улыбаясь, смотрела знаменитая в прошлом актриса. Никто из гостей не догадывался о том, что женщина на этом увеличенном любительском фото — Глашина мать. Даже Славик не знал правды. Он часто посмеивался над женой, тем более что актриса эта давно уже умерла, а перед смертью несколько лет не снималась.

ПОСЛЕДНЯЯ НОЧЬ КОЛДУНА

●

Глаза, которые Глаша так любила, улыбались ей. Мама смеялась, глядя в объектив, в тот день, когда Глаша впервые взяла в руки фотоаппарат и для пробы решила щелкнуть мать. Та, позировавшая в своей жизни сотням лучших фотографов страны, в этот раз не стала принимать жеманных поз, которые стали неотъемлемой частью ее образа, а просто улыбнулась дочери, чисто и светло, не заботясь о морщинках в уголках глаз и не думая о правильно поставленном свете. Глаша считала, что на этом старом снимке ее мать — настоящая, такой ее никто не знал. Это была ее и только ее мама, неприкосновенная частица знаменитой женщины, которую она оставила в наследство своей дочери.

Жаль, что на этом наследство не исчерпывалось.

ГЛАВА 4

«Правильно бабка говорила, что объедаться на ночь вредно!» — подумала Глафира утром следующего дня.

Глаша лукавила. Она прекрасно знала, что пузо, набитое накануне вожделенной картошкой и тушеным мясом, не имеет никакого отношения к странному старику. Этот старик был ей хорошо знаком в том смысле, что посещал ее сны не впервые. Да что там, она и припомнить не могла, когда он появился в первый раз. Кажется, это было в глубоком детстве, еще до того, как Глаша пошла в первый класс.

Глаша могла бы поклясться, что в реальной жизни никогда старика не встречала. Правду сказать, забыть его было бы невозможно: огромный, с густой, абсолютно белой шевелюрой до плеч и окладистой бородой, судя по всему, никогда не знавшей ножниц и расчески. Одет он был всегда одинаково — в свободную серую рубаху из домотканой материи. Более всего он напоминал Глаше Григория Распутина, но какого черта царский

●

юродивый стал бы забираться в ее сновидения? Кроме того, ее старик был седой, а Григорий Распутин до самой смерти оставался жгучим брюнетом.

Сны эти Глаша не любила, хотя в них не было ничего кошмарного. Старик просто сидел возле ее постели и смотрел на нее глубоко посаженными, похожими на угли, глазами. Иногда он начинал говорить и несколько раз даже давал дельные советы относительно предстоящих в ее жизни событий. Глаша всегда удивлялась, что, проснувшись, помнит его слова. Обычные сны стирались из ее памяти подчистую. Советы старика выручали ее, но испытать к нему чувство благодарности ей мешал страх. Она боялась ночного гостя и, положа руку на сердце, предпочла бы выбираться из своих проблем самостоятельно, лишь бы не видеть по ночам это строгое благообразное лицо.

Старик был еще одной тайной Глаши, о которой она, как и о матери, никому не рассказывала. Сам старик запрещал ей говорить. Она понимала, что он — всего лишь сон, плод ее воображения, но ослушаться почему-то не решалась.

Сегодняшний сон встревожил девушку больше других. От его слов: «Я уже близко, скоро мы встретимся!» Глаша проснулась в холодном поту, сердце бешено колотилось. Осознание того, что это только сон, в этот раз облегчения не принесло. В ее душе поселилась тревога. Это чувство было настолько сильным, что даже отодвинуло на задний план все неприятности, случившиеся с ней накануне. Она ощутила острую потребность куда-то бежать и что-то делать, но куда и что — оставалось для нее загадкой.

Залив свое беспокойство двумя кружками крепкого кофе и смыв под душем липкий пот ночного страха, она почувствовала себя лучше и сочла, что вполне в состоянии отправиться на работу.

ПОСЛЕДНЯЯ НОЧЬ КОЛДУНА

●

* * *

— Меня муж бросил, — сообщила Глаша подругам.

— Славик? Счастье-то какое! — Динка даже не пыталась изобразить сочувствие.

— Неужто восстал наш туалетный коврик? — не поверила Валя.

— Коврик нашел себе новую хозяйку! — Глаша вздохнула.

— И слава богу. В смысле Славу — к богу.

— Скорее к богине.

— Да хоть куда! — Валя отмахнулась. — Зануда он у тебя редкий. Жить с таким сможет только ходячая логарифмическая линейка.

— Это ты про меня?

— Это я вообще.

Глаша не стала углубляться в эту животрепещущую тему.

Сейчас ее больше интересовал другой вопрос. Увидев, что Валя потянулась к пицце, она воскликнула:

— Погоди!

— С какой стати? Ты что, Глаш, очумела? — Валя удивленно взглянула на подругу, но руку, зависшую над горячей пиццей, не убрала.

Глаша легонько шлепнула ее по пальцам.

— Эй, полегче!

Валя хмыкнула.

— Что за шум, а драки нет? — влетела запыхавшаяся Дина.

Она, как всегда, опаздывала.

— Драка как раз сейчас будет, — мрачно пообещала Валя, — если вот эта вот не даст мне съесть мой законный кусок горячей пиццы.

— И не дам! — запальчиво воскликнула Глаша. — Пока не расскажет, что тут происходит, — пиццы ей не видать!

●

Говоря это, Глаша обернулась к Дине, а Валя только того и дожидалась. Она ловко подцепила ломтик пиццы и сунула ее в рот, сразу откусив чуть не половину. На ее лице появилось выражение блаженства.

— А что происходит-то? — не поняла Дина.

Валя пожала плечами.

— На швободную плош-шать въежжают новые айендатоы, — сообщила она с набитым ртом и для верности мотнула головой куда-то в сторону коридора.

Глаша успела заметить, что ее подруги как-то странно переглянулись.

— Девчонки, вы чего темните-то? Кто эти новые арендаторы? Что за тайны мадридского двора?

Валя вздохнула и громко проглотила недожеванный кусок. Дина сосредоточенно кусала нижнюю губу.

— Ну!

— Вот тебе и «ну», — передразнила Валя, потом шумно выдохнула, с сожалением посмотрела на свой надкушенный трофей и отложила его в сторону.

— Валь, скажи ты, — попросила жалобно Дина.

— Как что, так сразу Валя, — насупилась та.

— Это заговор, — констатировала Глафира обреченно.

Девчонки снова переглянулись.

— Ну вот что, — Глаша шлепнула ладонью по столу, — не хотите говорить — не надо. Я сама пойду и посмотрю!

Она решительно поднялась с места.

— Стой, — Динка помотала головой, — не ходи.

Глафира остановилась и выжидающе уставилась на нее.

— Пропал завтрак, — вздохнула Валя с сожалением.

Через десять минут Глаша уже знала, что на давно пустующий пятачок въезжает отдел женской одежды. И не просто одежды. Это была точная копия ее собственного отдела. Те же самые фирмы и модели, те же цены.

Но самым главным было даже не это. Человеком, ско-

•

пировавшим ее собственную идею, оказалась... Муля. До этого она мирно торговала чаем, кофе. Ее прилавочек размещался как раз у входа в Глашин отдел. Девушка разом припомнила повышенный интерес Мули к тому, что и как она делает, ее бесконечные вопросы, от ответов на которые Глаша благоразумно уклонялась. Она и раньше не испытывала восторга по поводу Мулиного любопытства, но даже предположить не могла, что у той хватит наглости скопировать все в точности, да еще и разместиться в непосредственной близости от нее, Глаши.

Замысел ее стал ясен. Глаша кропотливо прикармливала клиентов, которые в большинстве своем не видели отличия между китайско-турецким ширпотребом и качественной европейской одеждой. Там кофточка — тут кофточка, так какая разница? У китайской и цвет поядовитее, и блесточек нашито поболе.

Глаша долго билась над тем, чтобы сломать стереотипы. Она предлагала клиенткам примерить скромные на вид трикотажные кофточки и сама до конца не понимала, в чем тут фокус. Даже самая затрапезная дамочка в этих вещах обретала черты благородства, стиль и элегантность. Цены Глафира держала умеренные, и те, кто хоть один раз купил у нее вещицу, возвращались к ней снова и снова.

К настоящему моменту у Глаши сложился довольно большой круг постоянных покупателей, которые приводили с собой родных, друзей и сослуживцев, всех тех, кто не мог не заметить благоприятных перемен в счастливой первооткрывательнице и страстно желали так же преобразиться.

...Муля ошивалась поблизости. Глаша подозревала, что не просто так. Муля страстно любила подслушивать.

Глаша коротко кивнула вместо приветствия. Она надеялась проскользнуть мимо, не вступая в беседу. Чтобы успокоиться, новость следовало переварить в одиночестве. В таких случаях Глафира обычно хваталась за сигареты, хотя баба Катя нещадно ругала ее за вредную привычку.

Муля не желала, чтобы жертва ускользнула просто так, ей требовалось насладиться произведенным эффектом.

— Привет! — сладким голосом пропела она и, как бы невзначай, загородила Глаше дорогу.

Внушительные габариты Мули прочно блокировали путь к отступлению. Глаша остановилась.

Кличка Мули имела весьма забавное происхождение. В магазине давно подметили сходство Мули с мопсом: то же круглое лицо с выпученными глазами, то же жирненькое, все в складках, круглое тельце. Не хватало лишь короткого хвоста бубликом.

В магазине Амалию Тряскову недолюбливали и боялись, так что это сходство неоднократно и охотно обсуждалось за ее спиной. Во время одного из таких разговоров кто-то вспомнил, что у известной писательницы Дарьи Донцовой на обложке имеются мопсы. Тут же была извлечена потрепанная книжка (в поклонницах Донцовой ходило полмагазина), и народ долго веселился, разглядывая пучеглазых уродцев. Сходство и впрямь было поразительное. Псов звали Муля и Ада, об этом тоже все знали. Амалия была похожа на обоих. «Муля и Ада»...

Сейчас уже и не вспомнить, кто добавил буковку «з» к буковке «и», только кличка «Муля из ада» приклеилась с тех пор к Трясковой прочно.

— Поздравляю, — выдавила Глаша, — кажется, в этот раз ты превзошла себя.

— Ты находишь? — Муля не уловила иронии. — Ну, спасибо. Ты ведь не сердишься? — Вопрос был чисто риторическим.

— Какой смысл? — философски вздохнула девушка.

— Вот и умница. Бизнес есть бизнес, сама понимаешь. Конкуренция и все такое. Кроме того, у меня товар

•

получше твоего, в том смысле, что я тебе не конкурент. Публика у меня будет элитная. Ну, ты знаешь мои связи! Жена мэра обещала зайти, дочка Боброва уже отоварилась тысяч на тридцать. Ты знаешь Боброва? Ну, тот, который владеет пивзаводом. Ладно, думаю, ты все поняла.

Глаша действительно все поняла правильно. Несмотря на свою наглость, Муля все же побаивалась, что Глаша попробует принять контрмеры. Ведь даже беззубая дворняга может укусить, если попытаться вырвать у нее из пасти последний кусок хлеба. Так что не зря она щегольнула громкими именами. Попробуй, мол, сунься, мокрого места от тебя не оставлю. Глаша знала, что Муля не блефует. То, что далеко не бедные люди с удовольствием покупают вещи прошлогодних коллекций, ничуть не противоречило истине. Ведь качество и дизайн оставались европейскими, а цены оказывались ниже, чем в фирменном бутике, в несколько раз. Глаша давно уяснила, что в России чем богаче человек, тем он экономнее, если не сказать — жаднее. Такой вот парадокс.

— Пойдем, я тебе все покажу, — Муля сладко улыбнулась Глаше, стоящей рядом с застывшим выражением лица. Муля светилась от счастья, ее выпуклые глазки блестели от возбуждения. Абсурдность ситуации ее абсолютно не трогала. Ей не терпелось похвастать своим новым приобретением. О том, что оно ворованное, она даже не задумывалась. Кто успел, тот и съел — таков был ее девиз.

Словно колобок, Муля покатилась по коридору. Она то и дело оглядывалась и поторапливала Глашу. Та уныло плелась следом и кляла себя за то, что не может набраться смелости и послать нахалку куда подальше. Чужая нахрапистость сбивала ее с толку.

...Глаше сразу бросились в глаза фирменные прямоугольники знакомых лейблов. Ассортимент полностью совпадал с Глашиным, только был раза в три больше.

Глаша знала, что поставками в Россию занималась

•

одна-единственная фирма, которая не давала рекламы, а клиентов брала только по рекомендации. Теперь Глашу мучили два вопроса: кто сдал поставщика и откуда у Мули такие бабки. Чайный отдел нахалки сверхдоходов не приносил, свободных средств она тоже не имела, а, судя по разнообразию и обилию товара, денег сюда вбухано немерено. Значит, спонсор. Но откуда?

Возле дальней стойки Глаша не сразу заметила невысокую стройную девушку с коротко стриженными русыми волосами. В ушах у нее болтались длинные, позвякивающие от малейшего движения серьги, а тело было упаковано в облегающий бирюзовый комбинезон. Несмотря на юный возраст, Карина, а это была именно она, во всем помогала матери. Раньше они по очереди стояли за чайным прилавком, теперь вот вместе осваивают новое направление.

Карина поздоровалась и поспешно ретировалась в одну из примерочных. Девушка была еще слишком молода, и откровенная подлость матери пока вызывала у нее смущение. Глаша понимающе улыбнулась.

— Ну как? Шикарно, да? — требовательно вопросила Муля.

Глаша кивнула.

— Ты не переживай, — продолжала щебетать та, — я, конечно, понимаю, что тебе долго не продержаться, и согласна тебе помочь. Ведь у тебя в отделе одно барахло, — Глаша вспомнила, что совсем недавно Муля покупала у нее это «барахло». Даже сейчас на ней были ее, Глашины, джинсы из коллекции прошлого месяца, — но я видела у тебя парочку приличных моделей и предлагаю поменяться: ты мне отдашь эти модели, а я тебе что-нибудь поскромнее. Ну, например, вот это!

Толстыми, как сосиски, пальцами она ухватила вешалку и извлекла на свет свитер мышиного цвета, выпущенный, как определила на глаз Глафира, не позднее шестидесятых годов прошлого века. Такие вещи иногда попадались в качестве нагрузки, Глаша это знала.

— Ничего, правда? — продолжала настаивать Муля, тыча свитером Глаше в лицо.

Девушка отодвинулась.

— В самый раз для твоей публики, не сомневайся. — Муля уже совала свитер Глаше в руки, совала щедро — вместе с вешалкой. Поскольку Глаша снова отодвинулась, Муля на время отстала.

— Ты все-таки подумай насчет обмена. Будем творить вместе!

— На хрена мне такое творчество, — тихо, но решительно произнесла Глафира.

На секунду Муля опешила от неожиданной грубости, потом громко захохотала.

Внезапно смех оборвался.

Поспешно впихнув вязаного уродца обратно на стойку, Муля суетливо засеменила ко входу:

— Ой, здравствуйте, здравствуйте! Заходите! Посмотрите, какая чудная коллекция! Мы подберем вам самое лучшее!

Глаша медленно обернулась и нос к носу столкнулась с одной из своих самых выгодных клиенток. Женщина вспыхнула, а Глаша растерянно пролепетала:

— Здравствуйте.

Клиентка кивнула и отвела глаза.

В этот момент Глаша почувствовала, что способна убить человека.

ГЛАВА 5

В отделе Глаши было пусто. В журнале, где они фиксировали продажи, — ни одной записи. Глаша подняла глаза и посмотрела на Нелю, надеясь прочесть на ее лице хотя бы тень сочувствия, но натолкнулась на все тот же отстраненно-равнодушный взгляд. Хотя нет, в этот раз к обычному равнодушию примешивалось еще что-то. Глаша не желала признаваться себе, что увидела там нечто, похожее на злорадство.

«Этого не может быть, — подумала она убежденно. — Мы дружим десять лет, и за все эти годы я ни разу не сделала ей ничего плохого. За что ей меня ненавидеть? Наверное, она просто устала. Нужно будет поговорить об отпуске. Неля отдохнет, и все встанет на свои места. А может быть, она ничего не знает?»

— Ты слышала, что случилось? — спросила Глаша осторожно.

— Ты о новом отделе?

Глаша внимательно следила за выражением Нелиного лица и могла бы поклясться, что на нем не дрогнул ни один мускул.

— Да, — ответила она подавленно, — боюсь, что нас ждут трудные времена.

— Тебя, — поправила Неля. — Тебя ждут трудные времена. Я всего лишь получаю зарплату.

— И не маленькую, — не удержалась Глаша. — Я всегда старалась, чтобы у тебя было достаточно денег.

— Если бы ты этого не делала, — Неля пожала плечами, — я бы у тебя не работала.

Глаша отшатнулась. Жестокость слов ранила ее в самое сердце.

— Ты считаешь, что Муля поступила правильно? — с трудом выдавила она.

— Я ей не судья.

— Я тоже. Но сегодня мне почему-то хотелось дать ей по морде.

— Не советую. Амалия из тех, кто может дать сдачи.

— Да, здорово она тебя окрутила! — покачала головой Глаша. — Не удивлюсь, если это ты назвала ей адрес поставщика!

— Я этого не делала. Муля нашла адрес в Интернете.

ПОСЛЕДНЯЯ НОЧЬ КОЛДУНА

●

— И ты знала об этом? Знала и не сказала мне?!

— А что бы это изменило?

Глаша вся съежилась. Убитый вид ее выдавал, что внутри она медленно истекает кровью, но Нелю это не трогало.

— Мне жаль! — горько воскликнула Глаша. — Жаль, что так получилось! Ты как будто ослепла. Но насильно мил не будешь. Одно скажу: Муля использует людей в своих интересах. Так многие делают, но Муле мало просто пользоваться людьми, ей нужно раздавить их прежде, чем она их отпустит. Дружба с ней — это билет в один конец — на мусорную свалку.

Глаша замолчала. Она больше ни разу не взглянула на Нелю. Медленно повернувшись, она пошла к выходу.

— Ты просто завидуешь! — крикнула Неля ей в спину.

* * *

Дина и Валя с нетерпением ожидали Глашиного возвращения. Тем временем народу за столом прибавилось. На стуле прочно угнездилась Наташка и трескала пиццу под неодобрительным Валиным взглядом.

Наташка любила поесть. Ее подкалывали по этому поводу все, кому не лень, но Наташкин аппетит от этого не уменьшался.

Наташка относилась к тому типу женщин, который среди сильной половины человечества именуется «ядреным». Она походила на слегка переспелую грушу «дюшес» — сочная и сладкая сверх меры. Невысокая, натуральная блондинка, она имела тугие... Впрочем, у нее все было тугое: щечки, попка, грудь и маленький выпуклый животик.

Торговала Наташка мужской одеждой и была продавцом от бога. Ее обожали не только клиенты-мужчины, что вполне понятно, но и их спутницы, что невозможно в принципе. А все потому, что Наташка никогда не спорила с клиентом. Даже если покупатель начинал уверять, что за углом продают точно такое же в два раза дешевле и в три раза более полосатое, Наташка не пыталась его разубедить и не спрашивала, какого черта тогда он приперся к ней, считая, что если он здесь, значит, это зачем-то надо. Она никогда не ругала чужой товар, зато свой хвалила виртуозно. В результате примитивные рубашки отечественного пошива у нее сгребали пачками и при этом все были довольны.

— Кончай жрать! — рявкнула Валя, когда Наташкина рука потянулась за четвертым ломтиком пиццы.

— А чего? — Наташкины светлые бровки встали домиком.

— Того. Другим не хватит!

— Это кому это? Тебе, что ли? — Наташка хитро прищурилась.

— Не мне. Глаша вон еще не ела.

— Глаш, тебе оставить? — с готовностью откликнулась Наташка. Она нетерпеливо пошевелила над пиццей перепачканными кетчупом пальцами и вопросительно уставилась на Глафиру.

— Нет. Спасибо. Что-то мне не хочется.

— Умеет Муля аппетит испортить, — понимающе кивнула Наташа.

— Чего она от тебя хотела? — Дина выглядела встревоженной.

Глафира хмыкнула:

— Предлагала сотрудничество.

— Вот даже как!

— Ага. Я ей что получше, а она мне — неликвид. Это у нее называется обмен, — пояснила Глаша.

— Вот дура! — сказала Наташка с чувством. — Убила бы ее. Она, зараза, моему хозяину настучала, что я у вас целыми днями торчу.

— Так это же брехня! — возмутилась Валя. — Ты ж

только пожрать. А жрешь ты как саранча — много, но быстро.

— За саранчу отдельное спасибо, — Наташка воспользовалась случаем вернуть ей многозначительную улыбку, — а про брехню — правда. Только хозяин мой все равно устроил разбор полетов, даже уволить грозил...

Валя вдруг уставилась поверх плеча Наташки, взгляд ее приобрел выражение великомученицы. Глаша обернулась в ту сторону. Ничего необычного она не увидела.

Возле стойки с подростковыми брюками топтался довольно невзрачный субъект. Он перебирал вешалки, при этом на его лице читалось некоторое сомнение, словно он не был уверен в том, зачем ему это надо. Он часто взглядывал на Валю, но как-то воровато, будто исподтишка.

— Это что за фрукт? Уж не воришка ли? — негромко спросила Глаша.

— Этот? — Динка кивнула головой в его сторону. — Не, это не вор. Это Валино наказание.

Глаша, округлив глаза, вытаращилась на Валю. Та лишь досадливо махнула рукой и нехотя поднялась с места. Она подошла к клиенту и нависла над ним скалой, скрестив на груди руки.

На глаз в мужичке было не меньше метра семидесяти, но рядом со статной Валентиной он весь как-то съежился.

— Ну? — спросила Валя. — Чем интересуемся?

— Брюки у вас симпатичные.

Голос у мужчины неожиданно оказался низким и приятным. Но Валя не дрогнула.

— Раз симпатичные, то покупайте, — припечатала она.

— Но я еще не решил, — испугался мужчина.

— А чего тут решать? Фасон модный, хлопок, карманы, фердипульки всякие!

●

— Простите, что?

— Ну, вот это! — Валя нетерпеливо подергала за хлястики, нашивки и ремешки, щедро украшавшие широкие штанины.

— Этот тип сюда каждый день ходит, — шепотом пояснила Дина. — Валька вся измучилась. Он ее теперь минут двадцать терзать будет.

— А брюки?

— Брюки — нет. Не купит. А завтра опять придет.

— Похоже, он так развлекается, — предположила Наташка. — Есть такие. И ведь не выгонишь. А может, ему Валька нравится?

— Ты только ей об этом не скажи — костей не соберешь. — Динка хихикнула. Глаша улыбнулась, а Наташка пожала плечами.

— А чего такого? Мужик, он и есть мужик. Две руки, две ноги, голова — все на месте... — она помедлила, — ну, надеюсь, что все... А то, что рост у него подкачал, так Вальке жениха разве что в баскетбольной команде искать, вон какая вымахала!

Валька в этот момент прокручивала в голове приятные картины, как вот сейчас она возьмет эту гниду за шиворот и вышвырнет куда подальше. Эти «эротические» фантазии моментально отразились на ее лице, и Глаша поняла, что клиент здорово рискует.

— Ну ладно, пора мне.

Наташка встала, потянулась, закинув руки за голову, и пошла к выходу.

Дойдя до него, она ойкнула, оглянулась на Глашу и многозначительно протянула:

— Глаша-а-а! А тебя утром какой-то тип искал.

— Старый?

Глаша мгновенно вспомнила свой сон и подумала о старике.

— Нет, почему? — Наташа удивилась. — Не старый.

Хотя и не мальчик. — Она задумчиво покусала нижнюю губу. — Средний, в общем.

— А чего хотел? — Глаша продолжала теряться в догадках.

— Понятия не имею. Я слышала, что он про тебя спрашивал, а чего хотел — это ты у Нели спроси. Она с ним разговаривала.

Неля не добавила ясности. Она сухо проинформировала, что Глашей интересовался мужчина. Внешность она не помнит, не разглядывала. Чего он хотел — не знает, не спрашивала.

Глафира почувствовала, что впадает в панику. Ей было чего бояться. Не только таинственный старик, пообещавший во сне, что вот-вот отыщет ее, но и вполне реальные недоброжелатели. Те вчерашние типы могли искать ее, несмотря на обещания, данные Святому. Да и сам Святой тоже «темная лошадка».

Вчера Глаша специально попросила его высадить ее возле чужого дома, забежала в подъезд и долго подглядывала в окно на лестничной клетке, дожидаясь, когда он уедет. Высунуться из подъезда она решилась лишь минут через десять после того, как красные габаритные огни его машины скрылись за поворотом.

Да, она приняла меры. Она старается быть осторожной и бдительной. Но кто, черт побери, приходил сюда и разыскивал ее?

ГЛАВА 6

Этот вечер и эту ночь Глаша провела неспокойно. Она закрыла дверь на все замки, задернула шторы, зажгла везде свет. И все равно вздрагивала от каждого шороха. Она то и дело выглядывала в окно и осматривала пустой двор. Второй день лил дождь, даже машины были редкими. Один раз ей показалось, что она узнала ма-

•

шину Святого, но джип проехал по двору, не останавливаясь, и она решила, что обозналась.

Время тянулось медленно, мрачные мысли лезли в голову, но спать она тоже боялась. Ей не хотелось вновь увидеть старика. Почему-то она была уверена, что старик обязательно появится. Мудрая Валька наверняка сказала бы, что у нее обычная депрессия и невроз, посоветовала бы хряпнуть чего покрепче и спокойно лечь спать, но Вальки рядом не было, а пить в одиночку глупо.

В конце концов уже под утро Глафира забылась тяжелым сном. Против ожидания, спала она без сновидений, но проснулась в таком состоянии, что реанимировать себя пришлось по частям.

Неожиданно Глаша безумно захотела арбуза. Не то чтобы она так уж сильно их любила, но в данный момент ничто, кроме арбуза, не лезло ей в голову. Она почти воочию видела сочную красно-сахарную мякоть с глянцевито-черными зернышками. Потрескивание разрезаемой корки грозило превратиться в устойчивую слуховую галлюцинацию.

На улице сияло солнце, а ближайший плодоовощной базарчик располагался буквально в двух шагах от ее дома. Глаша не смогла устоять. Расхаживая по рынку, Глаша наслаждалась. Она любила овощи. Ранняя осень — время овощного изобилия, и Глаше было трудно удержаться от соблазна. Она еще не добралась до арбузов, а в ее большом пакете уже теснились ярко-красные помидоры, темно-сиреневые баклажаны, сочно-желтый сладкий перец, парочка небольших кабачков и роскошный вилок цветной капусты.

Девушка остановилась у лотка с зеленью. Она придирчиво выбирала укроп, не замечая, что с нее не сводят глаз двое мужчин.

— Послушай, ты уверен, что нет другого способа проверить ее? — спросил один из них неуверенно.

●

— А что тебя смущает? — приподнял бровь второй.

— Смущает? Нет, ничего. Просто эта девица...

— Продолжай.

— Она и так затюканная с виду. Зачем ей неприятности?

— Не я ее выбрал, Свеча, ты же знаешь. У меня нет выхода.

— На тебя это не похоже. Уж ты-то всегда найдешь выход, мне ли не знать!

Второй кивнул, продолжая следить за девушкой. Она отошла довольно далеко и теперь остановилась у ящика с виноградом. Черноусый продавец совал ей пронизанную солнцем гроздь, убеждая попробовать. Она с улыбкой отказывалась, но в конце концов отщипнула продолговатую ягоду, сунула в рот и надкусила.

— Так почему нужно было выбрать именно ее? — Настойчивый голос вывел его из мрачной задумчивости. Почувствовав неожиданное раздражение, он передернул плечами и быстро пошел вперед.

Глаша аккуратно положила в пакет на самый верх тяжелую гроздь спелого винограда, поблагодарила говорливого продавца и, пройдя несколько шагов, остановилась возле огромной арбузной кучи. Возле весов толпилась небольшая очередь, а Глаша пыталась решить, дотащит она арбуз до дому или нет.

Тяжелый пакет уже оттягивал руку, а приличный арбуз потянет не меньше чем на пять килограммов. Трезво оценив свои возможности, она решила взять арбуз в следующий раз, сегодня у нее и так есть чем себя побаловать.

Она хотела развернуться, и вдруг почувствовала, что между лопатками противно закололо. Кто-то сверлил ее недобрым взглядом. Разворачиваться резко расхотелось. Но не могла же она остановиться на полпути, тем более что покупательница перед ней открыла кошелек, чтобы расплатиться за выбранный арбуз.

ЛАНА СИНЯВСКАЯ

•

Глаша узнала его сразу, хотя при дневном свете он выглядел иначе. Узнала и испугалась.

Он почему-то оказался выше, чем ей запомнилось, и шире в плечах. К тому же он был блондином. Лицо, покрытое темным загаром, жесткая линия квадратного подбородка, резко выделяющиеся скулы. Густые брови были настолько темнее выгоревших на солнце волос, что Глаша подумала, что он их красит — или брови, или волосы. Мысль была настолько неуместной, что Глафира покраснела.

Мужчина стоял неподвижно, расставив мощные ноги в узких джинсах. Джинсы были недешевые. Это Глаша отметила машинально, глаз у нее был наметанный. Скрестив на груди руки, он бесцеремонно ее разглядывал.

Глашу зазнобило. Ей потребовалась вся сила воли, чтобы скрыть охватившую ее панику. «Этот тип все-таки выследил меня! — подумала она обреченно. — Но зачем?»

Она сделала несколько мелких шажков вбок и вновь покосилась на него. Он продолжал буравить ее холодными серыми глазами. «Ковбой», — неприязненно подумала девушка, еще немного попятилась и вдруг больно ударилась обо что-то плечом. Она испуганно вскинула глаза и похолодела. Оказывается, ей некуда бежать. Впереди этот Ковбой Мальборо, позади гора арбузов, а слева — сплошной ряд павильончиков, между которыми протиснется разве что мышь.

Ужас Глаши перешел в панику, когда он шагнул прямо к ней. Что-то в его поведении напоминало хищника, преследующего жертву.

— Эй! — воскликнула она неожиданно севшим голосом. — Что вам надо?!

Несколько человек обернулись в их сторону, но мужчину это не смутило. Напротив, он ухмыльнулся. Он сделал еще шаг. После этого у Глаши остался один выход. Ловко, как обезьяна, прижимая к груди пакет с овощами, она вскарабкалась на гору арбузов. Вокруг начала собираться толпа. Глаша чувствовала себя посмешищем.

— Удобно? — преувеличенно вежливо спросил он. Глаша забралась не слишком высоко, и теперь они оказались на одном уровне. Торговцы арбузами лопотали что-то на своем языке и размахивали руками. Наверное, пытались прогнать ее.

— Чего привязался? — грубо крикнула она. — Зачем ты меня преследуешь?

Вместо ответа он спросил:

— Ты долго собираешься там торчать?

— Не твое дело! Может, мне здесь нравится! — ответила она запальчиво. В подтверждение своих намерений она демонстративно сунула руку в пакет, выудила несколько виноградин и сунула их в рот. До нее начало доходить, что средь бела дня, при таком стечении народа ничего он ей не сделает. Эта мысль ее воодушевила.

— Что, ковбой, съел? — прошамкала она с набитым ртом.

— Ковбой? — Уголки его рта изогнула улыбка. — Мое имя Павел Райский.

— Райский? Вот оно что, — пробормотала она, — а я все думала, почему Святой?

Неожиданно у нее в голове что-то щелкнуло. Она вдруг вспомнила, что это имя ей знакомо. Глаша судорожно вздохнула от неприятной догадки, подавилась виноградом и громко закашлялась.

— Эй, дэушка, слэзай! Ты мнэ всэ арбузы заплюешь! — завопил торговец.

— Вы поперхнулись виноградом? Или моим именем? — спросил Райский с напускной озабоченностью.

Глаша вызывающе вздернула подбородок. Рыжие волосы трепал ветер, и она была похожа на маленький факел, воткнутый в арбузную кучу.

— Да пошли вы все!

ЛАНА СИНЯВСКАЯ

●

Глаза Райского сузились, и на мгновение Глаша решила, что зашла слишком далеко. Продавец арбузов куда-то убежал. Глаша подозревала, что за подмогой. Ей не хотелось и этой проблемы на свою голову, поэтому она стала потихоньку сползать вниз. Кроссовки скользили по гладким арбузным бокам, у нее была свободной только одна рука, и она несколько раз теряла равновесие. Спуск завершился благополучно. Райский поджидал ее в самом низу.

Оказавшись рядом, она почувствовала себя пигалицей. Даже Валя и Диана, к которым она уже привыкла, были ниже этого громилы. Тем не менее она не желала отступать.

— Слушай, Ковбой, Святой, как тебя там, уберись с дороги, а то вместо ковбойской шляпы я пристрою тебе на голову арбуз.

Его глаза посуровели.

«Убьет!» — подумала Глафира обреченно.

В его груди что-то зароготало. Глаша не сразу поняла, что это такое.

Она вся съежилась, приготовившись к нападению, и вдруг услышала хохот. Райский ржал, согнувшись чуть не вдвое и хлопая себя по бедрам. Воспользовавшись моментом, бочком, словно краб, Глаша выбралась на свободное место и припустилась бежать.

Второй мужчина наблюдал всю эту сцену со стороны с явным неодобрением. Теперь он подошел к утирающему слезы смеха Райскому, встал рядом и засунул руки в карманы.

— Ну, и чего ты добился? — спросил он недовольно.

— Посмеялся вволю, — честно ответил Райский, — ты же знаешь, я редко смеюсь.

— Стоило ли ради этого привлекать к себе внимание? — поинтересовался тот, намекая на толпу зевак, которые только сейчас стали расползаться по своим делам.

●

— Не стоило. Ты прав. В следующий раз придется выбрать место поспокойнее.

— Это не поможет. Девица явно малахольная. Не будет рядом кучи арбузов, она вскарабкается на фонарный столб.

Райский помолчал, усмешка его стала недоброй. Потом он снова хохотнул:

— Посмотрим!

* * *

Покупатели всегда клюют на новенькое. Это закон. Поэтому то, что в новом Мулином отделе толпился народ, Глашу не удивило. Она старалась не смотреть на столпотворение, когда проходила мимо, но краем глаза успела зацепить в гуще народа несколько знакомых лиц. Это были ее клиентки.

Внезапно Глаша все поняла. Она быстро дошла до своего отдела. В нем царили тишина и спокойствие. Неля пила чай с жасмином. Увидев Глашино выражение лица, она вздрогнула и отставила чашку в сторону.

— Я не заметила, как ты вошла, — пробормотала Неля.

Глаша молча смотрела на нее. Неле стало не по себе. Суетливым движением она пригладила курчавые волосы, потом нервно одернула кофту. Глаша молчала.

— Что ты молчишь? — Нелин голос сорвался.

— Зачем ты это сделала, Нель? — спросила Глаша тихо.

— Что именно? — Неля попыталась изобразить удивление.

— Ты знаешь.

— Не имею понятия. Ты опять придираешься! — огрызнулась она.

— Придираюсь? Это что-то новенькое. Я не придиралась к тебе никогда. Я думала, что мы подруги, поэтому и терпела твои выходки.

●

— Подруги? — Неля делано рассмеялась. — Не смеши. Ты всегда была хозяйкой, а я — всего лишь работала на тебя.

— Думаешь, легко быть хозяйкой? Мне ничего не досталось даром. Все, что есть, я заработала. Все до копейки.

— А я что, мало работала? Или я хуже тебя? Чем, скажи мне!

Глаша помедлила в растерянности.

— Я не знаю. Когда ты пришла ко мне в первый раз, то у тебя за плечами была лишь работа на заводе, а в последние полгода ты...

— Ну, что же ты замолчала? Продолжай! Я мыла полы в поликлинике, и ты, такая благородная, подобрала меня чуть ли не на помойке.

— Но ведь я ни разу не напоминала тебе о твоем прошлом, не смотрела свысока, мы всегда были на равных...

— Мы никогда не были на равных! — выкрикнула Неля. — Моя зарплата, эти подачки твои паршивые только подчеркивали между нами разницу! Ты — белая кость, вся такая умная, воспитанная и добренькая. При деньгах, при квартире, муже и машине!

Глаша усмехнулась, вспомнив, что мужа и машины у нее больше нет. Неля расценила ее усмешку по-своему. Ее рыхлое, отечное лицо перекосилось, глаза заледенели.

— Смеешься? Ну, валяй! Скоро тебе будет не до смеха! — прошипела она.

— Это точно. Ты ведь постаралась для этого, правда? — Глафира неожиданно обрела спокойствие. Она поняла наконец, что той славной Нели, которую она уважала и любила, больше нет. Перед ней совсем другая женщина.

— Что ты имеешь в виду? — В голосе Нели сквозили подозрительность с сильным оттенком страха, граничащего с истерикой.

ПОСЛЕДНЯЯ НОЧЬ КОЛДУНА

•

— Ты передала Муле список телефонов наших клиентов!

— Неправда!

— Правда. Они толпятся сейчас в ее отделе. Хочешь, пойдем спросим их, как они туда попали?

— Никуда я не пойду.

— Пойдешь, — сказала Глаша с неожиданной твердостью. — Пойдешь на все четыре стороны!

— Ты выгоняешь меня? — похоже, Неля испытала искреннее удивление. — Ну и хорошо, я сама собиралась от тебя уйти — меня Амалия давно к себе звала!

— Вот и договорились. — Глаша кивнула. Она достала из сумки кошелек и маленький календарик, присела на краешек стола, придвинула к себе калькулятор и сказала, не глядя на Нелю:

— Собери свои вещи, а я пока посчитаю, сколько я тебе должна.

— Я должна уйти прямо сейчас? Ты не дашь мне доработать до конца дня?

— Ты уже достаточно поработала. Теперь я должна расхлебать это! — резко ответила Глаша.

Глафира всей кожей чувствовала, как вокруг нее сгущаются тучи. Выходка Мули, предательство Нели, какие-то непонятные нападения и преследования. Главное, ей не к кому обратиться за помощью. Ее подруги, конечно, переживают и сочувствуют ей, но даже их совместных усилий не хватит на то, чтобы вытащить Глашу из той выгребной ямы, в которую она угодила.

Но сдаваться она не собиралась. Она просто не могла позволить себе такой роскоши. Если она не найдет способ исправить ситуацию, то ей элементарно не на что будет жить. Все деньги, что у нее оставались, она вложила в товар. Если не будет выручки, ей нечем станет платить за аренду, да и есть что-то надо и платить за квартиру. А впереди еще развод.

ЛАНА СИНЯВСКАЯ

●

Глаша прижала пальцы к переносице и закрыла глаза, чтобы удержать подступившие к горлу слезы. Она слышала оживленный гомон, доносившийся из Мулиного отдела. Эти звуки лезли ей в уши, проникали в мозг, рождая ярость и ненависть, которых она никогда прежде не знала.

— Сидишь?

Глафира вскинула голову и кивнула. Валя с самым мрачным видом стояла, опершись плечом на стену и скрестив на груди руки.

— И долго сидеть собираешься? — поинтересовалась она.

— Не знаю. Пока что-нибудь не придумаю.

— Ситуация поганая. — Валя покачала головой. — Но небезнадежная.

— Небезнадежная, это когда остается надежда. У меня, похоже, ее не осталось.

— Не кисни! — прикрикнула Валя. — Думай! Ты же у нас умная. Зря, что ли, тебя в институте учили?

— Тебя тоже учили, вот ты и думай, — беззлобно огрызнулась Глаша. — А у меня от всех проблем голова, как воздушный шарик, — пустая и легкая.

— Погоди. Проблем у тебя и правда завались, но какая главная?

— И не выберешь сразу. Бизнес сперли, продавца увели, клиентов переманили... Дальше продолжать?

— Не надо, — благоразумно решила Валя. — Мне кажется, главное — это клиенты. Продавец у тебя все равно был хреновый, бизнес сам по себе никуда не делся. Вон тряпки висят одна другой красивее. Значит, нужно переманить клиентов обратно.

— Но как?

— Поставь себя на их место. Вот представь себе, что ты — мать троих детей, у тебя поганая фигура, варикоз и десять рублей до зарплаты.

54

— Не приведи господи!

— Представила? — Валя нахмурилась.

— Ну, допустим.

— А теперь представь, как тебя можно убедить купить новую шмотку в данной ситуации.

— Никак, — пожала Глаша плечами.

— А ты подумай! — настаивала Валя.

Глаша нехотя задумалась. Что она может противопоставить гигантскому ассортименту Мули? Что? Вдруг ее осенило:

— Скидки! Народ скидки обожает, это я уже усвоила.

— Мысль не нова, но эффективна, — осторожно согласилась Валя.

— Это если скидки маленькие, а если — большие? Самое соблазнительное — урвать приглянувшуюся вещь по дешевке. Да еще не в конце сезона, а в начале! Это сработает!

— Сколько ты хочешь объявить?

— Процентов тридцать.

— А прибыль?

— Прибыли почти не останется, но я хотя бы смогу выдернуть деньги и вложить их во что-то новое.

Вале не слишком понравилось ее возбужденное состояние, но это было лучше апатии, в которой пребывала подруга.

Глаша слетала в соседний магазин канцтоваров, притащила ватман, кисти, краски и принялась увлеченно рисовать плакат, полностью отдавшись этому занятию.

ГЛАВА 7

Из-за объявления Глаша задержалась в магазине допоздна. Сегодня дежурила Наташка. Они попрощались у черного хода после того, как закрыли магазин. Было довольно холодно. Испорченную куртку пришлось не только чинить, но и стирать. Сейчас она сохла у Глаши дома в ванной. Легкая черная ветровка была плохой альтернативой.

Глаша поежилась, поудобнее пристроила ремешок сумки у себя на плече, сунула руки поглубже в карманы.

...Она ничего не успела понять. Кто-то сильно толкнул ее сзади, и Глаша впечаталась в дверь черной машины, мимо которой проходила.

Девушка сдавленно вскрикнула, больно ударившись подбородком, а кто-то уже рванул ее сумку.

— Что тут у нас? — услышала она хриплый голос. Ее грубо развернули и снова швырнули на машину. Глаша взвизгнула.

Их было четверо, и двоих она знала. Кажется, их звали Баклан и Чика. Боже, за что?!

Третий парень был моложе остальных, но не менее опасный. Высокий, тощий и злобный, с маленькой, сплющенной с боков головой и короткой верхней губой, он был похож на щенка гиены. Из-под низко надвинутой черной вязаной шапочки жадно сверкали маленькие глазки.

Четвертый походил на огородное пугало. Очень большое и очень грязное. Если бы у него из прорех торчала солома, Глаша не удивилась бы. На носу чучела сидели очки в простой оправе, которые выглядели особенно нелепо.

— Привет, красотка! — ухмыльнулся Баклан, помахивая ее собственной сумочкой. — Это мы возьмем себе. Не возражаешь?

— Подонки! Что вам надо?

— Живенькая! — гоготнуло чучело в очках.

— Обзывается! — фальцетом возмутился Чика.

— Потребуем с нее штраф за моральный ущерб? — Баклан дернул ее за куртку, на асфальт посыпались пуговицы. Глаша уворачивалась, но парень в шапочке ухватил ее за тонкий джемпер и с силой дернул на себя. Потеряв равновесие, Глаша рухнула ему на грудь и тут же отпрянула с криком.

— Эй, парни, что происходит? — неожиданно услышала она. Возле них притормозил довольно крупный мужчина. Он озабоченно посмотрел сначала на расхристанную Глашу, потом на сгрудившихся вокруг четверых парней.

— Помогите, — прошептала девушка умоляюще.

— Исчезни, — цыкнул на прохожего Баклан.

Мужчина нахмурил брови. Он не боялся, так как чувствовал свое физическое превосходство.

— Черта с два! Отпустите девушку!

Тот, что был похож на чучело, протянул к нему лапу, сгреб ремень вместе с брюками и без усилия притянул к себе. Мужчина опешил, а бандит приподнял его над асфальтом, словно тот был пустой картонной коробкой, и ласково попросил:

— Сгинь, гнида! Не видишь, беседуем?

Глаша со стоном прикрыла глаза. Ее шансы на спасение рухнули.

Неожиданный заступник был упитанным мужичком, но тем не менее ей показалось, что он на ее глазах теряет в весе и съеживается, как проколотый шарик.

Чучело разжало пальцы. Глаша увидела, как ноги несостоявшегося спасителя подкосились. Падая, он впечатался подбородком в капот машины, но тут же вскочил и бросился бежать.

— Продолжим? — Баклан тряхнул дредами, осклабился и многообещающе взглянул на Глафиру. Та задрожала. Но, когда он протянул к ней руку, вскрикнула: «Отстань от меня, урод!» и замахнулась для пощечины.

Баклан опередил ее. От его удара голова ее мотнулась в сторону, из разбитой губы брызнула кровь.

Подскочило чучело, толкнуло девушку в спину тяжелой короткопалой лапой, и она больно врезалась в борт машины.

— Осторожно, кузов помнешь! — заорал Чика.

Девушка застонала и стала сползать вниз, ее подхватили, перекатили словно мешок и швырнули лицом на капот. Чьи-то пальцы попытались задрать ей юбку. Глаша завизжала, извиваясь всем телом.

Возле ее уха шевелились чьи-то губы. Ее обдало запахом пива, и она почувствовала, как на нее навалилось сверху потное и вонючее тело.

— Веселитесь, ребята?

У Глаши шумело в ушах, и она уже не понимала, кому принадлежит этот голос. Угасающим сознанием она все же уловила, что окружившие ее бандиты напряглись. Придавивший ее сверху быстро слез, однако она по-прежнему лежала попой вверх поперек капота.

— Вали отсюда, плесень, — лениво предложило чучело.

— Валить придется вам, — последовал спокойный ответ.

— Святой, не вмешивайся, — подал голос Баклан. — Это не твои разборки.

— Сказано тебе — уматывай! — поддержал очкарик.

Глаша услышала щелчок и каким-то шестым чувством поняла, что это раскрылся нож. Ее уже никто не держал. Она, быстро извернувшись, перекатилась на спину и приподнялась, опираясь на локти.

Святой, а это действительно был он, возвышался среди подонков, как матерый волк среди щенков. Они обступили его со всех сторон и нагло скалили зубы. В руке молодого блестел нож. Чика демонстративно отхлебнул пива из бутылки, выплеснул остатки на землю и сжал в руке горлышко.

— Убери нож, сопляк, — проговорил Райский, даже не глядя в ту сторону.

— А то что?

ПОСЛЕДНЯЯ НОЧЬ КОЛДУНА

•

— А то порежешься.

— А ты у нас юморист! — протянул молодой. Нож придавал ему уверенности.

Святой медленно завел правую руку назад, как будто хотел достать что-то из заднего кармана джинсов, и вдруг резко ударил левой. Кулак молнией врезался в скулу того, что стоял ближе, — грязного чучела. Голова его дернулась, очки треснули и отлетели в сторону. Неповоротливый бугай покачнулся, а Святой, крутнувшись на месте, ударил его ногой в горло. Глаза очкарика закатились, голова повисла. Словно в замедленной съемке, он тяжело опустился на колени и упал лицом на асфальт.

На капот вскочил Баклан, но прежде чем он успел напасть, Святой протянул руку, схватил Глашу и отшвырнул в сторону, на газон.

Сзади в него вцепилась чья-то рука. Не оглядываясь, Святой ударил каблуком по голени схватившего его человека и той же ногой подсек под колени приготовившегося к прыжку Баклана. Тот отлетел на стекло, но Святой сгреб его за отворот куртки и толкнул в первого нападавшего. Бесформенной кучей парни повалились под колеса машины.

В следующий миг на Святого бросился малолетка, размахивая ножом и подбадривая себя яростным криком. Дальше все напоминало балет. Святой резко пригнулся, распластавшись по асфальту, выбросил ногу в сторону и подставил орущему психу подножку. Тот споткнулся, полетел вперед, широко махая руками, и впечатался мордой в фонарный столб.

Неожиданно стало тихо.

Святой медленно огляделся, дернул шеей, словно поправляя воротник, шагнул к Глаше и протянул ей руку. Девушка смотрела на него снизу вверх с нескрываемым страхом. Бандиты валялись вокруг.

— Где вы научились так драться? — хрипло спросила Глаша.

— В тюрьме, — просто ответил он.

Глаша громко сглотнула.

— А с ними что?

— Жить будут.

Девушка бросила быстрый взгляд на бугая, похожего на чучело. К нему возвращалось сознание. Казалось, он пытается встать, только никак не поймет, где верх, где низ. Его ноги беспомощно елозили в разные стороны, стараясь нащупать опору. Малолетка у столба не подавал признаков жизни. Двое из куча-мала... Глаша прищурилась. Так и есть. На асфальте валялся только один. Второй исчез.

Святой проследил за ее взглядом.

— Удрал?

— Боюсь, что да. Могу поспорить, что он унес с собой мою сумку.

Святой цепко огляделся по сторонам и кивнул.

— Мне жаль, — сказал он без выражения.

Он помог Глаше подняться на ноги и ждал, пока она пыталась привести себя в порядок. Ее усилия на этот счет были так же бесполезны, как попытки вычистить армейский туалет зубной щеткой. Порванную и перепачканную одежду можно было только выбросить. В таком виде ее не пустили бы ни в один вид транспорта, к тому же ключ от квартиры остался в похищенной сумочке.

— Вот черт, — пробормотала Глаша сквозь зубы, стараясь не смотреть на своего неожиданного спасителя.

— Куда вас отвезти? — спросил он.

— Понятия не имею, — огрызнулась она и тут же смутилась. По идее, она должна была испытывать к нему чувство благодарности. Ведь он уже дважды спасал ее. Но она благодарности не испытывала. И все же вежливость взяла верх. — Ключи уперли вместе с сумкой, — пояснила она помягче.

ПОСЛЕДНЯЯ НОЧЬ КОЛДУНА

●

— Разве вас никто не ждет дома?

— На мужа намекаете?

— Почему? Родители. Может быть.

Вопрос отчего-то не понравился Глаше, и она не ответила.

— Пойдемте в машину, — вздохнул Святой, — на вашей одежде столько прорех, что вы простудитесь.

— Какая забота! — фыркнула Глаша.

— Здравый смысл. Хватит капризничать, у меня нет лишнего времени на уговоры.

— Ну и катитесь себе. Я сама о себе позабочусь!

— Без денег, без ключей, в изодранной одежде?

Глаша понятия не имела, что делать, но одно знала твердо: садиться в его машину она не хочет. Этот тип прикидывается добреньким, но сам-то он откуда здесь взялся? Не иначе, следил за ней. А зачем? Может, вообще все подстроено: и драка, и нападение, и кража!

Тем временем Святому надоело ждать, он протянул руку и схватил ее за локоть. Глаша дернулась в сторону.

И тут они услышали громкий крик, несущийся откуда-то сбоку. Крик напоминал вой пожарной сирены и рев раненого носорога одновременно.

Обе головы повернулись в ту сторону. Глаша охнула. Прямо по газону на них неслась женщина. Полы ее плаща развевались, в руке она крепко сжимала увесистую сумку, которой угрожающе размахивала.

Это была Валентина.

Она налетела на Райского как ураган, толкнула в грудь и собралась треснуть сумкой. Райский даже не пошатнулся, но смотрел на Валю с недоумением.

Ожидаемого удара не последовало. Валя вдруг хрюкнула, выронила сумку и отступила, оглядываясь на Глашу.

— Да что тут происходит, черт возьми? — воскликнула она охрипшим от крика голосом.

— Все в порядке, Валя!

— В порядке? Ты в зеркале себя видела?

— Ну да. На меня напали. Отобрали сумку и... все такое.

— Этот напал?

— Нет. Этот, как раз наоборот, спасал... — И, не удержавшись, добавила: — Хотя его никто об этом не просил.

Тут Валя наконец заметила троих бандитов, которые вяло шевелились неподалеку. В ее взгляде, обращенном на Райского, промелькнуло уважение.

— Валь, а ты как тут оказалась? Ты же ушла полчаса назад!

— Да очки в ремонт относила. Пришла получать, а они — «не готово». Пришлось шугнуть их и подождать, пока доделают.

— Не хочется прерывать вашу беседу, но, мне кажется, Глаша, нам пора ехать.

— Куда это? — встрепенулась Валя.

— Не знаю. — Глаша пожала плечами и объяснила ситуацию.

— Едем ко мне. Переночуешь, завтра утром заедем на твою квартиру, вызовем слесаря, замки поменяем.

Глаша заметила, что Райский даже не пытается скрыть разочарование. У него, как пить дать, имелись свои планы.

— Ну и куда вас теперь везти? — спросил он скучным голосом.

— Никуда, — отрезала Валя. — Вам, уважаемый, отдельное спасибо и, как говорится, медаль на грудь. Дальше мы как-нибудь сами. У нас свой транспорт имеется. Пошли, Глаш, я свою тачку за поворотом оставила.

Проводив их глазами, Райский пошел в другую сторону. На шпану он даже не взглянул. По лицу его было видно, что он о чем-то размышляет. И мысли его были мрачные.

ПОСЛЕДНЯЯ НОЧЬ КОЛДУНА

•

ГЛАВА 8

Валентина жила в частном доме на окраине города. Место было исключительно живописное, почти под самыми окнами плескалась река. Имелся и огород, на котором произрастала всякая всячина. Ею кормилось все семейство, включающее саму Валю, ее мать и двоих сыновей-погодков. Старший уже заканчивал школу.

Валя была вдовой. Отец мальчишек утонул в реке по пьяному делу. Валя не любила об этом говорить, но и так нетрудно было догадаться, что особой печали по поводу его гибели в семье не испытывали. Никчемный был человек — драчун и пьяница. И жену бил, и детей, коли попадали под горячую руку.

Тянуть мальчишек было нелегко. Валюха мечтала пристроить их в институт, так как пацаны уродились башковитые, да и от армии их уберечь не мешало. Беда, что денег у нее не было. Как ни копила, как ни изворачивалась, а собрать нужную сумму не могла.

...Старенькая «копейка» досталась Вале от мужа — единственная ценная вещь, которую он не пропил, да и то по чистой случайности. Машинка барахлила, и желающих купить ее не нашлось. После смерти мужа Валя долго думала, что делать с развалиной. Водить она не умела, чинить — тем более. Поразмыслив, она решила, что колеса в доме пригодятся если не ей, то мальчишкам. Нашелся и мастер, который за умеренную плату отладил старушку. Получив машину, Валя махнула рукой и отправилась на курсы вождения, да так втянулась, что сейчас рулила весьма лихо.

По пустым вечерним дорогам «копеечка» домчала подруг очень быстро. Мать уже спала на своей половине, мальчишек еще не было. Глаша обрадовалась. Ей не хотелось, чтобы ее видели в таком потрепанном виде Валины домашние.

Глашу переодели. Футболку пожертвовала Валя, а джинсы пришлось позаимствовать у старшего сына. Ужин Глаша вызвалась приготовить сама. Валька долго отнекивалась, но потом сдалась, притащила с огорода кабачок, несколько свежих помидоров, достала из холодильника сметану, а сама принялась чистить картошку.

Это блюдо любили все Валины домочадцы. Осенью Глаша готовила его часто и таскала девчонкам на работу в итальянском пластиковом контейнере. Получалось сытно и вкусно.

— Ну, и откуда у тебя такие связи? — неожиданно Валя огорошила Глашу вопросом.

Та уронила очищенный кабачок.

— Какие связи?

— Не темни. Я Райского своими глазами видела!

— И что? Я его знать не знаю.

Глаша принялась резать кабачок на кружочки.

— Ну, это ты загнула! — Валя булькнула очередную очищенную картофелину в кастрюлю с водой. — Не знать ты его никак не можешь.

— Да что я тебе врать буду? — Глаша зашипела точь-в-точь как кусок сливочного масла, который она бросила на раскаленную сковороду.

— Врать ты, положим, не умеешь, — кивнула Валя, — но телевизор, надеюсь, смотришь и газеты читаешь.

— И что? Там везде про этого типа понаписано?

— Ну да!

— Брось. Он мне сам сказал, что в тюрьме сидел. Наверное, уголовник какой-то, а ты его с кем-то путаешь.

Глаша, обваляв в муке кусочки кабачка, раскладывала их на большой сковороде. Стрельнуло масло, и раскаленная капля попала ей на руку. Девушка ойкнула.

— То, что он в тюрьме сидел, и так всем известно, — продолжала Валя как ни в чем не бывало. Она поставила кастрюлю с картошкой на огонь и принялась резать

•

помидоры в большую керамическую миску. — Удивляюсь, как ты могла пропустить такую историю!

— Ну, пропустила. — Глаша развела руками. — Если тебе что-то известно — рассказывай. Хотя я не уверена, что меня интересует уголовное прошлое этого типа.

Валя бросила в сторону подруги внимательный взгляд и хмыкнула:

— Все же послушай. Этот, как ты выражаешься, уголовник в конце девяностых числился в двадцатке самых богатых людей.

Глаша чуть не выронила деревянную лопатку, которой переворачивала кабачки.

— И чем же он занимался?

— Да всем! Точно не помню, но, кажется, у него даже банк был. А основной его бизнес — офисные товары.

— Ты хочешь сказать, что он разбогател на карандашах и ластиках?

— И на них в том числе, — кивнула Валя. — А потом его посадили.

— За что?

— А фиг его знает. Какие-то финансовые махинации.

— Ты, часом, его с Ходорковским не путаешь?

— Да нет! У Райского своя песня, хотя мотив, сдается мне, тот же: печальная биологическая закономерность — среда любит середнячков.

— Это ты в каком смысле? — Глаша замерла со сковородкой в руке.

— Денег слишком много заработал, вот в каком. А у нас ведь как? Не хочешь неприятностей — не высовывайся.

— Спорный вопрос, — пробормотала Глафира. Она вытряхнула румяные поджаренные с двух сторон кабачки в глубокую миску, поставила сковороду обратно на огонь, вывалила туда помидоры и накрыла крышкой.

— Сейчас, я понимаю, Райского уже выпустили, —

проговорила Глафира задумчиво. — Интересно, чем он занимается?

— Да все тем же. Когда он вышел, от его империи ничего не осталось. Деньги отняли, штат разбежался. Осталось всего несколько человек во главе с его бывшим замом, точнее — замшей. Она все это время пыталась спасти жалкие остатки его бизнеса, вела переговоры с кредиторами, пыталась удержать хоть каких-то клиентов, воевала с конкурентами, которые бодро навалились со всех сторон.

— Сильная женщина, — невольно вырвалось у Глаши. — Райский, наверное, был ей очень благодарен.

— А как же! Так благодарен, что женился на ней, — хмыкнула Валя.

В этот момент Глаша как раз заливала сметаной помидоры на сковороде.

От услышанного рука ее дрогнула, и сметана плеснулась на плиту.

— Эй, осторожно! — Валя отобрала у Глаши упаковку и отодвинула подругу в сторону. — Уже можно выключать? — спросила она, с удовольствием принюхиваясь.

— Да, выключай, — рассеянно кивнула Глаша, — осталось добавить в соус чеснок и залить им кабачки.

Валя проделала все это и снова принюхалась:

— Божественно! Обожаю это блюдо! Эй, Глаш, отомри! — обернулась она к подруге. — Есть пора. Или известие о том, что Райский женат, отбило у тебя аппетит?

— Что? Нет, конечно. Какое мне до него дело?

— Не скажи... Романтика же сплошная! Пришел, спас, вырвал, можно сказать, из лап... Да, жена сюда явно не вписывается. Если бы не жена, получился бы любовный роман, да и только.

— Терпеть не могу любовных романов! — вспыхнула Глаша. — И вообще не болтай глупости.

Глаша подвинула к кухонному столу табуретку и принялась сосредоточенно раскладывать по тарелкам горячую картошку и кабачки.

Некоторое время обе молча жевали. Потом Валя опять не выдержала:

— Все равно не пойму, с чего вдруг этот тип полез тебя спасать?

Глаша перестала жевать и подняла глаза:

— Я тоже об этом думаю. На самом деле вокруг меня творится что-то странное. Райского я за три дня встречала трижды...

— Это каждый день, что ли?

— Да. Причем дважды он спасал меня от хулиганов, а один раз я удирала уже от него самого, — про арбузную кучу Глаша благоразумно промолчала.

— Многовато для простого совпадения, — согласилась Валя. — Абсурд, но получается, что он за тобой следит?

— Получается. А почему абсурд?

— Да на хрена ты ему сдалась? Ой, прости, пожалуйста!

Глаша криво усмехнулась.

— Не извиняйся. Ты права. Я слишком низко летаю, чтобы такой орел, как он, меня хотя бы просто заметил, не говоря уже о слежке.

— Вот и я о том же. Из того, что я прочла о нем, легко уяснить, что сейчас дела у него идут неплохо. Хватка у мужика осталась, и голова варит — дай бог каждому. Ты в сферу его интересов никак не вписываешься: не клиент, не партнер, не конкурент. Остается любовь с первого взгляда!

Они переглянулись и громко расхохотались.

— Это ты хватила! — покачала головой Глаша. — Я не топ-модель...

Валя скептически осмотрела ее с ног до головы и протянула:

— Положим, для топ-модели ты ростом не вышла.

●

Насчет красоты ничего не скажу — девка ты симпатичная, но чтоб с первого взгляда и наповал, это вряд ли. — Валя немного помедлила, размышляя. — И все-таки, видимо, есть в тебе что-то такое, что может заставить мужчину броситься на огнедышащего дракона, имея на руках лишь портативный огнетушитель.

— Ага. То-то меня муж бросил.

— А кто сказал, что он мужчина?

* * *

Искать слесаря на следующий день подругам не пришлось. Явившийся под утро Гаврила — старший сын Вали — изъявил желание помочь делу своими руками. Им оставалось лишь заехать по дороге в магазин и купить новый замок.

Парень не соврал. И дверь вскрыл, и замок вставил, все как положено. Пока Гаврила ковырялся с замком, а Валя давала ему бесполезные инструкции, Глаша обошла квартиру в поисках чужого проникновения.

На первый взгляд все было на своих местах. И на второй, и на третий тоже. Глаша вздохнула с облегчением и отправилась на кухню, чтобы приготовить чай-кофе для всей компании.

Тут-то и поджидал ее сюрприз в виде двух чайных чашек, мирно стоявших в сушилке над раковиной. Чашки стояли на своем месте, но они были... мокрые. То есть не то чтобы совсем мокрые, так, несколько капель внутри, но Глафира точно знала, что этого быть не могло ни при каких обстоятельствах — сама она не пользовалась этими чашками дня три, предпочитая большую кружку в красных горошинах.

— Все, хозяйка, принимай работу! — весело возвестила Валя, врываясь в кухню.

Гаврила топтался позади матери и смущенно улыбался.

•

— Спасибо! — Глаша попыталась изобразить улыбку. Валя оценила ее потуги по достоинству и помрачнела.

— Эй, мать, ты чего такая кислая?

— Да я, Валь, даже не знаю, — замялась Глаша. — Чертовщина какая-то...

— Не тяни резину. Пропало что?

— Чашки мокрые, — выдохнула девушка.

— Чего?

— Чашки мокрые!

— И чего?

— Ну, мокрые они, понимаешь? А должны быть сухие.

— Бред какой. Ты уверена?

В голосе Вали сквозило сомнение. Гаврила хмурился, не понимая, в чем проблема. Ничего же не украли. А мокрая посуда или нет — какая, на фиг, разница?

Глаша так не считала.

— Понимаешь, — попыталась она объяснить, — я этими чашками давно не пользуюсь. Они вроде как полупарадные, стоят для гостей. Ну, вот для вас, например. Я как раз их достать собиралась, чтобы чай разлить, а так, может, еще бог знает сколько времени к ним бы не притрагивалась. Раз они мокрые — значит, их кто-то мыл. Но кто, если не я? Воры, что ли? Залезли, ничего не взяли, попили чаю и помыли за собой посуду? У меня паранойя, да? — Она растерянно взглянула на подругу.

— Да нет, на паранойю не похоже. Но и смысла во всем этом нет. Ты бы проверила еще раз. Деньги там, документы.

— Да проверяла я.

— Еще раз проверь.

Глаша шумно выдохнула и послушно поплелась в комнату.

— Ну вот, смотри сама, — она выдвинула ящик в серванте, — все мои сбережения. Три тысячи рублей и сто баксов. — Она помахала в воздухе бумажками, прежде чем убрать их обратно в шкатулку. Потом протянула руку в глубь ящика. — Ой!

Валя увидела, как Глаша побледнела.

— Что?

— Паспорта нету.

— Ты ж говорила, что проверила!

— Это я про деньги и украшения. А про документы я забыла. Они вот здесь лежали, у стеночки.

— Теть Глаш, а это не ваш паспорт? — пробасил Гаврила.

— Где?! — воскликнули подруги одновременно.

— Да вон там, на телевизоре.

Глаша подскочила к телевизору и схватила в руки бордовую книжечку. Пролистала. Брови у нее поползли вверх от удивления.

— Это действительно мой паспорт, — пробормотала она. — Но что он тут делает?

— Сама положила и забыла, — пожала плечами Валя.

— Нет, я его туда не клала! — Глаша упрямо нахмурилась.

Она плюхнулась на диван и уронила руки на колени.

— Что происходит, а, Валь? — спросила она жалобно.

На Валином лице отразилась целая гамма чувств: от смущения до сочувствия. Неожиданно ее лицо просветлело.

— Слушай, ну и дуры же мы с тобой! — Она рассмеялась с явным облегчением. — Чашки, паспорт! Да это же твой Славик шуровал! Пробрался, когда тебя нет, взял, что надо, вещи переставил. Ну, и чаю попил. Или там кофе.

— Из двух чашек?

Валя крякнула. Глаша явно не разделяла ее веселья, и это Валю огорчало. Глафира подняла на подругу измученные глаза и проговорила:

— Это не может быть Славик. Совершенно точно. Позавчера я забрала у него ключи.

•

ГЛАВА 9

Идея со скидками сработала. Два дня Глаша едва успевала отпускать товар. Клиентки понимали, что за эксклюзивные шмотки просят бросовую цену, и легко входили в раж. Вместо одной блузки покупали три, а к ним еще юбку и вон тот симпатичный кардиганчик в полосочку.

На третий день наступило отрезвление. Придя утром на работу, Глафира по привычке принялась наводить на стойках порядок, пользуясь тем, что с утра клиентов почти не было. После вечернего ажиотажа она зачастую не успевала развесить все по местам, вот и делала это утром.

То, что на дорогой блузке появилась здоровенная дыра, она поняла не сразу. В такое просто не верилось. Глаша вытащила вещь, осмотрела ее со всех сторон, и сердце ее упало: на груди, на самом видном месте, тонкий шифон был продран, порванные нитки махрились во все стороны, как отвратительный паук.

Холодея, Глаша принялась осматривать остальную одежду, и не зря. На жакете из натурального шелка на рукаве обнаружился кусок шоколада, прилепленный намертво. Шоколад предварительно разжевали, и жир крепко въелся в ткань.

Глаша чуть не заплакала. Она только что лишилась двух лучших образцов коллекции и потеряла кучу денег. На смену отчаянию быстро пришла злость. Она ни минуты не сомневалась, чьих рук это дело. Муля, словно невзначай, дефилировала в коридоре, дожидаясь Глашиной реакции.

Первой мыслью Глаши было немедленно отмутузить вредительницу. Она с трудом сдержалась и попыталась успокоиться. Муля, конечно, скотина, но скотина умная, в этом Глаша убеждалась уже не раз. Наверняка

•

она все предусмотрела заранее и свое черное дело вершила без свидетелей. Это было нетрудно: в старом магазине все отделы были открытыми. Днем за порядком следил продавец, утром все продавцы собирались перед входом в магазин и входили все вместе, точно так же поступали и вечером.

Стоп. Но когда же Муля успела? Глаша чувствовала себя неуверенно, понимая, что в любой момент может сорваться на крик или заплакать. Пытаясь собраться с силами, она уставилась в стену, машинально комкая в руках испорченные вещи. Она испытывала в этот момент столько эмоций, что разобраться в них ей было не под силу. Уставший мозг отказывался служить. Муле мало было украсть у нее идею и клиентов, она не успокоится, пока не разорит ее и не выживет отсюда. Глаша по-настоящему испугалась.

Из коридора донесся ехидный смех. Глаша дернулась, словно от удара, и резко повернула голову. Муля что-то оживленно говорила Оксане и Галке — двум продавщицам. По тому, как те искоса поглядывали в сторону Глаши, та поняла, что речь идет о ней.

Не обращая внимания на сердцебиение и на неудержимое желание убежать подальше, Глафира тряхнула волосами и направилась прямиком к теплой компании.

На секунду Муля испугалась, но она была тертым калачом и сумела быстро взять себя в руки.

— Чего уставилась? — нервно хохотнув, спросила она.

Глаша не ответила. Она видела, что девчонки, сгрудившиеся около Мули, мечтают испариться с места назревающего скандала, но боятся. Боятся Мулю.

Глаша была сосредоточена на предстоящей схватке, но все равно успела удивиться тому страху, который внушала Муля окружающим.

— Эй, ты куда прешь? — Перед лицом надвигающейся опасности Муля перешла на привычный ей базарный тон. Ее жирные складки и многочисленные подбородки напряженно подрагивали.

— Что тебе от меня надо? — тихо спросила Глаша, приблизившись вплотную и пристально глядя в вытаращенные глаза.

Она поймала себя на мысли, что в последние дни произносит эту фразу слишком часто. Окружающие словно сговорились ополчиться на нее, хотя она никак не могла сообразить, чем вызвана такая злоба.

— Что мне от тебя надо? — переспросила Муля, презрительно сощурившись. — Да что с тебя взять-то?

— Взять как раз есть что. И ты взяла немало. Тебе мало было украсть мое дело, толкнуть продавца на предательство, переманить клиентов, так ты еще диверсии будешь устраивать? У тебя совесть есть?

Вопрос был риторическим. Совести у Мули не было в принципе. Это был сгусток стопроцентной наглости, и с таким Глаша сталкивалась впервые.

Очевидно, присутствие нежелательных в данном случае свидетелей подхлестнуло Мулю. Прямой вопрос задел ее за живое. Ее серые глаза превратились в ледяшки чистой ненависти, а с ее исказившегося толстого лица полностью сошли все краски. Ее рот раскрылся, и она заорала:

— Не строй из себя святую, истеричка! Предательство! Воровство! Да кто ты такая?

— Я нормальный человек.

— Ты? Ой, насмешила! Да я все про тебя знаю!

— Что ты можешь знать? Впрочем, неважно, стыдиться мне нечего.

— Ошибаешься, милочка, — Мулины глаза сузились. — Сгореть тебе со стыда и то мало. Ты — дочь шлюхи и сама такая же!

— О чем ты...

— О твоей мамочке! Что, съела? Думаешь, не знаю, чья ты дочь? Думаешь, ты хорошо спряталась? Тьфу. Да на твоей мамаше пробы ставить негде. Перетрахалась со всей страной и тебя небось приобщила!

— Прекрати! — хрипло выкрикнула Глаша, затравленно озираясь. Повсюду она натыкалась на лица любопытных продавщиц, заслышавших шум скандала.

— Не нравится?! Ясное дело! Строит из себя святую Магдалину, а сама-то! Во сколько лет мамочка тебя впервые положила под мужика? В начальной школе или раньше?

— Это ложь! — Глаша повернула голову медленным болезненным движением. Вид ее молил о жалости, но Мулю это только подхлестнуло.

— Это правда! Все знают, что у вас с матерью были на двоих одни любовники. Она ведь в старости молоденьких любила, а кто ж на старуху бы польстился, вот тебя на десерт и предлагали. Неля говорила...

— Неля? — Глаша отшатнулась, словно от удара.

Муля осеклась, сообразив, что сболтнула лишнее.

— Я не это имела в виду! Неля ни при чем. Я сама все узнала.

Бросив на Глашу быстрый взгляд, Муля звериным чутьем поняла, что что-то изменилось. Лицо Глаши заледенело и стало бледным и жестким, как снежный наст, только глаза горели ненавистью. Это была не короткая вспышка, не истеричный припадок, а ровный огонь. Муле показалось, что языки пламени лизнули ей лицо, и она отшатнулась.

— Плевать на Нелю, — изменившимся глухим голосом проговорила Глаша в полной тишине. — А тебя я уничтожу. Не за себя, за мать.

Она сказала это спокойно, и оттого ее слова прозвучали особенно правдиво.

Лицо Мули исказил гнев, но вместе с тем на нем ясно проступил страх. Оно густо покраснело, затем приобрело какой-то необычный желчно-багровый оттенок. Задыхаясь, брызгая слюной, Муля выплюнула несколько невнятных звуков. Потом, набрав в легкие побольше воздуха и раздувшись, как воздушный шар, она принялась швыряться оскорблениями, словно камнями из-за забора.

Гнев Мули произвел на Глафиру удивительно успокаивающее действие. Ее голова будто остыла. Где-то в глубине продолжала побулькивать горячая лава, но извержение вулкана прекратилось.

* * *

После пережитого стресса появление Райского возле дверей магазина в конце рабочего дня, можно сказать, не произвело на Глашу никакого впечатления. Она вяло отреагировала на его приветствие и преспокойно собралась идти по своим делам. Ее поведение Павла обескуражило.

— Вы даже не станете спрашивать меня, откуда я взялся? — спросил он с плохо скрытым удивлением.

То, что Глаша узнала о нем от Вали, заставило ее быть вежливой.

— А зачем? Надо будет — сами скажете, — пожала она плечами.

Глаша, по-прежнему не глядя на него, поежилась — надетый под куртку свитер не спасал от влажного холода. Она глубоко вдохнула. В воздухе пахло прелыми листьями и дождем.

— Глаша? — окликнул он.

У нее были необычайно чистые зеленые глаза, которые уставились на него с подозрением. Золотистые волосы развевались. Ему показалось, что она плакала. На минуту он пожалел о том, что должен был сделать, но быстро отогнал от себя непрошеную слабость.

— Могу я угостить вас кофе? — спросил он.

В зеленых глазах промелькнуло любопытство.

— Нет, — ответила она вызывающе.

Он нахмурился.

— Зато вы можете угостить меня обедом.

Ошарашенный, Райский криво улыбнулся. Девчонка явно бросала ему вызов. За последние несколько дней она здорово изменилась. Это его настораживало.

Он посмотрел прямо в ее зеленые глаза. Она не выдержала, опустила голову, занавесившись рыжими волосами.

— Интересно, рыжие все такие наглые? — спросил он с усмешкой.

— Не все, — донеслось из копны волос. — И я не рыжая.

В самом деле, ее волосы имели не огненно-рыжий, а скорее золотисто-каштановый оттенок, но он не стал говорить ей об этом.

— Ваше предложение принято. Я накормлю вас обедом, но в ресторан мы не пойдем.

От удивления Глаша перестала прятаться. Вообще-то она пошутила. Или, точнее, специально хотела обескуражить его, чтобы он отвязался.

— Если уж на то пошло, это я должна пригласить вас, — проговорила она, — ведь вы дважды отбили меня у хулиганов. Но я вас не приглашаю. Денег лишних нет. Вы небось привыкли к самому лучшему.

— Вот и отлично. Выберем среднее: я приглашаю вас в гости.

— Еще чего! — Она инстинктивно отпрянула, как дикое животное, напуганное неосторожным движением.

— В чем дело? Куда подевалась ваша смелость? Минуту назад мне показалось, что вы вполне современная девушка! — Райский явно наслаждался тем, что ему удалось достать ее.

— Я не современная. Я старомодная, скучная и пугливая, — отчеканила Глаша. — И вообще я давно уже не девушка.

ПОСЛЕДНЯЯ НОЧЬ КОЛДУНА

●

Она увидела, как его брови недоуменно поползли вверх.

— Тьфу ты! Я в том смысле, что мне уже много лет.

— Вот и отлично. Раз вы такая взрослая и независимая, то вполне можете один раз отобедать в моей компании. Да не хмурьтесь вы, никто вас не съест. В доме полно народу, а моя повариха, Наталья Алексеевна, отлично готовит.

Глаша нахмурилась, размышляя. Вовсе ни к чему превращаться в злюку, даже если оснований у нее для этого предостаточно. Если бы Райский хотел причинить ей вред, то мог бы сделать это в первую встречу, когда она сидела у него в машине — напуганная и беззащитная. Да что там, ему достаточно было не вмешиваться несколько дней назад, те отморозки сделали бы за него всю грязную работу, и ее изуродованный труп валялся бы сейчас в морге на опознании.

Глашу зазнобило. Порыв ветра толкнул ее в спину. Она сунула руки в карманы куртки, чтобы хоть немного согреться.

Райский заметил, как она вся съежилась. Не дожидаясь ее ответа, он мягко, но решительно взял ее за локоть и подтолкнул в нужном направлении.

— Моя машина вон там. Видите? Всего несколько шагов, и вы в тепле.

Глаша залезла в машину, дрожа от холода. Райский сразу же включил печку, чтобы она могла согреться. Машина завелась, Райский посидел, ожидая, когда ветровое стекло очистится от дождевых капель и налипших желтых листьев. Глаша все еще слегка дрожала, но не от холода. Она пыталась сдержать страх, который вдруг подступил с новой силой.

Райский не делал ничего угрожающего, но ей все равно было тревожно. Листья, гонимые ветром, падали на лобовое стекло автомобиля, сгущая тьму в салоне.

Неожиданно Глаше стало стыдно. Она вспомнила,

Валя говорила, что Райский женат. Ну конечно! При жене он ей ничего плохого не сделает, а она наконец узнает, почему он преследует ее.

Но ждать до дома не пришлось. Райский вдруг остановил машину, припарковал ее у обочины возле небольшого сквера, заглушил мотор и повернулся к ней всем корпусом. Он посмотрел Глаше прямо в глаза, и она без труда разглядела в его зрачках сердитый блеск.

— Вот что, будет лучше, если я объясню вам все здесь, не то еще получите несварение желудка.

Глаша насторожилась, но он не очень-то торопился с объяснениями.

— Итак? — произнесла она нетерпеливо.

— Итак, я знаю, что у вас сейчас непростая ситуация с вашим бизнесом...

— Что-то вы слишком много обо мне знаете, — пробормотала девушка себе под нос.

— А я интересовался, — не стал он отпираться. — Вы девушка шустрая и неглупая, но, если не произойдет чуда, вы свой бизнес потеряете.

— Вас это радует? — полюбопытствовала она.

— Меня это не интересует, — ответил он жестко.

— Какого черта?!

— Выслушайте до конца. — Он повысил голос. Глаша передернула плечами, уставившись широко открытыми глазами в лобовое стекло.

— Ваш бизнес погибнет, и погибнет довольно скоро. Вы, конечно, сможете устроиться на работу, у вас хорошее образование, но больше десяти-двенадцати тысяч вам не предложат. Женский труд у нас низко оплачивается.

— На эти деньги тоже можно жить.

— А вы пробовали? — он взглянул на нее с любопытством.

— Вы-то уж точно не пробовали.

ПОСЛЕДНЯЯ НОЧЬ КОЛДУНА

●

— Ошибаетесь. Но не в этом суть. Я предлагаю вам помощь.

— Какого рода?

— Я готов вложить деньги в ваше дело. Более того, я подыщу вам отдельное помещение и помогу с рекламой.

Глаша смотрела на него во все глаза, потом тряхнула головой и недоверчиво рассмеялась:

— Вы что, мой незаконнорожденный папа?

— С чего вы взяли? Нет, конечно! Папы не бывают незаконнорожденными.

— Плохо.

— Почему?

— Потому что в таком случае вы — сумасшедший.

— А почему ты хамишь?

— А что мне, руки вам целовать, что ли? Сидите тут, несете всякий бред. Спасителя из себя изображаете. И чего вы навязались на мою голову?

— Значит, помощь вам не нужна.

Глаша открыла было рот, чтобы сказать «нет», но передумала и выдавила через силу:

— Нужна. Но я знаю, что бесплатный сыр — только в мышеловке. Мне нечего предложить вам взамен. И я не знаю, смогу ли вообще расплатиться. А это значит, что говорить нам с вами не о чем. Так что я, пожалуй, пойду.

Она взялась за ручку дверцы.

— Подождите. — Он перегнулся через нее и накрыл ладонью ее руку. Ладонь была теплой. Глаша сжалась и затаила дыхание, но исходящий от него терпкий запах древесной коры и сандала уже заполз ей в ноздри.

— Я не предлагаю вам помощь безвозмездно.

— Не думаю, что в ближайшем будущем у меня появится достаточно средств, чтобы возместить вам затраты.

— Речь не о деньгах. Я попрошу оказать мне одну услугу.

— Какого рода? — насупилась она.

— Не того, что вы подумали, — усмехнулся Райский, и Глаша покраснела от смущения. — Вы попытаетесь узнать, каким образом ваша конкурентка вдруг разбогатела.

— Муля? Вы знакомы с ней?

Он неопределенно пожал плечами, но Глаша успела заметить тень, пробежавшую по его лицу. Он откинулся на подголовник.

— Это все? — удивилась Глафира.

— Не совсем. Остальное вы узнаете позднее. И не тряситесь так. Вашей добродетели ничто не угрожает.

Он кривил душой. Девушка ему нравилась. Она интриговала его. Черный бархат поверх стали. Сейчас у нее было лицо сиротки, потерявшейся в этом жестоком мире, но в каждом ее движении проскальзывали женственность и кошачья грация. Она излучала секс с презрительным безразличием.

Глаша же находилась в не менее трудном положении. Она не знала, как ей реагировать на его предложение — благодарить, подозревать его или послать подальше. Подозрение и злость явно перевешивали. Этот «святой» с обликом демона-искусителя действительно что-то хотел от нее. Она надеялась, что у нее хватит мозгов, чтобы выяснить, что именно.

ГЛАВА 10

Чтобы отвлечься, Глаша всю оставшуюся часть дороги развлекалась тем, что представляла себе жилище Райского. Она перебрала в уме множество вариантов — от заурядной квартиры до дворца, пока не сообразила, что ни одна из картинок с Райским не монтируется.

То, каким его дом оказался на самом деле, превзошло все ее ожидания, а главное — дом и Райский словно составляли единое целое. Начать с того, что располагался дом в лесу, точнее — в старой дубовой роще. Роща произрастала хоть и на окраине, но в черте города. Глаша пару раз проезжала мимо, но ей и в голову не приходило, что в этой роще кто-то живет — с дороги дом совершенно не было видно. Зато она прекрасно помнила коттеджный поселок, притулившийся на опушке, как слон, присевший на цветочную клумбу — в том смысле, что скопище огромных уродливых домов было здесь так же неуместно.

От поселка они свернули в лес по широкой асфальтовой дороге. Каким образом Райскому удалось пробить разрешение на строительство в таком месте, оставалось загадкой. С одной стороны, сей факт являлся явным выпендрежем и вызывал у Глаши неприязнь, с другой — место и впрямь было прекрасным.

Дорога упиралась в ажурный кованый забор, огородивший часть рощи. Чугунное литье, как ни странно, ничуть не портило пейзаж, прекрасно сочетаясь с могучими стволами старых деревьев и кружевом золотисто-бронзовой осенней листвы.

За забором весь подлесок был удален, земля засеяна травой, зеленой даже в это время года. Судя по отсутствию опавших листьев, кто-то следил за участком.

Дом напоминал уменьшенную копию средневекового замка. Глаша понимала, что он выстроен не так давно, но это не нарушало иллюзию таинственности. Стены, сложенные из плохо обтесанного серого камня, были увиты диким виноградом, листья которого из густо-зеленых уже успели окраситься красным, отчего создавалось впечатление, что на замок набросили красное бархатное покрывало. В узких окнах-бойницах горел желтый свет, но дом не выглядел от этого приветливее.

Глашу удивило полное отсутствие перед домом цветов или другой декоративной растительности. Очевидно, таким было желание хозяев, поскольку раз уж садовник имелся, он вполне мог бы разбить у входа парочку клумб. Однако вокруг произрастали лишь трава да мох.

Это был чисто мужской дом. Одно из двух — либо жена Райского полностью разделяла его вкусы, либо он был из тех, кто плевать хотел на чье-то мнение.

В холле Глаша окончательно убедилась в том, что попала в совершенно необычное место: прямо из стены росло корявое, лишенное коры дерево. Переплетенные между собой голые ветви тянулись к потолку и врастали обратно в стены. Девушка не сразу разглядела, что в огромном дупле оборудована самая обычная вешалка. Райский снял куртку, помог раздеться Глаше и сунул одежду в дупло.

Возле стен разместились еще две внушительные коряги. Одна из них, покрытая шкурой какого-то животного, служила чем-то вроде кресла, из другой торчал целый сноп какой-то травы с крупными рыжими метелками вроде тех, с которыми дети играют в «петушок или курочка».

Все вместе больше всего напоминало пещеру людоеда, если бы не медная, тщательно начищенная антикварная люстра под потолком в виде колеса со свечами-лампочками. Такая люстра была бы людоеду не по карману.

— У вас странный дом, но он вам подходит.

Глашин комплимент возымел странное действие. Райский сморщился как от зубной боли, и девушка решила впредь помалкивать.

Они прошли через гостиную, выдержанную в бордово-золотых тонах. По стене карабкался еще один ветвистый ствол, брат-близнец того, что в холле. Сама обстановка была совершенно иной: портьеры из бархата и золотой парчи на стрельчатых окнах, еще одна медная люстра со свечами, только более массивная, подвешенная к потолку цепями, и бархатный пурпурный диван, заваленный разноцветными подушками, похожий

•

на огромный экзотический цветок, распустившийся среди высохших веток.

В белоснежно-кремовой столовой не было ни медных люстр с цепями, ни мертвых деревьев. Зато здесь имелась живая трехметровая пальма, похожая на папоротник-переросток в задрапированной пепельным шелком кадке.

И если бы только она...

За длинным столом, покрытым белоснежной скатертью, ярко освещенным хрустальной люстрой, сидела чертова уйма народа. Ужин был в самом разгаре.

Глаша застыла в дверях как изваяние, потому что одной из присутствующих была... Муля.

— Это что, шутка? — гневно обернулась Глаша к стоявшему позади нее Райскому.

— А я не говорил, что будет легко, — буркнул Павел.

Для Мули появление Глафиры в этом доме, судя по всему, также явилось полной неожиданностью. Челюсть ее отвисла. Она оставалась в таком положении несколько секунд, потом пришла в себя и захлопнула свою плевательницу, а также достаточно сносно изобразила имитацию улыбки.

— Добрый вечер, Павел Аркадьевич! — сладко пропела она.

Райский в ответ небрежно кивнул.

Глаша тем временем успела сориентироваться.

Сидящие за столом разглядывали ее с удивлением и разной степенью заинтересованности. Одна из дам так и застыла с солонкой в руке. Мужчины отложили вилки. Дочь Мули, Карина — а она тоже была здесь, — выглядела испуганной.

Сначала Глаше хотелось провалиться под землю или хотя бы удрать. Чуть позже она уже решила «какого черта». Ею овладел азарт. Она не сделала ничего плохого, чтобы сбегать, и была слишком голодна, чтобы устраивать разборки со Святым прямо сейчас. Стол ломился от самых разнообразных блюд, и Глафира решила, что сначала наестся на халяву, а потом скажет Райскому, что он может повесить свое высокомерие и извращенное чувство юмора себе на ухо и дважды закрутить его в трубочку.

Она приметила свободный стул и двинулась прямо к нему, не обращая внимания на недоуменно-косые взгляды собравшихся. Такой смелости не ожидал даже Райский, но он сумел скрыть свое удивление.

На самом деле Глаша просто перестала играть по выдуманным ею правилам. Ее мать, когда надо, умела забыть о приличиях. Теперь, когда тайна Глаши раскрыта, ей нет смысла прятаться за ширму благопристойности, особенно перед такими людьми, как эти снобы с вытянутыми лицами.

Глаша села на стул, обитый вышитым атласом, и придвинула к себе ближайшую тарелку, которая на первый взгляд выглядела чистой.

— Что это за цирк? — возмутилась Муля. — Кто тебе позволил сесть за стол?

Глаша вскинула брови:

— Позволь спросить — это твой дом? Ты здесь хозяйка? — Глаша прекрасно знала ответ. Ей было хорошо известно, что Муля с дочкой проживает в однокомнатной хрущобе.

Вопрос Мулю смутил.

— Нет, — проблеяла она, — но...

— «Но» меня не интересует, — отрезала Глаша. — Вот он меня пригласил! — Она махнула в сторону Райского вилкой, которую стянула у соседа. — Господин Райский, посоветуйте, что тут можно съесть без риска отравиться? Вы, кажется, похвалялись своей поварихой?

— Наталья Алексеевна в самом деле виртуоз! Готовит волшебно, — нарушила молчание женщина, которая наконец избавилась от солонки.

Глаша взглянула на нее повнимательнее. Когда-то,

•

будучи еще ребенком, она побывала вместе с мамой в Малайзии. На одной из экскурсий на них налетела целая стая обезьян, штук двадцать, не меньше. С истерическим визгом они нападали на туристов, отбирали у них фрукты, бутылки с водой, пытались вырывать из рук пакеты и сумки. Глаша тогда здорово испугалась.

Мелкая и костлявая, одетая в нелепый фиолетовый мохнатый джемпер, эта дамочка сильно смахивала на такую же, только сильно исхудавшую обезьянку, причем совершившую набег на дорогой косметический салон и прихватившую в виде добычи годовой запас косметики — настолько щедро была наштукатурена ее остренькая смуглая рожица. Яркий макияж ее не красил, но придавал некоторую пикантность. Сходство с мартышкой усиливалось из-за почти полного отсутствия волос на голове: они были сострижены почти под ноль.

Маленькие черные глазки смотрели цепко, в них светились ум и расчетливость.

Дамочка вполне подходила на роль жены Райского в том смысле, что ей было по силам удержать фирму от полного разорения. Однако Глафира испытала вдруг нечто вроде сочувствия к Райскому — жениться на такой мог только святой.

Похвалив повариху, дамочка тем не менее не предложила девушке отведать какое-либо блюдо. Глаша хмыкнула и решила не церемониться. В конце концов, в гости она не напрашивалась. И Райский хорош, привел девушку в дом, а теперь стоит безмолвным истуканом.

Глаша плотоядно оглядела стол и приметила блюдо с жареной курицей. Цапнув румяную ножку, она плюхнула ее на тарелку, затем ковырнула вилкой поджаристую хрустящую корочку и собралась отправить ее в рот. Присутствующие глазели на нее, как на привидение, позабыв про еду, но Глаша решила не отвлекаться.

Райский подошел наконец к столу. Свободных стульев не было. Ему пришлось взять один из тех, что стояли вдоль стены. Он поставил его рядом с Глафирой и уселся, весьма довольный собой.

Кроме Карины, ее матери, сидевшей с совершенно потерянным видом, и дамочки-обезьянки за столом имелись: какой-то скучный тип и ухмыляющийся брюнет бандитского вида в красном шерстяном свитере, который совсем не вписывался в роскошную обстановку.

У унылого типа были настолько жидкие волосы, что это бросалось в глаза. Он компенсировал количество длиной и отрастил волосы с обеих сторон так, что они свисали над ушами. Это придавало ему неопрятный вид, хотя одет он был дорого и аккуратно.

Глаша, с азартом поедая курицу, не переставала удивляться тому, насколько разношерстная подобралась компания и зачем Райскому понадобилось тащить ее в этот гадючник. В том, что он преследовал какую-то определенную цель, она не сомневалась.

— Послушайте, Павел, где вы подобрали эту девицу? — вновь подала голос фиолетовая дамочка. — Она ест, как голодная кошка. Мне кажется, я даже слышу урчание!

— В отличие от тебя, Элла, человек целый день работал! — заметил Райский.

— Тебе, Эллочка, это только кажется, — добавил брюнет. — Девушка просто проголодалась. Здоровый аппетит украшает женщину!

Дамочка по имени Элла сжала губы в ниточку, но пилюлю проглотила молча.

— Спасибо на добром слове, — поблагодарила Глафира. — Вкусная курица! Я, пожалуй, возьму себе еще!

— Только не подавись! — прошипела Муля.

— Не надейся. — Глаша передернула плечами.

Райский поднялся, сходил к буфету за чистым фужером, налил из хрустального штофа какой-то красный напиток и поставил перед Глашей.

Девушка подозрительно принюхалась.

ПОСЛЕДНЯЯ НОЧЬ КОЛДУНА

•

— Не бойся, это всего лишь сок, — усмехнулся Павел. — Запей, а то и впрямь подавишься!

Глаша снова пожала плечами и глотнула из бокала. Вишневый нектар, и очень вкусный.

— Павел, вы не хотите представить нам вашу гостью? — не унималась Эллочка.

«Похоже, это не жена, — порадовалась Глаша за Райского. — С чего бы жена стала ему «выкать»?»

— С удовольствием, — кивнул Павел. — Глафира Морозова.

— Что-то я не помню, чтобы называла свою фамилию, — пробормотала Глаша себе под нос, окидывая Райского недобрым взглядом. Тот удачно сделал вид, что не заметил этого.

— Моя дорогая, у вас такое странное имя! — промурлыкала Эллочка. — Какое-то оно... старомодное. Вы не находите, Пашенька?

Глафира не сразу поняла, что она обращается к Райскому. Имя Паша, а тем паче — Пашенька, удивительно не шло ему. Ей показалось, что по его лицу пробежала тень, но было неясно, на что направлено его раздражение — на Эллочку или на абсурдность ситуации.

Эллочка продолжала ждать ответа. Она была сама невинность с широко раскрытыми глазами, которые, впрочем, не стали от этого больше.

Поскольку Павел молчал, Эллочка переключила свое внимание на Глашу.

— Вы, наверное, из глубинки, милая? Такие имена еще сохранились в деревнях, среди простого народа...

Глафира открыла было рот, чтобы возразить, но Эллочка остановила ее, театрально взмахнув рукой.

— О, нет! Не нужно стесняться своего происхождения! — возвестила она голосом начинающей поэтессы, протяжно и с подвыванием. — Вы должны раз и навсегда освободиться от этих иссушающих душу беспокойных мыслей! Не переживайте! Верьте в себя, и вселенная не оставит вас! Даже с нелепым именем с вами все будет хорошо, просто прекрасно!

На присутствующих речь Эллочки не произвела впечатления, очевидно, подобный слог был ее обычным выражением мыслей, но у Глаши кусок застрял в горле. Она вовсе не считала свое имя нелепым и не имела к деревне никакого отношения, но чокнутая тетка ей и пикнуть не дала, и теперь Глаша впала в ступор. Она так растерялась, что на время выпустила Мулю из поля зрения. Когда она заметила коварную улыбку, заигравшую на ее лице, было уже поздно.

— С чего ты решила, дорогая, что Глаша из деревни? — с напускной наивностью возразила Муля.

— А разве нет? — захлопала та густо накрашенными ресницами.

— Ничего подобного! — заверила Муля с жаром. — Просто мама Глаши была большо-о-ой оригиналкой. Правда, дорогая?

Глаша со стуком положила вилку на стол и сжала зубы. Она дернулась, чтобы встать, но горячая рука Райского под столом стиснула ее колено и удержала на месте. В отместку Глаша с силой наступила ему на ногу. Он даже не поморщился.

— Как интересно! А кто ваша мама, деточка? Историк? Филолог? Искусствовед? — принялась Элла гадать с детской непосредственностью.

— Почти! — хохотнула Муля. — Ее мать актриса. Причем очень известная!

В гробовой тишине каждое слово падало на голову Глаши как кирпич.

— Актриса? — То, что было нарисовано на Эллочкином лице вместо бровей, взметнулось высоко вверх. — О! Как интригующе!

— Морозова? Что-то не припоминаю актрису с такой фамилией, — неожиданно подал голос унылый тип.

Глаша взглянула на него с неприязнью.

ПОСЛЕДНЯЯ НОЧЬ КОЛДУНА

●

— А фамилия, Альберт Натанович, была совсем другая. — Муля с удовольствием заколачивала гвозди в гроб Глафиры.

Глаша перехватила умоляющий взгляд Карины, который перебегал с нее на Мулю. Девушка мучительно краснела от стыда, но понимала, что мать не оставила несчастной ни малейшего шанса на спасение.

Сердце Глафиры бешено колотилось, кровь шумела в ушах. Она уже сильно жалела, что не провалилась сквозь землю в начале ужина.

— Амалия, ну не томите! Глаша, скажите же наконец, кто ваша мама?

— Ваша мама умерла? — проявил неожиданную наблюдательность Альберт Натанович.

— Боже, что вы говорите такое? — всплеснула руками Эллочка, а Глаше отчаянно захотелось ударить ее по башке чем-нибудь тяжелым.

— Ничего крамольного. Амалия сказала «была». Так ведь говорят о покойниках?

— Поменьше бы читали детективов, милый доктор, — словно про себя произнес парень в красном свитере. Он, похоже, был единственным, кому история не казалась увлекательной.

Все в ожидании смотрели на Мулю. Оказавшись в центре внимания, Муля приосанилась. Жирные складки на ее боках приобрели монументальность. Она напоминала жирную гусеницу, вставшую на хвост, чтобы полакомиться свежим листочком.

— Амалия! — простонала Эллочка, изнемогая от любопытства.

— Мама, не надо! — еле слышно прошептала Карина.

Какое там! Муля вошла в раж. Ей подвернулась возможность раскатать своего врага в лепешку. Да не просто так! Что там продавщицы в магазине — можно сказать, свои люди и повидали всякое. А здесь, среди приличных людей, при Павле Райском, который, может быть, запал

•

на эту выскочку... Когда он узнает правду, даже не взглянет больше в ее сторону.

Набрав в грудь побольше воздуха, Муля медленно и отчетливо произнесла вслух имя Глашиной матери.

По комнате, как сквозняк, пронесся тихий возглас.

— Как, та самая, которая...

Эллочка не договорила, но в глазах ее уже зажегся нездоровый интерес.

О, да! Имя Глашиной матери знали все. Кинозвезда, певица, красавица. Ей поклонялись миллионы! Ее добивались первые лица страны, а она умерла от передозировки наркотиков в компании молодого рокера. Наркоманкой мать не была. Это Глаша знала точно. До сих пор неизвестно, кто подсунул ей смертельную дозу. Возможно, кто-то из ревнивых любовников. Мама меняла их, как перчатки, и это тоже было достоянием гласности, как и то, что все они были намного моложе ее.

Глаша жадно глотнула сок из фужера, у нее внезапно пересохло горло. Она не видела взглядов, обращенных на нее, но чувствовала их всей кожей, как липкие ядовитые щупальца.

Несмотря на грязные сплетни, Глашина мать не была развратной. Она была смелой и больше всего ценила свободу. Она умела любить и всегда хотела быть любимой. Ее имя впервые прогремело много десятков лет назад, когда она стала звездой в одночасье. А потом о ней забыли на долгие десять лет. За это время она родила дочь и приобрела неистребимое желание вернуться туда, где от нее избавились как от ненужной вещи. И она вернулась! Она смогла! Ее снова носили на руках. Но она не простила. Все ее выходки были откровенным вызовом обществу. Они думали, что глумятся над ней, обсасывая в прессе пикантные подробности, а на самом деле это она смеялась над их моралью, снобизмом и лживой добродетелью. Она не прятала любовь от людских

ПОСЛЕДНЯЯ НОЧЬ КОЛДУНА

•

глаз, она протягивала ее на ладонях. Если тупая толпа отвергла ее дар, то их всех можно только пожалеть.

Внезапно страх Глаши будто растворился. Ее мама ни за какие блага не стала бы скрывать родство со своей дочерью, как бы низко та ни пала. И она, Глаша, не станет. Что бы о ней ни подумали, она останется верна себе.

И своей матери...

В полной тишине Глаша встала со своего места. Ее никто больше не удерживал. Она посмотрела на собравшихся. Их нездоровое любопытство теперь вызывало у нее лишь брезгливость.

— Куда же вы, дорогая моя? — заволновалась Эллочка, как маленький ребенок, у которого отбирают конфетку.

Девушка облизнула губы и небрежно улыбнулась:

— Мое присутствие здесь необязательно. — Она обернулась к Райскому. — Спасибо за ужин.

— Но...

Глаша не хотела слушать. Она развернулась и пошла к двери. Она держала спину прямо, но ноги ее дрожали, и больше всего она боялась поскользнуться на скользком паркете.

— Останьтесь, дорогая моя! Мы не имели в виду ничего дурного! — промурлыкала Эллочка. — В конце концов, это не вы совершали все те аморальные поступки! Мы понимаем вас и сочувствуем...

— Заткнись.

Резкий голос брюнета прозвучал как пощечина. Глаша благодарно улыбнулась ему, хотя он вряд ли нуждался в ее благодарности. Когда она перевела взгляд на Эллочку, ее глаза были холоднее, чем камни в горной реке.

— Вас ведь интересует, кто, где и сколько раз трахнул мою матушку... дорогая моя? — уточнила Глаша внезапно охрипшим голосом. — Правду вы слушать не станете, а грязные сплетни вам с восторгом выложит ваша специалистка по помоям.

— Но я не понимаю, почему...

— Это просто, — заметила Глафира сочувственным тоном. — Потому, что вы — тупая.

Подвижная мордочка Эллы вытянулась и побагровела. Карина истерично хихикнула и тут же зажала рот ладошкой.

— Да как она...

— Заткнись! — рявкнул Святой.

ГЛАВА 11

Выведенная из себя откровенными намеками, Глафира выскочила из столовой. Плевать ей, что они подумают. Пусть себе перемывают ей кости, как стая голодных собак.

Сердце ее стучало, каждый нерв напрягся как струна. Пробегая через пурпурную гостиную, погруженную в полумрак, она совсем забыла о дереве, шарахнулась от огромной корявой тени и, очевидно, перепутала двери, так как вместо холла почему-то оказалась в огромной светлой кухне.

Девушка сощурилась от неожиданно яркого света, прикрыла глаза рукой и услышала насмешливый женский голос:

— Если ты не моя новая помощница по хозяйству, деточка, то тебе тут не место!

— Что? А где я?

— Э, да ты, я вижу, не в себе. — Женщина подошла ближе, и Глаша смогла ее рассмотреть.

Судя по фартуку, надетому поверх просторного платья, перед ней была кухарка. Глаша всегда считала, что приставленные к котлам люди непременно должны быть толстыми. Наталья Алексеевна ее теорию опровергала.

ПОСЛЕДНЯЯ НОЧЬ КОЛДУНА

•

Глаша не увидела ни пухлых щек, ни мягкого живота, ни необъятного бюста. Женщина выглядела поджарой и скорее напоминала русскую борзую: вытянутое удлиненное лицо, рыжевато-седые курчавые волосы, жилистые руки и ноги. Внимательные светло-карие глаза смотрели на Глашу с дружелюбным интересом, кончик длинного носа слегка шевелился, как будто повариха принюхивалась.

— Прости, если напугала. Откуда ты взялась?

Глаша взглянула на женщину умоляюще:

— Можно я сяду?

— Валяй.

Глаша рухнула на деревянный стул и почувствовала, что дрожит. Сил, чтобы сохранять внешнее спокойствие, у нее не осталось.

— Чаю хочешь? — спросила Наталья Алексеевна. — Или чего покрепче?

— Нет, спасибо. Я ужинала.

— Вот как? Так ты прямо из столовой? Странно, — повариха взглянула на Глашу внимательнее, — Элла Антоновна сказала, что будет шесть человек, а ты, выходит, седьмая?

— Павел Аркадьевич пригласил меня неожиданно, вас не успели предупредить, — ответила девушка уклончиво.

Почему-то этот ответ кухарке понравился. Она присела напротив Глаши на массивный дубовый табурет, облокотилась на стол и неожиданно заявила:

— Слава богу, что ты не из этих.

— Из каких?

— Ну, не из друзей-подруг нашей Эллочки-людоедки. — На лице поварихи появилось такое отвращение, что Глаша улыбнулась.

— А кто она, эта Эллочка?

— А тебе разве Павел не рассказывал?

Глаша усмехнулась. Она поняла, что Наталья Алексеевна умеет не только восхитительно готовить жареную курицу. Мозги у нее работали как надо.

— Я ничего не знаю о семье Павла, — ответила Глаша осторожно.

— Где это ты увидела семью? — Женщина возмущенно фыркнула.

— Но разве...

— Не знаю, зачем я тебе это рассказываю, но Эллочка — просто приживалка, что бы она из себя ни строила.

— Так она?..

— Сестра его жены.

— И вам она не нравится!

— Ни она, ни весь тот сброд, что она сюда притащила. Полоумная истеричка.

— Мне действительно показалось, что она странно разговаривает, Мулю, то есть я хотела сказать — Амалию, я хорошо знаю и разделяю ваше мнение.

Где-то громко хлопнула дверь, и Глаша вздрогнула. Повариха снова бросила в ее сторону внимательно-изучающий взгляд. Она поднялась, затем хлопнула по столу ладонью:

— Вот что — вижу, что эта шайка тебе чем-то досадила. Это они умеют. У меня есть средство поднять тебе настроение.

Она подмигнула Глаше, подошла к плите и вытащила из духовки блюдо с пирогом. Лимонный аромат заполнил кухню. Золотистая корочка пирога, усеянная янтарными шариками лимонного желе, выглядела аппетитно.

— Но это, наверное, для гостей? — попыталась возразить Глаша.

— Обойдутся и печеньем. А Павлу я оставлю кусочек. Ешь!

Она отхватила большим кухонным ножом внушительный ломоть пирога, поддела его широким лезвием,

●

переложила на тарелку и придвинула Глаше. В огромную кружку налила горячий чай.

Себя Наталья Алексеевна тоже не обделила, и какое-то время они просто пили чай. Пирог таял во рту. Наслаждаясь вкусом, Глаша незаметно для себя успокоилась. Наверное, правду говорят, что сладкое успокаивает нервы.

— Тебя как звать-то? — спросила повариха.

— Глаша. Глафира то есть.

— Надо же! Какое имя милое. Редкое сейчас.

— Да уж... — вздохнула Глафира.

— А ты, я гляжу, не рада?

— Чему уж тут радоваться? С детства дразнят.

— Глупости. Имя у тебя замечательное.

— Угу. Меня только что за колхозницу приняли.

— Эти-то? Да что они знают? Имя Глафира — греческое, означает, если память мне не изменяет, «изящная, утонченная». В жизни женщины с таким именем все таинственно и романтично.

— Эт-точно, — поддакнула Глаша. — Таинственного в моей жизни хоть отбавляй. Особенно в последнее время.

— Вот видишь! Еще Глафиры красивы, — Глаша скривилась, — тактичны, — Глаша с ужасом вспомнила, как «тактично» она обозвала Эллочку тупой, — и прекрасно владеют исскуством обольщения!

— Вот чего нет, того нет. С мужиками мне не везет, — категорично возразила девушка.

— Э, милая, погоди! Какие твои годы?

— Да годы-то как раз немалые.

Чтобы перевести разговор на другую тему, Глаша спросила:

— А сестра Эллочки похожа на нее?

— Бэлла-то? Нет. Она была совсем другая. Даже внешне. У нее, в отличие от этой вороны, волосы были светлые, пушистые и длинные, до самой попы. Она их и не стригла ни разу, только незадолго до больницы отрезала больше половины. Уж как я убивалась! А она утешала: вот вылечусь — отращу. Трудно мне, говорит, Наталья Алексеевна, носить на голове такую тяжесть. Добрая она была. Сестру свою очень любила.

Последнюю фразу Наталья Алексеевна сказала с неприязнью.

— А почему вы говорите о Бэлле в прошедшем времени?

— Так умерла она. Уж год как.

— Умерла? Надо же... Значит, Эллочка действительно живет здесь из милости? И Райский ее терпит? — Глаша усмехнулась. — Большой души человек, ничего не скажешь!

— Тут, Глаша, история темная. Не смотри на меня так. Не то ты подумала. Уж не знаю, как такое произошло, только не Павел здесь хозяин, а эта, полоумная.

— Как это? Разве это не его дом?! — Глаша опешила.

— Его, как не его? Только он... Ты про тюрьму небось знаешь?

Глаша кивнула.

— Так вот. После-то, как вышел, Павел осторожнее стал в сто крат. И все, что имел, на жену стал записывать. Чтоб не подчистую обобрали в случае чего. А она возьми да и напиши завещание в пользу сестры. Никто и подумать не мог, что у нее завещание имеется. Потом она умерла, и выяснилось, что Эллочка-людоедка всему хозяйка... Терпеть ее не могу. Она даже ни разу не навестила сестру, пока та лежала в больнице. А как огласили завещание, так тут же примчалась!

Женщина горестно вздохнула.

Глаша, ошарашенная известием, открыла было рот, чтобы спросить, но Наталья Алексеевна вдруг взглянула на часы и замахала руками:

— Ой, погоди! Потом поговорим. Эти-то поужинали

уже, посуду убрать надо. Ты посиди тут тихонько, я скоро вернусь.

Прихватив большой поднос, повариха спешно удалилась. Глафира осталась одна.

Некоторое время она развлекала себя тем, что разглядывала кухню. Занятие бестолковое, но зато хорошо отвлекало от мрачных мыслей, а их было — завались.

Кухня, как и все в доме, являлась вершиной дизайнерского мастерства. Большая, метров двадцать—двадцать пять, она была оформлена в том же средневековом стиле: темно-коричневые балки под белым потолком, грубо штукатуренные желтые стены, с которыми отлично сочеталась тяжелая мебель из мореного дуба. У стены — массивный буфет с аккуратно расставленной посудой. Над столом, который стоял на середине кухни, на специальной подвеске находилась медная утварь, начищенная до блеска. Глаша видела в магазине похожий чайник — стоил он несколько тысяч рублей. Здесь — Глаша от нечего делать сосчитала — было около сорока предметов — это же бешеные бабки!

Устыдившись своей меркантильности, Глафира опустила глаза и уставилась в пол с глубокомысленным видом. Но и пол тоже наводил на мысли о больших деньгах, так как был выложен дорогим мрамором, разделенным дубовыми брусками в виде крупной косой шашечки.

Неужели все это богатство досталось полоумной Эллочке просто так, за здорово живешь? Деньгам, как таковым, Глафира не завидовала, но к Райскому испытывала что-то вроде сочувствия. Хорошенькую свинью подложила ему жена! Ее завещание очень смахивало на месть, ведь ей этот дом не принадлежал и завещать его какой-то кикиморе она не имела морального права. Разве что...

В кухню ворвалась Наталья Алексеевна с тяжело нагруженным подносом. Отдуваясь, она поставила его на стол.

●

— Уф, сейчас еще раз сходить придется. Там еще фужеры остались, — сообщила она.

— Давайте я пока разберу это. Грязное в мойку сложу, — предложила Глаша.

— Да не пачкайся, я сама, — отмахнулась повариха, — дело-то привычное.

— Там все еще в сборе?

— Куда ж они денутся! Мужчины на веранде курят. А бабы в гостиной какой-то актрисе кости перемывают. Делать им нечего. Ну, ладно, ты посиди пока. Вернусь, еще чайку попьем. Тебя вроде не хватились, так что опасаться тебе нечего. Сюда они не сунутся. Они на кухню заходят, только когда пожрать хотят. Ну а сейчас все сытые.

Наталья Алексеевна ушла, а Глафира вернулась на свой стул. В ее душе боролись сомнения. С одной стороны, ей хотелось побыстрее уйти отсюда. С другой — она боялась столкнуться нос к носу с кем-нибудь из присутствующих. Они наверняка решили, что она убежала, и начинать все по новой ей не улыбалось. Лучше было бы выждать, когда они разойдутся либо по домам, либо по своим комнатам. Наталью Алексеевну можно попросить принести из холла ее вещи, а потом покинуть дом через черный ход. О существовании черного хода Глафира только догадывалась, но в таком огромном доме он просто обязан быть по законам жанра.

Глаша услышала чьи-то шаги в коридоре и вдруг сообразила, что это не повариха. Наталья Алексеевна была обута в удобные мягкие тапочки и ступала почти бесшумно.

Шаги приближались.

Глаша заметалась. Ей не хотелось подводить Наталью Алексеевну, да и самой, положа руку на сердце, никого из «этих» не хотелось видеть.

Единственным местом, где она могла бы спрятаться, была узкая щель между буфетом и стеной. Глаша юркнула туда и затаилась. Отсюда она не видела, что происходит в кухне, ей были доступны только звуки, и она напрягла слух. Девушка предпочитала не думать, что произойдет, если ее убежище обнаружат, и как она будет выглядеть в «их» глазах.

Шаги были торопливыми, человек явно спешил. Глаша ожидала и боялась того, что непрошеного гостя заинтересует холодильник — он находился почти напротив того места, где она пряталась, и шансы быть обнаруженной увеличивались вдвое. Но шаги замерли где-то посередине. «У стола», — поняла Глаша. Звякнули тарелки. Потом на пол упало что-то металлическое — ложка или вилка. Глаша удивилась еще больше. Пришедший зачем-то копался в подносе, который принесла повариха. Девушка пыталась понять, мужчина это или женщина, но до нее доносилось только прерывистое сопение, по которому определить пол не представлялось возможным.

Неожиданно все стихло. Глаша не сразу поняла, что произошло. Она ожидала услышать удаляющиеся шаги, но вместо этого наступила тишина.

Однако ничто не выдавало больше присутствия на кухне постороннего. Глаша подождала еще немного, затем не удержалась и осторожно высунулась из-за буфета.

Кухня была пуста. Глаша тихонько присвистнула от избытка эмоций. Человек, кто бы он ни был, просто испарился. Или... Или зачем-то снял обувь и удалился босиком.

Глафира выбралась из укрытия с видом нашкодившего котенка. Собственный поступок теперь казался ей глупым и рискованным. Но любопытство было сильнее раскаяния. Она подошла к столу. Чтобы проверить свою догадку, она пошевелила тарелки и выяснила, что именно такие звуки она слышала, хотя понятия не имела, зачем ей это надо.

На подносе, помимо грязных тарелок, были блюдо с

остатками курицы, две салатницы, хлебница и серебряный набор со специями. Глаша задумчиво разглядывала поднос. За этим занятием и застала ее вернувшаяся кухарка.

Они поболтали еще некоторое время и почти доели лимонный пирог, но ничего занимательного о жене Райского Глаша больше не узнала. Наталья Алексеевна либо не знала подробностей завещания, либо не хотела их обсуждать.

Зато о Муле заговорила охотно.

— Мерзкая баба, скользкая, — припечатала Наталья Алексеевна. — Глупая и эгоистичная. Хабалка, каких поискать.

— И часто она здесь бывает?

— Да не скажу. С убогой нашей они, конечно, дружны, но та меру знает, хоть и чокнутая. Хозяин тут все равно Павел, что бы там его жена ни удумала. Элка ведь кто? Никто. Рвань подзаборная. Ее-то сестра умницей была, а эта с детства малахольная. Бэлла ее жалела, поскольку она старшая, заботилась. Когда они с Райским поженились, помогала ей, чем могла. Павел Аркадьевич-то ее еще тогда невзлюбил. Как увидит — морщится. Но виду не подавал. А теперь она себя королевой возомнила. И Амалия ей во всем подпевает. Сама-то нищая, как церковная крыса. Сюда она, как мне кажется, ходит, чтобы брюхо набить на халяву.

— Поесть она любит.

— Не то слово! И самое смешное: только и разговоров что о диете. Заявится и объявляет, что решила полностью отказаться от мучного, например. А сама кусман мясного пирога слопает и тут же добавки просит. Или еще смешнее — норовит этот второй кусок стащить незаметно. Как будто если съест тайком, то меньше потолстеет.

— А откуда они знают друг друга? Я имею в виду Эллочку и Амалию.

ПОСЛЕДНЯЯ НОЧЬ КОЛДУНА

●

— Да бог их разберет. Элка ведь на фэн-шуе помешана. Всем советы раздает. И люди верят, особенно после того, как она сама из грязи в князи попала. Она и раньше этим промышляла. Язык без костей, мелет, что твоя ветряная мельница. Примажется к какой-нибудь бизнесвумен и ну ее замуж выдавать. Это у нее специализация такая — замужество.

— Это как?

— Просто. Бабы дуры. Хоть работяга она, хоть бизнес-леди. Замуж всем охота, да не у всех выходит. Особенно обидно, когда ты вроде вся упакована, денег куры не клюют, а с мужиками не получается. Вот таким Элка наша мозги и полоскала.

— Успешно?

— Как когда. Я мурой этой не интересовалась. Вот Амалия, та за дочку свою хлопочет. Помешалась совсем. Надо же — любого без соли сожрет, а дочку свою обожает.

— Она у нее вроде ничего... пока.

— Не знаю, — покачала головой Наталья Алексеевна. — С виду-то ангел ангелом, глазки распахнет, ресничками похлопает, слова в простоте не скажет. А вот что у нее внутри — поди догадайся.

Глафира недоверчиво хмыкнула. Карина не вызывала у нее отрицательных эмоций.

— Ты не хмыкай, не хмыкай! Девка-то непростая. Видела я, как она в Павла глазками стреляла.

— Так он же ей в отцы годится!

— Кто сейчас на это смотрит? Вдовец, богатый. Думаешь, у него один этот дом? Как бы не так. Он хоть и отсидел, но дело быстро наладил, сейчас снова в гору пошел. А ей того и надо.

Глаша была не согласна, но спорить не хотела, а потому опять увела разговор в сторону.

— А кто этот парень в красном свитере?

— Сашка-то Восковец? Ничего мужик. Он у Павла

вроде телохранителя. Многим не по нраву, что Павел снова голову поднял, врагов у него, как грязи. А с Сашкой они вроде как друзья. Охрану нанимать Райский не стал бы — гордый. Ох, что-то разболталась я. И чего ты все выспрашиваешь?

Кухарка взглянула на Глашу с подозрением. У девушки в мыслях не было ничего дурного, но она вдруг смутилась. Как объяснить, что ею движет обычное глупое любопытство?

Пока она соображала, как половчее ответить, из глубины дома донесся шум. Глаша различила гул голосов, быстрые шаги, даже вскрики.

— Это еще что? — встревожилась Наталья Алексеевна. — Слышишь? Что-то случилось!

Она проворно поднялась со стула и пошла к двери. В этот момент в кухню ворвался Райский.

— Воды! Быстрее! — рявкнул он с порога.

— Сейчас! Сейчас! Да что случилось-то? — заволновалась Наталья Алексеевна.

— Элла отравилась.

ГЛАВА 12

— Как это отравилась?

От изумления побледневшая кухарка едва не села мимо стула. Райский не только не попытался ей помочь, но и взглянул неприязненно.

— А ты что тут делаешь?

Его взгляд, обращенный на Глашу, был холодным и предвещал беду.

— Ничего криминального, — пожала плечами Глаша, жалея, что не смылась вовремя.

— Ты в этом уверена? — спросил он язвительно.

Глаша вскинула на него удивленные глаза.

102

ПОСЛЕДНЯЯ НОЧЬ КОЛДУНА

•

— Да что там с Эллой такое? — допытывалась Наталья Алексеевна.

— Ей плохо. Тошнота, рвота, жжение в желудке. Альберт Натанович ее осматривает. Нужно промыть желудок для начала. Да дайте же воды наконец!

Кухарка взвилась со своего места и бросилась выполнять приказание.

Райский подошел к столу, на котором была свалена грязная посуда, и уставился на нее с большим вниманием. Глаша отметила, что сегодня эта посуда явно вызывает повышенный интерес, и насторожилась.

— Посуду не трогать, — распорядился Павел. — Не мыть, не переставлять.

— Конечно, — пролепетала Наталья Алексеевна трясущимися губами.

— А что вы паникуете? — встряла Глаша, которой не нравилась его неприкрытая агрессия. — Эллочка, как я успела заметить, очень плотно поела. Дамочка она субтильная, а пища была жирная и тяжелая. Так, может, у нее несварение?

Кухарка взглянула на Глашу с одобрением и пробормотала:

— Я всегда говорила: два пирога как один не съешь.

— Какие пироги?! — взорвался вдруг Райский. Кухарка от испуга выронила кувшин. Он разбился. Вода разлилась по полу.

— Черт!

Наталья Алексеевна всхлипнула.

— Что вы орете! — Глаша разозлилась на него не на шутку.

— А вас не спрашивают!

— А зря! Если так трясетесь над вашей Эллочкой, вызовите «Скорую»! Наталья Алексеевна не виновата!

— Не уверен!

— Вы что, спятили?

— Ничуть. Врач уже в доме. Он мой друг. И он подозревает у Эллочки вовсе не несварение, а отравление... мышьяком!

Наталья Алексеевна выронила черепки, которые успела собрать, и прошептала:

— Господи!

— Почему так долго? Где вода, Павел Аркадьевич? — Муля влетела на кухню с вытаращенными глазами. — А ты что тут делаешь? — уставилась она на Глашу.

— Меня об этом сегодня уже спрашивали. Вот он. — Она ткнула в Райского пальцем и с мрачным видом шагнула к мойке. Рядом с ней на мраморной столешнице стояла пятилитровая бутыль с водой.

— Питьевая? — обернулась она к кухарке. Та кивнула. — Вот ваша вода!

— Берите ее и пойдемте, — скомандовал Райский под одобрительным взглядом Мули.

— Я вам не носильщик, — прошипела Глаша.

Ледяной взгляд серых глаз заставил ее молниеносно нырнуть в укрытие:

— О'кей. Куда нести? — боязливо спросила она.

* * *

Измотанная приступами рвоты Эллочка лежала на диване в роскошной спальне, куда ввалились Райский и компания. Сейчас она еще больше напоминала больную обезьянку. От спазмов у нее полопались сосуды в глазах и белки стали красными.

— Умираю, доктор! Меня отравили!

С исказившимся от боли лицом она откинулась на подушку.

— Пить! Дайте воды...

Райский выхватил у Глаши бутыль, скрутил пробку и перелил воду в графин. Доктор наполнил стакан и подал Эллочке. Лицо его было встревоженным, жидкие волосы намокли от пота и висели сосульками.

ПОСЛЕДНЯЯ НОЧЬ КОЛДУНА
•

Эллочка жадно схватила стакан и залпом осушила его.

— Еще! — попросила она жалобно.

Ее просьбу удовлетворили.

Глафира забилась в угол возле входной двери и наблюдала оттуда за происходящим. Муля присела рядом с подругой на край дивана и что-то шептала, поглаживая ее костлявую лапку.

Райский отвел врача в сторону, за китайскую ширму.

— Как она? — услышала Глафира.

— К сожалению, это не пищевое отравление, — доктор говорил как будто через силу, тщательно подбирая слова.

— Вы уверены?

— Абсолютно. Это мышьяк. Симптомы совпадают: тонические судороги в ногах, жажда, металлический привкус во рту. Естественно, рвота. Я промыл ей желудок, ввел окись железа. Доза, вероятно, оказалась не смертельной. Часа через два она почувствует себя лучше.

Райский долго молчал, прежде чем Глаша вновь услышала его голос:

— Ничего не понимаю. Каким образом она могла отравиться? Откуда взялся яд?

— Этого я не знаю. Вы собираетесь вызвать милицию?

Снова пауза.

— Нет... Думаю, не стоит. Все, кто мог это сделать, находятся в доме. Саша и я, мы попробуем все выяснить. Дело, можно сказать, семейное. Слухи нам ни к чему. Тем более что все живы. Надеюсь, вы...

— На меня можете положиться. Это ваша проблема, а я лишь гарантирую врачебную помощь и молчание.

Глафира прекрасно понимала, почему Райский не хочет вызывать милицию. После заключения он вряд ли испытывает к органам особое доверие. А что, если... Глаша похолодела от неожиданной мысли: что, если отраву подсыпал сам Райский? Эллочка вселилась в его дом чуть

●

ли не силой, получила права на него и живет припеваючи. Райского она явно раздражает, и в этом Глаша его полностью поддерживает. Мужчина он решительный, даже жестокий. Так что мешает ему избавиться от Эллочки радикальным, так сказать, способом?

Додумать неприятную мысль до конца Глаше помешал продолжившийся за ширмой разговор.

— Вы кого-нибудь подозреваете? — спросил доктор неуверенно.

— Всех. И никого конкретно. Эллочка личность малоприятная. Достать она успела всех и каждого. Меня в первую очередь...

«Похвальная откровенность», — усмехнулась про себя Глаша.

— Но ее выходки еще не повод для убийства. Должны быть причины посерьезнее.

— Не скажите. Иногда человек действует спонтанно, на эмоциях, в состоянии, так сказать, аффекта.

— Состояние аффекта не предусматривает наличие яда под рукой. Его еще надо где-то достать, а это не так-то просто.

— А как насчет той девицы? Я заметил, что она все еще здесь?

— С девицей я разберусь, — пообещал Райский, и голос его прозвучал зловеще.

Глаша вовсе не желала, чтобы с ней разобрались, хотя и не чувствовала за собой никакой вины. Она попыталась улизнуть, но была поймана на месте преступления вездесущим Святым.

— Куда это ты собралась? — грозно прошипел он, крепко ухватив ее за предплечье.

— Полегче!

— А ты не рыпайся!

— И не собираюсь. Вы что, думаете, это я отравила вашу Эллочку-людоедку? Да я здесь знать никого не знаю!

— Это ты преувеличиваешь.

ПОСЛЕДНЯЯ НОЧЬ КОЛДУНА

•

— Вы о Муле? Так не ее же отравили. — Глаша дернулась и попыталась освободиться, но хватка Святого была железной.

— Признайтесь, вы ожидали чего-то подобного. Поэтому и притащили меня сюда. Не понимаю только, зачем вам это понадобилось?

Райский ничего не ответил, как будто все ее слова пролетели мимо его ушей. Все так же молча он дотащил ее до каминного зала, где уже находились Восковец, Карина и Наталья Алексеевна. Появление Глаши не вызвало у них удивления.

— Никуда ее не выпускай. — Райский подвел Глашу к Восковцу и силой усадил на стул. Стулья, пожалуй, были единственными нормальными предметами мебели в этом зале: деревянные, с широкими мягкими сиденьями, удобные. Остальное, включая барную стойку, заменяли все те же необъятные стволы.

Восковец никак не отреагировал на приказ, даже не взглянул в ее сторону, но Глаша почему-то не сомневалась, что даже со стула без большой надобности слезать не стоит.

Ждать пришлось около получаса. Все это время Глаша не сводила глаз с необычной статуэтки, стоящей на каминной полке, и напряженно размышляла. Фигурка черной кошки в натуральную величину была выполнена мастерски. Если бы ее глаза и оскаленные острые зубки не были сделаны из чистого золота, ее можно было бы принять за живую. Кошка выглядела настороженной и агрессивной. Приподняв переднюю лапу, напружинив поджарое тело, с прижатыми ушами, она словно приготовилась к нападению. Ничего подобного Глафира не видела. Она сразу сообразила, что вещица антикварная и очень дорогая.

Непостижимым образом, глядя на застывшую кошку, Глаша смогла привести в порядок свои мысли. Когда

●

Райский в сопровождении Альберта Натановича и Мули вернулся в комнату, Глаша была готова к предстоящим событиям.

С появлением хозяина напряжение в комнате возросло и стало почти осязаемым. Все понимали, что кто-то из присутствующих пытался убить человека, поэтому страх и волнение испытывали не только виновный, но и все остальные.

— Итак, я предлагаю тому, кто это сделал, признаться добровольно. Обещаю, что в этом случае мои действия будут гораздо более мягкими, — возвестил Райский. Его безжалостный тон смел остатки его обаяния.

Глаша разозлилась.

— Вы тут можете разбираться хоть до рассвета, а мне домой пора, — заявила она строптиво. — Я вашу Эллу знать не знаю.

— Врешь! — воскликнула Муля. — Она покупала у тебя одежду!

— Может быть, но я этого не помню. Кроме того, за покупку одежды не убивают, — сказала Глаша твердо.

— Тебе завидно, что теперь она одевается у меня!

— Отвяжись, — отрезала девушка. — Сказала уже, что я с ней незнакома. И мотива у меня нет. Так что я пошла, а вы уж как-нибудь тут сами.

— Сидеть! — тихо рявкнул Райский.

— Как же вы меня достали, — вздохнула она удрученно.

— Оставьте девчонку, Павел Аркадьевич, — вступилась вдруг за Глашу повариха. — Вы ведь меня подозреваете. Элле поплохело после ужина, а его готовила и подавала я.

— Отраву тоже вы подсыпали? — ехидно осведомилась Муля, но тут же осеклась под гневным взглядом Райского.

— Отраву я не подсыпала. Незачем это мне, — ответила Наталья Алексеевна. — Но если хотите — проверяйте. Все остатки ужина и посуда — на кухне.

— Она говорит правду, — встряла Глаша. От злости она стала смелой. Ее не испугали даже обращенные на нее далеко не доброжелательные взгляды. Даже безропотная Карина смотрела с осуждением.

— Эта, как всегда, больше всех знает, — фыркнула Муля презрительно.

— Думать надо больше, а не сплетни собирать, — парировала Глаша без азарта, так, словно отмахнулась от мухи.

— Ты что-то знаешь? — заинтересовался Райский. — Что-то видела?

— Что я могла видеть, если все время просидела на кухне?

Эту фразу она приготовила заранее и теперь напряженно ждала, кто из присутствующих уличит ее во лжи. Тот, кто заходил на кухню и шарил на подносе, видел, что Глаши там не было.

Ловушка не сработала, хотя девушка намеренно затянула паузу. Это наводило на новые мысли, но обдумать их она решила позднее.

— Итак, это было всего лишь голословное утверждение, что Наталья Алексеевна невиновна? Так сказать, личные симпатии, — подвел итог Святой. Глаше показалось, что он выглядел разочарованным.

— Ничуть, я могу доказать ее невиновность, — отважно провозгласила она.

— Шерлок Холмс, — опять не удержалась Муля.

На этот раз Глаша вообще ничего не ответила.

— Я и Павел Аркадьевич появились не в самом начале ужина, и, как я поняла, стол был накрыт заранее. Это так?

— Допустим, — осторожно согласился Альберт Натанович.

ЛАНА СИНЯВСКАЯ

•

— Хорошо. Все блюда лежали на общих тарелках, и каждый брал то, что ему захочется. Это верно?

— Да куда ты клонишь? — проявил Райский нетерпение.

— Сейчас узнаете. Еще один вопрос. Последний. — Глаша обернулась к кухарке: — Наталья Алексеевна, готовили ли вы сегодня какое-либо блюдо специально для Эллочки?

— Нет.

— Было ли на столе блюдо или напиток, которые предпочитает только она?

— Это уже второй вопрос! — раздался завистливый голос Мули.

— Помолчите, — оборвал ее Райский. — Кажется, я начинаю понимать...

— А тут и понимать нечего. Все ясно. Все, я подчеркиваю — все, брали еду с общих блюд, и все, кроме Эллочки, прекрасно себя чувствуют. Ну, не то чтобы прекрасно, учитывая этот допрос, но животом, по крайней мере, не маются. Специальных блюд ей не подавали, а значит...

— Отраву ей подсыпали за столом, — закончил за нее Восковец и неожиданно рассмеялся. — Молодец, девка!

— Всегда пожалуйста, — шутливо поклонилась Глаша в его сторону.

Райский взглянул на Наталью Алексеевну и прокашлялся.

— Извините. — Его голос был тихим и сердечным.

Кухарка испустила глубокий вздох.

— Да что там, я понимаю. — Она повернулась и в упор посмотрела на Глафиру. — А тебе спасибо, девочка!

Губ Глаши коснулась улыбка. Зато Муля оцепенела. Лицо ее пошло красными лихорадочными пятнами, нижняя губа побелела. Глафира прекрасно понимала при-

ПОСЛЕДНЯЯ НОЧЬ КОЛДУНА
●

чину ее волнения — Муля сидела рядом с Эллочкой. У нее и еще у доктора были наибольшие шансы подсунуть той отраву в еду или питье.

К такому же выводу, очевидно, пришли и остальные.

— Мама этого не делала! — горячо воскликнула Карина. Она стиснула руки, прижала их к груди. Слезы в широко распахнутых глазах выглядели трогательно. Муля вытаращила глаза, чтобы подчеркнуть бесстыдство таких подозрений.

Глаша хмыкнула. Девчонка защищает мать, но при этом явно переигрывает. Однако Райский был другого мнения. Он подошел к девушке и ободряюще сжал ее руку.

— Никто не обвиняет твою маму, Карина. Я вообще не сторонник поспешных обвинений.

Глафире был понятен тайный смысл его слов. Пережив несправедливое обвинение сам, он навсегда запомнил свои ощущения. Похвально. Только отчего тогда он на нее-то смотрит волком?

Муля явно вдохновилась неожиданной поддержкой.

«Черт, — подумала Глаша. — Эта ради собственного благополучия продаст даже родную дочь! Да она ее подарит!»

Толстощекая физиономия Мули сморщилась. Она поочередно смотрела на Райского и на свою дочь. И о чем-то думала.

И Глаша даже знала, о чем.

На Альберта Натановича было больно смотреть. Он весь скуксился, потек и, кажется, готов был признать свою вину даже в том случае, если на самом деле ничего не делал.

Такая расстановка сил Глафире не понравилась. Она понимала, что один из этих людей лжет, но совершенно необязательно, что этот человек — доктор. Даже Мулю она не могла назвать подозреваемой номер один, хотя, положа руку на сердце, ей бы очень этого хотелось. Глаша почти догадалась, как отравили Эллочку, и в этом крылась причина ее уверенности. Девушка резко вскочила со стула, чем снова привлекла к себе внимание.

— Ах, это вы? — Райский как будто удивился. — Можете идти домой. Похоже, вы и впрямь вне подозрений.

— Павел Аркадьевич, вы меня не нанимали, чтобы мне приказывать. — Ее голос задрожал от негодования. — Вы меня пригласили, а выгонять гостей невежливо даже для человека с вашим прошлым!

Глафиру несло. Она понимала, что перегибает палку, видела злобные огоньки в его глазах, но ей было все равно.

— Вы, кажется, на что-то намекаете? — Язвительный голос вернул ее к действительности.

— Нет, — резко ответила она. — Только я привыкла доводить все до конца, в отличие от некоторых. Вы, я вижу, размякли, да рановато! Вы оправдали одного человека, но обвинили двух других, не имея достаточных доказательств...

— Это не я, а вы их обвинили, убедительно доказав нам всем, каким образом яд мог попасть в тарелку Эллочки, — небрежно парировал он, не обращая внимания на ее возмущение.

— Я была не права.

На этот раз с открытым ртом застыли все, даже Амалия.

— Во дает! — Восковец трижды громко хлопнул в ладоши. — Далеко пойдешь с таким характером, девочка.

Глаша так и не смогла понять, чего больше в его словах — иронии или искреннего восхищения. Сейчас ей было не до этого.

— Что вы меняете свое мнение? — недовольно проворчал Райский, но руку Карины выпустил. — Или у вас опять есть доказательства?

— Нет, но, возможно, появятся.

ПОСЛЕДНЯЯ НОЧЬ КОЛДУНА
•

— Вы знаете, кто это сделал?

— Нет. Но я знаю, как. Кажется.

— Когда кажется, креститься надо, — прошипела Муля.

— Говори, — приказал Райский, вновь переходя на «ты».

— Я почти уверена, что ни в одном из блюд и напитков яда не обнаружится. Даже в тарелке, из которой ела Эллочка.

— А где же он? — удивленно воскликнул доктор.

— В солонке.

Стало так тихо, что было слышно тиканье часов в соседней комнате.

— Я видела, что Элла постоянно сыпала соль на курицу. Никто, кроме нее, вроде солонкой не пользовался. Я тоже ела курицу, и она была совершенно нормально посолена.

— А ведь верно! — произнесла кухарка с дрожью в голосе. — Элла постоянно все досаливала!

— Ты куда это клонишь? — взвилась Муля.

— Туда и клонит, что мы все опять под подозрением, — пояснил Восковец с таким видом, как будто получал колоссальное удовольствие от представления, — если, конечно, она права и мышьяк действительно окажется в солонке.

— Саш, принеси ее сюда, — попросил Райский сумрачно.

Через пять минут Восковец вернулся с серебряной солонкой в руках. Глаше эти минуты показались вечностью.

— Уф, еле нашел. Закатилась под тарелки. Весь в жире перепачкался. — Он отдал солонку Райскому, взял салфетку с барной стойки и принялся с остервенением вытирать руки. Райский передал солонку доктору. Тот промокнул платком вспотевший лоб, взял серебряную вещицу и насыпал немного соли на ладонь. Он долго вглядывался в белые крупинки, поворачивая ладонь то так, то эдак, поднес поближе к свету и наконец лизнул.

— Конечно, потребуется все же сделать анализ, но это, несомненно, мышьяк! — Доктор взглянул на Глашу почти с суеверным ужасом. — Поразительно! Как вы догадались?

Глаша пожала плечами:

— Не сразу. Просто у меня в голове все время вертелась мысль об особенном блюде. Его не было, а любой другой способ связан с большим риском. Либо отравить не того, кого следует, либо не удастся улучить момент, чтобы подсыпать отраву. Насыпать мышьяк в солонку заранее гораздо проще, и риска никакого, если знаешь об Эллочкиной привычке.

— Что ж, все, оказывается, только начинается, — задумчиво протянул Райский. — Но вы тут и в самом деле ни при чем. Можете ехать домой. И спасибо за услугу! Саш, отвези девушку.

Эти люди надоели Глаше за несколько часов до оскомины, поэтому повторного приглашения не потребовалось. Напоследок она взглянула на Мулю. Ей показалось, что у той начался сердечный приступ: ее рот искривился, лицо перекосилось, глаза налились кровью.

Глаша поспешно вышла из комнаты.

ГЛАВА 13

День прошел суматошно. Занятая покупателями, Глафира смогла на время забыть о вчерашнем происшествии в доме Райского. Она отметила, что ни Муля, ни ее дочь в магазине не появлялись. То, что в отделе хозяйничала Неля, стало неприятным сюрпризом, но у Глаши уже начал вырабатываться иммунитет на неприятности.

Глафира покидала магазин одной из последних, хотя обещала себе уйти с работы пораньше, до наступления сумерек. Она боялась признаться себе, что ей не хочется возвращаться домой. Причина была в ее снах, точнее, в последнем сне. К ней вновь приходил старик.

В этот раз он подошел совсем близко, она разглядела каждую морщинку на суровом лице. Это лицо и пугало, и притягивало. Под кустистыми бровями не разобрать выражения глаз, густые усы и борода скрывают рот, а голос звучит так властно, что дрожь пробирает. Глаше показалось, что в этот раз старик смотрел на нее иначе, разглядывал так, словно видел впервые.

— Приезжай срочно, — это прозвучало как приказ, — тянуть больше нельзя. Срок пришел!

Глаша весь день вспоминала эти слова, они крутились в голове как бы сами по себе, помимо ее воли.

Она ничего не поняла. Куда приезжать? Зачем? О каком сроке говорил старик? И что ему вообще от нее надо?

Было еще холоднее, чем накануне, но погода стояла безветренная. Земля подмерзла — Глафира чувствовала, какая она твердая, через тонкие подошвы осенних туфель.

От остановки до дома было минут пятнадцать ходьбы по узкой покрытой листьями тропинке, вьющейся среди деревьев. Уже отойдя от остановки довольно далеко, Глаша пожалела, что выбрала этот путь. Быстро темнело, на улице было совсем безлюдно, хотя стрелки часов показывали только без пяти восемь. Лучше бы она пошла по тротуару. Там светло, горят фонари. И люди ходят.

От этих мыслей стало еще неуютнее. Несмотря на холод, ее руки стали влажными и горячими. Глаша перекинула сумку на другое плечо, потом застегнула куртку до самого горла.

Неожиданный порыв ветра ударил ей в лицо, как будто хотел остановить. Холод пробрал ее до костей.

— Черт, — пробормотала девушка сквозь зубы. Звук собственного голоса немного приободрил ее.

Она быстро пошла вперед. Еще немного, и она окажется в родном дворе. Там гуляют собачники. Они всегда выводят своих питомцев в это время.

Войдя в свой двор, она стремительно направилась к подъезду. Она уже взялась за ручку двери, как вдруг ее плечо крепко сжала чья-то рука.

На мгновение сердце ее остановилось, а потом она пронзительно завизжала.

— Потише! Вы меня совсем оглушили!

Глаша отпрыгнула точно ошпаренная и оказалась лицом к лицу с долговязым мужчиной в длинном черном пальто и кожаных перчатках. Перчатки ей особенно не понравились.

Все еще дрожа, она продолжала пятиться, не сводя глаз с его лица. Мужчину она видела впервые.

— Вы здорово напуганы, — сообщил он очевидное.

— Вы меня напугали! — хрипло ответила Глаша.

— Извините!

— Вы кто? — спросила она.

— Я? Адвокат.

— А-а-а, — протянула она неопределенно.

— Послушайте, девушка, вы случайно не Глафира Морозова?

Он снова ее озадачил, этот тип.

— Откуда вы меня знаете? — спросила она, мгновенно ощетинившись.

— Да я, собственно, и не знаю. В смысле, мы не встречались раньше. У меня есть ваше имя и описание внешности.

— И что? Почему вы решили, что Морозова — это я?

— Ну, вы же рыжая, — ответил он так, как будто это все объясняло.

— Ладно, с этим разобрались. Я — рыжая, и я — Глафира Морозова. Дальше что?

Глаша тянула время. Она не хотела входить в подъезд, пока этот тип не ушел. Но и стоять здесь до бесконечности ей не хотелось. Она устала и хотела домой. Ее

•

расчет был прост. Глаша надеялась, что кто-то из соседей вернется домой и она этим воспользуется. При посторонних тип не потащится за ней в квартиру.

— У меня к вам дело. Точнее, официальное поручение. Вас разыскивали родственники в связи с получением наследства.

— Да что вы говорите? — сузила глаза Глаша.

— А что вас удивляет? Мне кажется, ваше наследство весьма ценное...

— Может быть. Только получать мне его не от кого. Все мои родные умерли, — сказала Глаша строго, давая понять, что шутки кончились.

— Значит, не все. У вас есть дед.

— У меня нет деда, — оборвала Глаша.

— Да есть же! И как это нет деда? У нормального человека в комплекте даже два дедушки, — улыбнулся мужчина.

— Не острите! Вы понимаете, что я имею в виду.

— Послушайте, девушка, не морочьте мне голову, — устало сказал адвокат. — Я потратил на ваши поиски чертову уйму времени, а вы стоите со мной на улице и несете какую-то чушь. Мне холодно, в конце концов. Я прождал вас три часа!

— Одеваться надо теплее, — буркнула Глаша.

— О господи! Ну, хватит! Давайте поднимемся в квартиру, и я покажу вам все документы. Только сначала вы мне предъявите удостоверение личности, а то всякое бывает. — Адвокат как-то странно усмехнулся, чем окончательно вывел Глафиру из себя.

— Может, вам еще стриптиз станцевать? — спросила она зло.

— Вы ненормальная? — Лицо мужчины озарилось неожиданной догадкой.

— Как бы не так! Это вы не в себе, если думаете, что я потащу к себе в квартиру незнакомого мужика!

— Я не мужик! Я адвокат! — простонал тот. — И зачем только я согласился!

— Думаю, за хорошее вознаграждение, — фыркнула девушка.

— Ну, все, вы меня достали! — взорвался адвокат. Чертыхаясь, он полез за пазуху. Глаша похолодела. Что, если у него там пистолет? Или нож, что ничуть не лучше?

Но в руке адвокат сжимал не оружие, а папку. Обыкновенную тонкую папку, свернутую в трубочку. Внутри просматривались листочки с текстом, набранным на компьютере.

— Вот! — Он сунул папку Глаше в руки. — Держите. Прочтете дома и сами решите, что с этим делать. Пишите расписку, что получили документы с рук на руки. — Он извлек из той же папки чистый листок, достал из внутреннего кармана ручку и передал ей.

— Что, прямо здесь писать? — растерялась Глаша.

— Естественно! — съязвил адвокат. — Напоминаю, что это было ваше желание.

Глафира засомневалась. Все происходящее выглядело нелепо. Документы, расписка, наследство от несуществующего дедушки, и все это на темной улице, под пронизывающим осенним ветром.

Тем не менее она под диктовку написала расписку в получении, неловко зажав папку под мышкой, а вместо стола используя собственное колено. Адвокат преувеличенно внимательно прочел ее каракули, но не нашел к чему придраться, сложил листок вчетверо и сунул в карман.

— Ручку отдайте.

— Что?

— Отдайте мою ручку.

— Черт!

Глаша сунула ему ручку, которую рассеянно сжимала в руке, и повернулась, чтобы уйти.

— Не забудьте, что вы должны прибыть в указанный

пункт назначения не позднее завтрашнего вечера! — крикнул ей вдогонку адвокат. — Это главное условие!

Глаше послышалось в его голосе злорадство.

Всю ночь Глафира провела без сна. Она напряженно думала, пытаясь отличить правду от лжи. Документов в папке оказалось немного. Копия завещания и сопроводительное письмо из нотариальной конторы. Из завещания Глаша узнала, что является наследницей дома и участка земли в двадцать соток в деревне Медведково. Завещатель, Федор Поликарпович Тавров, если верить документам, в самом деле был ее дедом, хотя Глаша слышала это имя впервые. Старик имел отношение к бабе Кате и, очевидно, являлся отцом Глашиной матери! Однако никто в их семье ни разу не обмолвился о существовании этого человека. Баба Катя никогда не была замужем. Наличие у нее дочери тем не менее предполагало близкие отношения с мужчиной, пусть даже в далеком прошлом. Глаша понимала это умом, но как-то привыкла, что баба Катя всегда одна, и сейчас никак не могла поверить в неожиданно объявившегося родственника.

Девушка несколько раз задумывалась о том, кто ее дедушка и куда он подевался, особенно этот вопрос волновал ее в раннем детстве. Глаша пыталась приставать к бабке с расспросами, но та всегда очень сердилась, молчала как партизан и лишала внучку мороженого. В конце концов Глаша смирилась. Ну, нет у нее деда, и не надо.

Оказалось, есть.

Только непонятно, почему он вспомнил о ней лишь сейчас? Ведь, в отличие от бабушки, у него вполне могла быть семья, дети, внуки. Иначе почему он не искал их раньше? И зачем ему понадобилась Глаша, да еще непременно завтра? В сопроводительном письме ясно указывалось, что завещание вступит в силу только в том случае, если Глаша приедет в Медведково по указанному адресу не позднее завтрашнего вечера.

Глаша была заинтригована, хотя здравый смысл убеждал ее наплевать на завещание и уж никак не тащиться к черту на кулички. Глашу волновало не наследство. Она хотела узнать наконец семейную историю, в которой, оказывается, присутствовала романтическая тайна.

«Вот дадут тебе по башке в этой деревне, станет не до романтики», — предупредил внутренний голос, но Глаша к нему не прислушалась.

Девушка решила ехать. Ей была неприятна вся эта история с завещанием. Откуда он взялся, этот старик? С какой стати про нее вспомнил? Захотелось на старости лет повидать внучку, о которой он знать не знал все эти годы?

* * *

Дина и Валя пришли в полный восторг, услышав новость. Ради этого Валя закрыла отдел и вызвалась собственноручно отвезти Глашу в Медведково. Еще ночью Глаша отыскала в доме старую карту и выяснила, что Медведково расположено совсем недалеко от города. Они планировали добраться до деревни часа за два.

Узкий белый проселок пересекал широкое поле, заросшее иван-чаем и осокой. На лугу паслись черно-белые коровы. На фоне голубого осеннего неба вырисовывались разноцветные верхушки деревьев. Листья берез напоминали старинные золотые монеты.

Дорога спустилась с пологого пригорка и уперлась в горбатый мостик через мелкую, но широкую речушку. На карте эта извилистая речка носила название Линда.

После моста дорога снова пошла в гору. С обеих сторон ее обступал смешанный лес. Какой-то мрачный. Упавшие на землю стволы никто не убирал. Они поросли мхом и производили неприятное впечатление. От высоких разлапистых елей было темно.

Перед самой деревней дорога неожиданно опять вырулила на шоссе. После долгой тряски по колдобинам девушки испытали настоящее облегчение.

ПОСЛЕДНЯЯ НОЧЬ КОЛДУНА

•

Деревня была большая, целых три улицы. Нужный дом оказался в самом конце одной из них. Припарковав машину возле высокого дощатого забора, девушки с опаской вошли в калитку и остолбенели. В обширном дворе ни травинки, только утрамбованная до каменного состояния земля, плотно уставленная автомобилями.

— Это просто автостоянка какая-то, — обескураженно озираясь, заметила Валя.

— Похоже на то.

Под окном двухэтажного дома толпились люди. Некоторые сидели прямо на земле, остальные сбились в кучки и негромко разговаривали. Глашу поразило, что в толпе наблюдались представители различных слоев населения: от крестьян до солидных господ, одетых дорого и со вкусом. В основном это были женщины.

Но всех их объединяло одно — странное выражение лиц, одинаково испуганное и удрученное.

Когда девушки взошли на крыльцо и попытались войти в дверь, дорогу им преградила худая старуха в черном.

— Сюда нельзя, — строго и неприязненно сообщила она. — Сколько можно говорить-то?

— Вот те раз! — возмутилась Валя, рассерженная неласковым приемом. — Сами звали, бумаги присылали официальные, а теперь на порог не пускаете? Наследница приехала. Так там и передайте кому следует!

— Вы Глафира? — почему-то испугалась женщина, уставившись на Валю черными глазами.

— Не я — она. — Валя выдвинула вперед Глашу.

— Федор Поликарпович ждет вас, — проговорила женщина с неожиданной почтительностью. Она пропустила Глашу в дом, а Вале преградила дорогу.

— Подождите здесь.

— Это как это...

Дверь перед носом Вали захлопнулась.

В доме царил полумрак и пахло свечами. Он казался

вымершим и безжизненным, как большой склеп. Женщина шла впереди, указывая дорогу, и привела Глафиру к двустворчатым дверям из мореного дуба. Приоткрыв одну створку, она предложила Глаше войти, а сама осталась в коридоре.

В комнате было еще темнее, чем в коридоре. Мимо Глаши прошелестели какие-то старухи в низко повязанных черных платках. Воздух был спертым и тяжелым. В углу у иконы трепетал огонек лампадки.

В первый момент девушке показалось, что она осталась в комнате одна. Она в недоумении огляделась, заметила на полках чучела животных, пучки сушеных трав и высохшие цветы. Здесь странно пахло. Ей определенно не нравилось это место, и она повернулась, чтобы уйти. Тут у нее возникло чувство, что за ней наблюдают. «Успокойся», — приказала она себе. Однако тревожное ощущение не покидало ее.

Глаша резко обернулась, и в этот раз ее глаза, уже привыкшие к полумраку, различили у стены очертания большой кровати. На ней кто-то лежал. Девушка сделала несколько неуверенных шагов, приблизилась и увидела среди груды подушек осунувшееся лицо.

— Ну, вот мы и свиделись, внученька, — раздался у нее в ушах глухой голос.

Чтобы не вскрикнуть, Глаша зажала рот ладонью. Перед ней, распластанный на постели, лежал старик из ее снов. Усы, борода, глубокие морщины, пронзительные глаза. Всё совпало в точности. Только в уголках глаз сейчас блестели слезы.

ГЛАВА 14

Глаша онемела. Сердце ее трепыхалось. Она хотела убежать, но была словно опутана по рукам и ногам толстыми веревками.

ПОСЛЕДНЯЯ НОЧЬ КОЛДУНА

•

— Вы кто?.. Вы как это?.. Зачем?.. — лепетала она бессвязно.

— Не бойся, Глашенька, подойди, присядь, — ответил старик ласково.

Глаша послушно опустилась на стул, противиться тихому голосу старика не было никакой возможности.

— Но как же так? Этого ведь быть не может? Чтобы вы там... и здесь... и дедушка... Вы ведь мой дедушка? Или это неправда?

— Правда, милая. Я твой родной дед. Ты, Глашенька, кровь от моей крови. А что до твоих снов, то тебе не надо пугаться этого. Ты не серчай! Это я в твой дом бестелесным духом наведывался. Тебя на ночь благословлял, молился за тебя, за твою маму и бабушку.

Старик говорил спокойным голосом дикие вещи. Как это являлся бестелесным духом? Что за бред? Или это и в самом деле бред? Старческий?

Старик усмехнулся в усы, словно прочитал ее мысли.

«Не больно-то он похож на умирающего», — подумала Глаша.

— Не бойся, я не выжил из ума и тебе говорю чистую правду. Хочешь, опишу тебе твою квартиру?

Он и в самом деле принялся перечислять, где что стояло в доме Глаши, какие у нее на окнах шторы, а на полу ковры.

— Ну, теперь поверила? — хитро усмехнулся Федор Поликарпович.

— В это трудно поверить...

— Все просто, деточка. Или сама не догадалась? — Он посмотрел на нее пристально. Глаша отвела глаза. — Догадалась! Вижу!

— Этого не может быть. Я в колдунов не верю, — ответила Глаша твердо.

— Как же не верить, если вот он я? — Старик окончательно развеселился. — Только колдун слово грубое. Ведун я. Людей лечил смолоду. Скотину.

123

— То есть без волшебства?

— Ну, я же не Гарри Поттер, — проявил старик неожиданную осведомленность. — Хотя и я кое-что умею, не без этого.

Он помолчал немного, как будто не решаясь продолжить.

— Я, Глашенька, завтра умру, — проговорил он со вздохом, — ты не пугайся и ни о чем не беспокойся. Все для меня будет сделано, что положено, и это не твоя забота...

Девушка взглянула на него с сомнением:

— Как это «завтра умру»?

— Срок пришел. Потому и искал тебя с таким старанием. Я ведь до вчерашнего дня и не знал, как ты выглядишь.

— Вы хотели сказать, до сегодняшнего? — осторожно поправила Глаша.

Старик снисходительно улыбнулся.

— Я в дом твой входил, у постели сидел, защищал тебя, как получалось, но ни адрес, ни лицо мне знать было не дано. Только вчера Катерина надо мной сжалилась...

— Бабушка?!

— Она. Тебе — бабушка, а мне — единственная любимая. Катенька.

— Почему вы расстались?

В его глазах она увидела столько муки, что у нее сжалось сердце. Она пожалела, что задала этот вопрос, но старик все же ответил:

— А ты помнишь, какое время было? Кто ж с колдуном свою жизнь связать рискнул бы? Она уж убивалась, плакала, все отговорить меня пыталась. Да как я мог? Кто людям-то поможет, если не я? Кто бы им надежду вернул, когда все глаза от горя выплаканы...

Старик снова замолчал, и Глаша увидела, что он плачет. По морщинистым щекам текли слезы, но не мутные стариковские, а чистые, как утренняя роса. Повинуясь порыву, девушка поднялась, склонилась над постелью и бережно вытерла мокрые дорожки со щек старика.

— Баба Катя так никогда и не вышла замуж, — сказала она тихо.

Старик кивнул:

— Я знаю. Я не держу на нее зла. Мы были предназначены друг для друга, но она ушла и ничего не сказала о ребенке, о нашей дочери, твоей маме. На прощание она выкрикнула, что я никогда никого из вас не увижу, сколько бы ни искал. Ее проклятие сбылось.

— Баба Катя тоже была колдуньей? — ужаснулась Глаша.

— Нет. Но иногда и простой человек, если его переполняют страсти, может наложить заклятие такой силы, что ни один колдун его не снимет.

— Это жестоко!

— Это жизнь. Я все равно оберегал вас и знал все, что с вами происходит. Иногда это получалось лучше, иногда хуже. Я ведь не бог.

— Значит, карьера моей матери, это...

— Это была моя ошибка. Я хотел, чтобы она была счастлива, чтобы сбылись все ее мечты. Но от судьбы, видно, не уйдешь.

— Моя мама была счастлива. До самого конца. — Глаша сама впервые поверила в это. Ее вера передалась старику. Глаза его посветлели.

— Ты, Глашенька, добрая девочка. Я в тебе не ошибся!

Он накрыл ее руку, лежавшую на постели, своей рукой. Рука была твердой и горячей.

Глаша вдруг испугалась. Что, если дедушка решит сейчас передать ей свой дар? Она читала, что колдуны так делают перед смертью. «Да нет, — попыталась она успокоить себя, — это сказки». Да и кто сказал, что старик умирает? Он сам? Ну и что? Просто приболел человек, возраст-то немаленький, вот и показалось. На умирающего он никак не похож, ну просто ни капельки.

— Своего ученья я тебе не передам, — старик снова с легкостью прочитал ее мысли. — Этого нельзя сделать против воли, не бойся! Да и грех это — взваливать на твои плечи такую ношу. У таких, как я, день равен ночи. Но наказ у меня к тебе есть.

Глаша широко раскрыла глаза, не зная еще, что от нее потребуется. Старик приподнялся на локте, причем сейчас было видно, что это простое движение далось ему с трудом, достал из-под подушки деревянный лакированный ящичек, узкий, сантиметров двадцать—двадцать пять в длину, и протянул его Глаше. Она взяла вещицу в руки и почувствовала, как от дерева идет тепло.

— Открой, — попросил старик.

Глаша повиновалась. Внутри на полуистлевшей шелковой подкладке лежал свернутый в трубочку лист пожелтевшей бумаги, такой старой, что края уже крошились от времени.

— Это лист из книги Жизни и Смерти, — пояснил Федор Поликарпович, не дожидаясь ее вопроса. — Это святое и всесильное оружие, ему не одна сотня лет. Я должен был передать этот лист только своему преемнику, но его у меня нет. В чужих руках это оружие может стать смертоносным, и допустить этого нельзя.

Глаша с сомнением разглядывала пожелтевший листок. Он выглядел таким хрупким. Ну какое оружие, в самом деле? Тем не менее она постаралась ничем не выдать свой скептицизм из уважения к своему дедушке.

— Обещай мне, что исполнишь мою волю! — потребовал дед торжественно.

— Ну, конечно!

— Хорошо. Я тебе верю. Ты моя кровь. Во-первых, не читай свиток, как бы тебя ни разбирало любопытство. Во-вторых, когда я умру, положи шкатулку мне в гроб, обязательно в головах. И третье — сделать это нужно так, чтобы никто не видел. Запомнила?

— Конечно, Федор Поликарпович! — кивнула Глаша

●

беспечно. Ей не верилось, что этот крепкий старик может умереть, а значит, и делать ничего не придется.

Она протянула шкатулку, чтобы вернуть, но старик отвел ее руку.

— Сохрани у себя. Только спрячь. Ждать осталось недолго.

Взгляды их встретились, и она увидела в глазах деда тревогу.

— Боюсь я за тебя, Глашенька. Тяжко тебе будет без моей помощи.

— А вы больше не будете мне помогать?

— Пока не минет сорок дней, я не вправе.

— Какие сорок дней?.. — начала Глаша и осеклась. Глаза ее погрустнели.

— Ничего, не печалься. Мне не страшно умирать. — Дед ободряюще улыбнулся, и Глаша вдруг удивилась, как она прожила жизнь без этого мудрого человека с большим сердцем. За удивлением пришла жалость. Ей было жаль себя, деда, бабу Катю... Она почувствовала, как в глазах защипало, по щекам сами собой полились слезы.

— А вот этого не надо, Глашенька. Больше ты плакать обо мне не будешь. Я заговорю твои слезы, да и тосковать я тебе тоже не дам.

— Не надо! — воскликнула Глаша.

— Что?

— Не надо меня заговаривать.

Дед взглянул на нее строго и в то же время ласково.

— Как пожелаешь, — промолвил он наконец. — Сейчас иди отдохнуть. Тебе покажут твою комнату и комнату твоей подруги.

— Откуда вы... Ну, про Валю... Ах, да! Не перестаю удивляться, как у вас это получается.

— Ну, иди!

Глаша поднялась, прижимая к груди ящичек. Потом подумала и сунула его под свитер.

— Молодец! Не забыла. Будь осторожна, девочка! И прощай!

— До свидания. Вы разрешите утром проведать вас перед отъездом?

Старик ничего не ответил, но по его улыбке она поняла, что он не будет возражать.

* * *

Когда Глаша вышла на улицу, она зажмурилась от солнца. Над забором возвышались облитые золотом кроны берез, которые, казалось, сверкали. Краски ослепляли своей яркостью. Осеннее солнце стало теплым, как летом.

Глаша, прищурившись, оглядела двор, отыскивая подругу, но ее нигде не было. Людей, как и машин, стало гораздо меньше. Глаша удивилась, куда подевалась Валя. Она решила ничего не говорить подруге о листке. В ее порядочности она не сомневалась, но вот любопытства той было не занимать. Обязательно начнет подбивать на то, чтобы заглянуть в листок хоть одним глазком, а нарушать данное деду обещание Глаше не хотелось.

Девушка спустилась по ступенькам с крыльца и немного прошлась по двору, однако тревожные мысли не оставляли ее. Ей все время казалось, что кто-то наблюдает за ней, пристально и недобро. Она обернулась, чтобы взглянуть, но солнце слепило глаза и мешало рассмотреть всех как следует. На первый взгляд никто не обращал на нее внимания, но ощущение не проходило.

— Ну что, признал вас старик? — крикнул кто-то ей прямо в ухо. От неожиданности Глаша так вздрогнула, что чуть не выронила ящичек, едва успев прижать его к животу.

Перед ней стоял адвокат и скалил зубы.

— Вы что тут делаете? — спросила она с возмущением.

ПОСЛЕДНЯЯ НОЧЬ КОЛДУНА
●

— То же, что и вы — жду кончины старца.

— Не кощунствуйте.

— Боже упаси! Старик сам объявил, что завтра отдаст концы, а в этом случае у меня будет много работы. Вот, хотя бы вам все бумаги оформить. Кстати, вы-то, надеюсь, настоящая наследница? Или опять ошибочка вышла?

— В каком смысле? — не поняла Глафира.

— Забавная история, — хмыкнул адвокат и потер переносицу, отчего-то смутившись. — Хотите, расскажу? Вам это, мне кажется, пригодится.

— Валяйте, — разрешила Глаша, впрочем, без особого энтузиазма. Она была озабочена исчезновением Вали.

— У меня для ваших поисков были два адреса: домашний и рабочий. Дома вас застать не удавалось, очень уж вы прыгучая, и я отправился на работу. Кстати, там я вас тоже не застал. — Он подмигнул ей: — Интересно, где вы шастаете?

Глаша пропустила колкость мимо ушей, а вот на адвоката уставилась со всем вниманием. Высокий мужчина в черном — так вот о ком говорила Наташка!

— Так это вы приходили?

— Ну да. Я оставил визитку какой-то толстой женщине, которая была в вашем отделе...

— Неле?

— Понятия не имею. Она не представилась. Я сказал, чтобы она передала вам, чтобы вы перезвонили по срочному делу.

— Извините, что не перезвонила...

— Ну, почему — вы перезвонили, — огорошил ее адвокат.

У Глаши отвисла челюсть.

— Я перезвонила вам?!

— Ага. И даже пригласили меня к себе домой, — добавил он язвительно.

— То есть вы утверждаете, что были у меня дома?

— Был. И кофе пил. И документы вам показывал.

●

— Интересно, кто из нас сумасшедший? В прошлый раз вы утверждали, что я, но сейчас я сильно в этом сомневаюсь.

— Да оба мы с вами нормальные. А вот у той девицы, что все это затеяла, точно не все дома.

— Девица в моей квартире... ерунда какая... Но как вы могли перепутать? Ведь она вам должна была паспорт показать?

— Показывала. Ну и что? Я особо не всматривался. Вас я никогда не видел. Знал только примерный возраст и то, что вы рыжая.

— Я не рыжая, — машинально поправила Глаша.

— Да? Ну, вам виднее.

— Короче, не было у меня особых поводов для сомнения. Квартира ваша, паспорт ваш, волосы рыжие... ну, или как там ваш цвет называется? Прическа, опять же. Да и наследство не такое большое. Не миллион же долларов. Подумаешь, дом в деревне. В общем, привез я ее сюда, показал старику, а он сначала и виду не подал, зато потом...

Адвокат поежился.

— Прогнал он эту девицу взашей. И меня чуть с работы не уволили. И, главное, никто не верит, что самозванка эта в вашей квартире была и дверь своим ключом запирала. Говорят, я ее специально притащил, чтобы время на поиски не тратить.

— А вы не специально? — спросила Глаша едко.

— Нет, конечно. Зачем мне? — Он вскинул на нее обиженные глаза.

— Неужели мы с ней так похожи?

— Я же говорил, что у меня не было вашей фотографии.

— А паспорт?

— А что паспорт? Я на фото даже и не смотрел, только на ФИО. Кроме того, покажите мне человека, который в паспорте сам на себя похож.

ПОСЛЕДНЯЯ НОЧЬ КОЛДУНА

•

— Ну, а вообще?

— Что вообще?

— Мы с этой девицей похожи?

Адвокат отступил назад и задумчиво оглядел Глашу с ног до головы. Хмыкнул. Потом покачал головой.

— И да, и нет. Волосы и прическа точно похожи. Рост. Лица, конечно, разные, но что-то общее есть. У вас обеих волосы на лицо падают, с первого взгляда и не разглядишь. — Он задумчиво пожевал губами, что-то вспоминая и сравнивая. — Кажется, она помоложе...

Глаша не удержалась и фыркнула. Парень развел руками.

— Сами спрашивали.

— Ладно, продолжайте.

— Фигура у нее вроде такая же, только... как бы это... ну...

Глаша перехватила его взгляд и улыбнулась:

— Грудь поменьше. Я правильно поняла?

— В общем, да.

— Что ж, ясно.

— Кстати, я еще вспомнил! У нее на щеке, возле уха, большая родинка.

— Родинка? Как же вы разглядели под волосами?

— А она их один раз за ухо заправила, вот и заметил. Интересно, как ее старик распознал? Он же вас никогда в жизни не видел.

— Не знаю, но, кажется, догадываюсь. Этого старика не обмануть...

Новость о загадочной самозванке обескуражила Глашу. И напугала. Девица, кто бы она ни была, знала о поисках, у нее имелась визитка адвоката, и она хорошо представляла себе Глафиру, если сумела довольно удачно под нее загримироваться. Выходит, что девица имеет отношение к магазину. Либо это кто-то из продавщиц, либо их знакомая. Глаша перебрала в памяти всех тех, кто, по большому счету, мог сыграть ее роль. Таких набралось человек пять. Это если самозванка у них работает. А если она со стороны, то вообще пиши пропало, проследить связи всех невозможно.

Крепко задумавшись, Глаша не заметила, как заскучавший адвокат ушел, не попрощавшись. Она стояла посреди двора столбом с полузакрытыми глазами и сосредоточенной физиономией. Должно быть, она производила странное впечатление со стороны, но, к счастью, на нее никто не обращал внимания.

Глаша похолодела от внезапной догадки и удивилась, как это сразу не пришло ей в голову — те парни, что отняли у нее сумочку! Это не было случайным хулиганством. Им не нужна была Глаша, измывались они над ней просто «из любви к искусству». Ключи! Вот что их интересовало. Именно поэтому один из них смылся с сумкой, несмотря на свое плачевное состояние.

— Бред, — пробормотала Глаша вслух. — Не может быть, чтобы все это происходило со мной.

Она оглядела дом и двор, на этот раз другими глазами, пытаясь решить, мог ли кто-либо ради такого наследства так рисковать и устраивать цирк с переодеванием. Решила, что не мог. Дом был большим, но старым. Местоположение живописное, но для дачи находится слишком далеко от города. Если мошенники не любители деревенской жизни, а те, кто на нее напал, таковыми не выглядели, то коммерческого интереса дом не представляет. Много за дом не дадут. Конечно, это с какой стороны посмотреть. Для кого-то и сто рублей деньги. Но все же, все же... Нет, не те это деньги, ради которых стоило затевать весь этот спектакль. Если только с этим домом не связана какая-либо тайна...

Последняя мысль Глаше совсем не понравилась. Только тайн ей не хватало. Она подумала еще немного и отважилась на отчаянный шаг. Она решила пойти к Федору Поликарповичу и рассказать все как есть. Он наверняка знает, в чем дело.

ПОСЛЕДНЯЯ НОЧЬ КОЛДУНА

•

ГЛАВА 15

К дедушке ее не пустили. Сухонькая старушка защищала дверь, как цербер. Шуметь Глаша стеснялась, а уговоры не помогали.

Она вернулась во двор разочарованная. Вали по-прежнему не было. Зато вновь появилось чувство, что за ней следят. На этот раз она определила источник беспокойства более точно и резко обернулась к дому, внимательно вглядываясь в темные окна. Солнце все так же слепило глаза. Ее будто окружал золотой туман. Желтое сияние образовало занавес. Она не могла увидеть, кто наблюдает за ней, но почему-то чувствовала, что это очень важно.

Она сдалась. Устало закрыла глаза и отвернулась.

— Вот ты где! Я тебя обыскалась! — Валя выглядела рассерженной.

— Я давно здесь стою! Я тоже тебя искала, — начала вяло оправдываться Глаша.

— Ты чего кислая? — сразу насторожилась Валя. — Старик тебя обидел?

— Да нет. Он и вправду мой дедушка. Я рада, что он нашел меня.

— Сомнительное удовольствие, — не согласилась Валя. — Говорят, он колдун.

— Я знаю.

Валя сделала страшные глаза:

— И что? Тебя это не смущает?

— Нисколько. Он добрый.

Валя недоверчиво покачала головой.

— Не знаю, не знаю... — протянула она. — На добренького он не похож.

— А ты-то откуда знаешь?

— Ха! Пока ты с родственником общалась, я с людьми разговаривала. Надо же обстановку разведать.

•

— Разведала? — Глаша улыбнулась.

— Угу. Потому и беспокоюсь. Кстати, я тут...

Договорить она не успела. Их окликнула с крыльца та самая женщина, что провожала Глашу к Федору Поликарповичу. Она показала им две комнаты для ночлега, расположенные рядом на первом этаже. Комнатки были маленькие, но чисто убранные, одинаково обставленные и очень похожие на гостиничные номера.

— Хм, не больно роскошно встречает твой дед новообретенную родственницу, — заявила Валя, плюхаясь на узкую кровать с панцирной сеткой. Пружины возмущенно заскрипели.

— Да ладно тебе, — отмахнулась Глаша. — Одну ночь как-нибудь переночуем.

— Да мне-то что? Ладно, пойду машину во двор загоню, а то кто этих деревенских знает, еще сопрут чего.

Валя преувеличивала. От ее старинного авто если что и могли открутить, то только на металлолом, но Глаша понимала ее беспокойство.

Глаша проследила в окно, как она быстро пересекла двор, и поспешно вернулась в свою комнату. Следовало пристроить куда-то ящичек. Под свитером он здорово ей мешал. Осмотревшись, Глаша разочарованно вздохнула. Прятать что-либо в этой комнатушке было решительно негде. Но выхода не было, и она сунула шкатулку под матрац.

Старуха по имени Анфиса выдала им с Валей по ключу, так что визита постороннего можно было не опасаться, но кто знает, чего ожидать от своих? Дед опасался за листок, стало быть, за ним могут охотиться. Единственная надежда на то, что все думают, будто свиток все еще у него, и за Глашей особо внимательно следить не будут.

Она вообще сомневалась в ценности свитка. Мало ли что дед говорил о его могуществе. На то он и колдун, чтобы мозги пудрить окружающим. На ее взгляд, это бы-

•

ла просто старинная рукопись, интересная разве что коллекционерам. Ее так и подмывало проверить свои подозрения, но она дала слово не читать свиток и была намерена его сдержать.

Накормили их просто, но сытно. Рассыпчатая картошка была какой-то особенно вкусной, соленые огурчики — хрустящими, а сметана густой и жирной. Валя посетовала было на отсутствие мяса, но после чая с яблочным пирогом подобрела и претензий больше не предъявляла.

После ужина девушки решили осмотреть дом. Валя настаивала, что Глаша имеет на это право как член семьи и будущая наследница. Глаша не разделяла ее уверенности, но запрещать им чего-либо никто не запрещал, а идти спрашивать разрешения было как-то неудобно да и некого. Три старухи в черном, похожие друг на друга, как близнецы, суетились возле больного деда.

Комнат было много, но большинство из них оказались запертыми. Побывать им удалось всего в двух.

Одна из них, обшитая деревянными панелями, была библиотекой. Увидеть в деревенском доме комнату, уставленную от пола до потолка книгами, было удивительно. Девушки с опаской вошли. Из мебели здесь присутствовали только старинный письменный стол из явно ценной древесины и два кресла с гобеленовой обивкой.

Валя пошла вдоль стеллажа, ведя пальцем по корешкам книг. Попутно она вслух читала названия. В основном классика, наша и зарубежная.

— Образованный у тебя дедушка, — сказала Валя с уважением. — Эй, ты чего?

Обернувшись, Валя увидела подругу у противоположной стены с книгой в руках и испуганным выражением на лице. Она поспешила к Глаше.

— Ну, ни фига себе! — пробормотала она шепотом.

Потрепанный фолиант с разорванным переплетом казался зачитанным до дыр. Желтые страницы крошились под пальцами, но девушки не обращали на это внимания. Они обе уставились на старинную гравюру с изображением мерзко улыбающегося существа, в котором нетрудно было угадать дьявола.

— И что это за хрень? — мрачно поинтересовалась Валя.

— Не знаю. Тут все на латыни. Но догадываюсь, что это сборник заклинаний. Очень старый.

— Ну, этого добра сейчас на любом книжном лотке завались, — отмахнулась Валя с ложной бравадой.

— Сомневаюсь, что это вот, — Глаша встряхнула фолиант, взметнув облачко пыли, — имеет с той макулатурой что-то общее!

— Ну и поставь книгу на место от греха подальше, — посоветовала Валя.

Глаша согласно кивнула и задвинула книгу обратно на полку.

— Блин, да тут вся стена на эту тему! — ужаснулась Валя. — Смотри, ни одной современной. Все до одной старинные. И где он нарыл столько?

— Пойдем отсюда, — поежилась Глафира. — Что-то мне жутковато.

— Мы же ничего плохого не делаем, просто смотрим.

— Все равно лучше убраться подобру-поздорову.

— Ладно, — поддалась на уговоры Валя. — Только обещай, что, когда станешь хозяйкой этого дома, дашь мне ту книжку почитать!

— Обойдешься!

Валя обиженно засопела и сопела до тех пор, пока они не обнаружили еще одну незапертую комнату.

Здесь стены были оклеены обоями. Темно-синий фон усеивали сотни звезд. Уже смеркалось, в окна проникало мало света, но звезды светились в полумраке тусклым призрачным огнем.

Валя подошла к стене и сосредоточенно ковырнула звезду пальцем.

ПОСЛЕДНЯЯ НОЧЬ КОЛДУНА

●

— И не лень кому-то было, — протянула она с уважением.

— Ты о чем?

— Да вот, звезды эти. Они нарисованные. Прикинь, кто-то ползал по стенам и рисовал весь этот планетарий. Хотя, конечно, красиво получилось. Дед у тебя с огоньком, так сказать, с выдумкой!

— Странностей здесь хватает, — согласилась Глаша. — Впрочем, я никогда раньше в доме у колдуна не бывала.

Валя пробормотала что-то невразумительное, так как в этот момент полностью сосредоточилась на ящике деревянного комода, который безуспешно пыталась выдвинуть.

— Валька, ты что делаешь? Оставь! — вскрикнула Глаша, но было уже поздно. Валя дернула слишком сильно, ящик выскочил, и она вместе с ним с грохотом свалилась на пол. Из ящика высыпались свечи и раскатились по всей комнате.

Девушки замерли с открытыми ртами.

Свечи были черными.

— Надо их собрать, — сказала Глаша, но в ее голосе не слышалось особой уверенности.

— Что-то не хочется, — сообщила Валя доверительно.

— Придется.

Глафира со вздохом протянула руку и взяла одну свечку.

— Господи, воняет-то как!

Она брезгливо сморщилась. Запах был непривычным, каким-то кислым с примесью плесени.

Валя подобрала несколько штук, с опаской принюхалась и тут же бросила их в ящик.

— Фу! Мертвечиной несет.

— Может, они испортились?

— Ага. И обуглились. Вон какие черные. Даже фитиль.

•

— Ладно. Давай уж соберем их поскорее и пойдем в свои комнаты. Что-то мне расхотелось играть в сыщиков.

— Мысль дельная.

Однако поскорее не получилось. Свечей было много. Когда они собрали и сложили все, в комнате совсем стемнело. Держась за руки и шарахаясь в темноте от каждой тени, они с трудом отыскали свои комнаты, еще немного поболтали и разошлись спать.

* * *

Ночью дед пришел к ней. Глафира ожидала чего-то подобного и не слишком удивилась. Спросонок она даже не очень испугалась, когда различила возле изголовья своей кровати неясные очертания фигуры бородатого старика.

— Проснись. Проснись же! — позвала фигура голосом деда.

Глаша села в кровати и стала тереть глаза. Дед так часто являлся к ней во сне, что она успела к этому привыкнуть. Только никак не могла понять, где она находится.

— Дедушка? Что случилось? — спросила она по-детски тонким голосом.

— Чш-шш! Нам нельзя шуметь!

— Почему? — спросила она шепотом.

— Это тайна! Я могу доверить ее только тебе. Обувайся. Нет-нет, одеваться нет времени. На улице не очень холодно.

Глаша с сомнением взглянула на свою ситцевую ночную сорочку, но возражать не решилась. Должно быть, они пойдут недалеко и ночью ее никто не увидит.

— Пойдем, я хочу тебе что-то показать, — поторопил старик.

Глаша слезла с кровати и послушно пошла к двери.

— Нет, лучше открой окно! Нельзя, чтобы нас видели.

ПОСЛЕДНЯЯ НОЧЬ КОЛДУНА

●

Во влажной ночной темноте Глашу сразу пробрал озноб. Стояла тишина. Старик шел впереди. Глафира следовала за его смутно различимым силуэтом.

На улице горел один-единственный фонарь. Старые деревья гнулись и скрипели от ветра, осыпая вниз мертвые листья. Все вокруг Глаши напоминало смазанную черно-белую фотографию. Она видела серые деревянные заборы, перевернутый трехколесный велосипед, забытый кем-то у дороги, дома с темными окнами. Где-то о доски бились ставни.

Они миновали деревню, и Глаша увидела дорогу. Она оступилась и хотела ухватиться за деда, но тот отшатнулся и прибавил шагу.

Теперь они шли по обочине дороги, все дальше удаляясь от деревни. Глаша никак не могла понять, куда ведет ее дедушка. Он все время молчал, затем внезапно остановился, не доходя до поворота, и стал всматриваться в темноту. Глаша последовала его примеру, но ничего не увидела. Ветер надувал ее ночную сорочку.

— Нам надо на другую сторону, — тихо проговорил старик. — Осталось совсем немного.

На Глашу навалилась усталость. Она зевнула, но послушно пошла за дедом.

Когда асфальт завибрировал у нее под ногами, она как раз находилась на середине шоссе. Из-за закрытого густыми кустами поворота в двадцати метрах от девушки вынесся огромный «КамАЗ». Глаша мгновенно ослепла от света фар и оглохла от рева двигателя. Ее обдало выхлопными газами. Горло перехватило. Ноги словно вросли в асфальт.

Моргающий слипающимися веками во время ночного рейса водитель заметил белое пятно перед грузовиком только в последний момент и не сразу понял, что это девушка в развевающейся ночной сорочке, застывшая посреди шоссе. Водитель с громким воплем ужаса ударил по тормозам, лихорадочно выворачивая руль.

ЛАНА СИНЯВСКАЯ

●

— Беги, идиотка!

Дикий крик вывел Глашу из транса. Она скакнула в сторону и скатилась в кювет, потеряв кроссовки.

В тот же миг колеса грузовика пронеслись у нее над головой.

«КамАЗ» с оглушительным визгом затормозил, прочертив по асфальту широкую черную полосу.

— Коза драная, какого черта!.. — заорал шофер.

Глаша не отвечала. Она тряслась в траве от страха и беззвучных рыданий. Она смутно слышала, как чей-то голос вступил с водителем в разговор. Постепенно крики и ругательства стихли. Снова взревел мотор. Машина уехала.

Подняться на ноги удалось с трудом. Тело было облеплено мокрой грязной ночной рубашкой, к подолу пристали листья. Она посмотрела на свои ноги. Они заледенели. Немудрено, если учесть, что она стояла босиком в луже. Мягкая холодная жижа сочилась между пальцами.

«Господи, где я?» — подумала Глаша в ужасе и вдруг все вспомнила. Это было как вспышка молнии у нее в мозгу.

«Он хотел убить меня!»

Не понимая, что делает, она вышла из лужи и куда-то пошла, путаясь в мокрой траве, которая колола босые ноги. Искать обувь она не пыталась, так как даже близко боялась подойти к дороге. Ее дед исчез, его нигде не было видно, но она тряслась от страха, что он вот-вот выскочит из-за деревьев.

— Эй, стой!

Окрик едва не разорвал ей сердце, а от того, что она увидела в следующий миг, она едва не лишилась остатков разума.

Дорогу ей преградил Святой.

Он вынырнул откуда-то из-за ее спины и выглядел так, как будто хотел ее ударить.

«Галлюцинация», — подумала Глаша и почти не удивилась.

— Идиотка! — прошипела галлюцинация зло. — Так вот что ты задумала!

Глаша попыталась не обращать внимания на привидение и даже попробовала пройти сквозь него, но ткнулась в железобетонную грудь и остановилась.

— Странное привидение, — пробормотала она и попыталась обойти его.

Святой дернул ее за руку с такой силой, что она пошатнулась.

— Даже для призрака это слишком, — проворчала девушка, примерилась и лягнула его в самое уязвимое место.

Как ни странно, она попала куда надо. Не ожидавший отпора призрак согнулся пополам, лицо его перекосилось вполне по-человечески.

— Ты что, сдурела? — простонал он.

Глаша смотрела на него озадаченно.

— Так это в самом деле вы? — протянула она разочарованно. — Жаль, что не призрак!

— Что ты мелешь! — Его стон перешел в рычание.

— Не грубите. Я вас не боюсь. Меня уже пытались убить сегодня. Впрочем, и раньше мне доставалось. Так что мне это надоело.

— Убить? Вот оно что! Ловко придумала!

Глаша уставилась на него в полном изумлении.

— Я придумала? Да вы спятили! Вы же видели, как на меня наехал грузовик. Это ведь вы орали мне гадости!

— Орал. И зря. Ты заслужила то, что произошло. Предательница!

— Ничего себе заявление! Живодер несчастный!

— Ты не лучше!

— Я ничего плохого не сделала. Тем более вам.

— Мне — может быть. Но ты предала своего деда, Федора Поликарповича, когда попыталась сбежать с тем, что он тебе доверил.

— Что-то вы подозрительно много знаете! — Она вдруг нахмурила брови. — Как это сбежать? Что вы несете?

— Я следил за тобой. Глаз с тебя не спускал, моя дорогая. Видел, как вы с подругой шастали по дому и шарили в ящиках. Но в последний момент ты меня перехитрила — я следил за дверью, а ты вылезла в окно.

— Но я не пыталась бежать. Что за глупости?

— А это что по-твоему?

Он ткнул ей в лицо деревянную шкатулку. Глаша задрожала и отступила на несколько шагов.

— Боже! Зачем вы украли свиток?! — воскликнула она возмущенно.

— Не я, а ты! Я подобрал это на дороге. Машина не расплющила ящичек только чудом.

— Но я не брала его! — Глаша испуганно смотрела на Райского широко раскрытыми глазами. Мысли ее путались. Она тряслась от холода. Шок начал проходить, и страх захлестнул ее с головой. Словно тонущий человек, она стала задыхаться, воздуха не хватало, она дышала прерывисто и часто.

— Эй, что с тобой! Погоди! — услышала она как сквозь вату и провалилась в темноту.

Очнулась она оттого, что ее покачивало. Ощущение было довольно приятным, только голова все время стукалась обо что-то. Она открыла глаза. Перед ее лицом прыгала удаляющаяся дорога. Не сразу она поняла, что висит вниз головой на плече Райского, спеленутая его курткой, словно младенец.

— Пустите немедленно! — пискнула она. — Куда вы меня тащите?

Он шумно выдохнул и поставил ее на дорогу перед собой. Глаша почувствовала, что ногам уже не так холодно, опустила глаза и обнаружила на ногах собственную обувь.

— Наконец-то ты очухалась.

— Зачем вы это? — Она попыталась стянуть с плеч его куртку.

— Не советую. Воспаление легких гарантировано. На улице, между прочим, всего плюс десять.

Глаша поежилась:

— Заметно.

Они уже вошли в деревню и теперь стояли посреди улицы. Не решаясь повышать голос, Глаша спросила:

— Почему вы не верите, что я не брала свиток?

— Потому что ты сбежала из дома тайком. И свиток был у тебя, — пожал он плечами. Он смотрел на нее не мигая, и взгляд его обдавал холодом.

— Это не я. Он позвал меня с собой. Я не могла ослушаться.

— Кто это он? — ядовито поинтересовался Святой.

— Мой дедушка, — выдохнула она еле слышно.

Святой молчал. Она решилась посмотреть на него и тут же отвела глаза, натолкнувшись на презрительный взгляд.

— Почему вы мне не верите? Ведь я чуть не погибла! — со слезами воскликнула девушка. — Я не знаю, зачем он хотел меня убить, но я не виновата. Почему вы не верите, я вас спрашиваю?

— Потому, что я шел за тобой, — ответил он глухо. — Ты была одна. Я хорошо тебя видел.

— Не может быть! — Глаша замотала головой. — Это неправда! Я была с Федором Поликарповичем! Правда! Зачем вы хотите обвинить меня?

— Ты не могла быть с ним ни при каких обстоятельствах.

— Но я была!

— Нет.

— Почему?

— Потому что твой дед скончался два часа назад. Еще до того, как ты вылезла из окна.

ГЛАВА 16

Валя открыла им дверь своей комнаты после первого же удара. Похоже, она спала в одежде. Брючный костюм выглядел сильно измятым, волосы всклокочены.

— Что происходит? Я видела вас в окно. Глаша, что с тобой! А вы откуда взялись? — нелюбезно обратилась она к Райскому.

— Давайте войдем в комнату. Не стоит кричать в коридоре, — спокойно ответил Райский.

— Не стоит? Да я сейчас так заору!

Не дожидаясь выполнения угрозы, Павел просто втолкнул Валю в комнату, впихнул следом впавшую в полную прострацию Глашу, вошел сам и запер за собой дверь.

— Нахал! — буркнула Валя, потирая ушибленное плечо. — Мало того, что ворвался в чужой дом, изуродовал мою подругу, так еще и дерется.

— Начну с конца. Я не дерусь. Подругу вашу я не трогал, а в доме я, как и вы, по приглашению.

— Это кто ж вас пригласил? — Валя поморщилась, показывая, что не верит ни единому его слову. Она подошла к Глаше и обняла ее за плечи. Девушка дала отвести себя и усадить на кровать. Она двигалась как робот.

— Я давно знаю Федора Поликарповича. Собственно говоря, я знаю его всю жизнь. Я родился в Медведкове.

— Вот как? Значит, вы вертелись возле Глаши не случайно?

— Вы догадливы. Я был Федору Поликарповичу вместо сына, своих детей у него не было... то есть я думал, что не было, — поправился Святой. — Все считали его бобылем. Кроме того, его в деревне побаивались. А я все время вертелся рядом. Он даже пытался учить меня.

— И этот колдун! Матерь божья! — Валя всплеснула руками.

— Нет, я оказался неспособным.

— Хоть это радует.

Валя взглянула в сторону Глаши. Та сидела, уставившись в одну точку, и ни на что не реагировала.

— Что с ней? — спросила Валя встревоженно.

— Она попала в неприятную историю.

— И что теперь делать?

— У вас водка есть?

— Вы плохо о нас думаете.

— Значит, нет. Я принесу. Заставьте ее выпить немного. Она уснет, а к утру все придет в норму. Завтра похороны...

— Чьи?!

— Федора Поликарповича. Он умер ночью.

— Господи помилуй! Царство ему небесное! — Валя неумело перекрестилась. — А почему похороны завтра? Три дня ж положено!

— Он так хотел. Никто не посмеет нарушить его волю.

— Ах, ну да...

— От Глаши не отходите. Она должна сделать кое-что. Не мешайте ей и ни о чем не спрашивайте.

— А вы? Вы мне толком ничего не объяснили!

— Я объясню, но позже.

Райский вышел из комнаты, но скоро вернулся с фляжкой в руках. В ней оказался коньяк.

С большим трудом Валя влила Глаше в рот немного коньяку. Когда коньяк обжег девушке горло, она взмахнула рукой, и Валя увидела, что в ней зажата продолговатая деревянная шкатулка. Глаша вцепилась в нее намертво и не желала отдавать.

Валя дождалась, пока девушка уснула, осторожно

разжала ей пальцы, извлекла необычный предмет. Некоторое время она любовалась полированным деревом, потом поднесла шкатулку к окну и открыла...

* * *

На похоронах Глаша с удивлением обнаружила толпу народа. Хоронить собирались не в Медведкове, а на городском кладбище — не иначе как Райский постарался, — и Глаше пришлось долго трястись в тесном автобусе вместе с гробом и незнакомыми людьми, многие из которых плакали. Райского здесь не было. Должно быть, он, как и Валя, следовал за процессией своим ходом. Глаша им завидовала. Даже при большом скоплении людей, средь бела дня она безумно боялась своего деда. Прикованная к нему своим обещанием словно цепью, она не могла удариться в спасительное бегство, но и сидеть рядом с гробом было сущей пыткой.

Еще в доме она улучила момент и сунула под подушку лаковую шкатулочку, которую ей вернул Райский. Теперь оставалось только проследить за тем, чтобы гроб со всем содержимым опустили в землю, и ее миссия будет выполнена. Поэтому она сидела рядом, пытаясь унять дрожь в руках, которые для верности стискивала коленками.

Слава богу, никто не лез к ней с вопросами и соболезнованиями. Многие так и не поняли, кто эта рыжая грудастая девица с сухими, дико поблескивающими глазами, которой отвели почетное место около великого усопшего. Глаша чувствовала себя неловко в своих джинсах и голубом свитере. Подходящей для похорон одежды у нее не было. Кто-то одолжил черный платок, которым она повязала волосы.

В том, что деда считали могущественным и почти всесильным, она убедилась по обрывкам фраз, которыми со сдержанным почтением перебрасывались окружающие. Что до нее, то она получила минувшей ночью доказательство его силы. Страх до сих пор не отпускал ее. И еще обида. За что дед хотел убить ее? И откуда, черт возьми, на дороге взялся ящичек?

Сама процедура погребения оказалась на удивление короткой, или ей так показалось оттого, что рядом была Валя. В присутствии подруги страх как-то съежился и потускнел, но не исчез. Глаша знала, что он обязательно вернется. Всю дорогу ей чудилось, что за ней наблюдают. Глаша беспокойно вертела головой, но ничего подозрительного не заметила. Даже Райский куда-то исчез. Она не видела его с прошлой ночи.

На поминки они не поехали. Валя, правда, высказалась по поводу того, что это не по правилам, но настаивать не стала — слишком уставшей выглядела Глаша. Они вдвоем потихоньку отделились от толпы, свернули на боковую аллею, чтобы пройти к выходу другой дорогой.

И заблудились.

Глаша заметила это первой.

— Слушай, что-то мы слишком долго бродим, — заметила она.

— Похоже на то, — Валя озабоченно огляделась вокруг и поежилась. — Скоро смеркаться начнет. Неуютно.

— Может, вернемся?

— Куда? Хуже будет. Мы столько раз сворачивали... Я и не думала, что кладбище такое большое. И народу совсем нет.

— Это потому, что старое. Здесь уже почти не хоронят.

— Да? — Валя красноречиво взглянула на четыре мраморные стелы с портретами бритоголовых парней и совсем свежими датами. — А это что?

— Ну, — Глаша развела руками, — из любого правила бывают исключения.

Валя не ответила. Под ногами вместо хорошо утоптанной дорожки просматривалась едва различимая тропка, которая то и дело упиралась в покосившиеся, насквозь проржавевшие ограды. На кладбище вообще не слишком весело, а в нынешней ситуации особенно. Дул легкий ветерок, теплый и влажный, как последний выдох умирающего старца.

При мысли о старце Глаша поежилась. Ее угнетало это место, пропитанное духом смерти, с унылыми надгробиями и человеческими останками.

— О, черт! — выругалась Валя.

— Что?

— Не двигайся! И посмотри влево! — Валя застыла и почему-то говорила шепотом.

Глаша послушно повернула голову и тихо ахнула. В десяти метрах впереди на замшелой могильной плите сидела псина — эдакий выходец из преисподней. При ближайшем рассмотрении чудовище оказалось чистокровным ротвейлером — толстым, клыкастым и улыбающимся.

— Сюрприз, блин, — тихо выругалась Валя, но собачка услышала.

Повернула черную башку и улыбнулась Вале персонально.

— Но-но! — Валя попятилась. Псина не сдвинулась с места.

— Что делать будем? — спросила Глаша после продолжительной паузы, за время которой их дислокация не изменилась.

— А я знаю?

— Ну, у тебя же есть собаки.

— То свои. А это — чужая. Здоровый кобелина.

— Ты как узнала, что кобелина?

— А что тут узнавать-то? — Валя взглянула с недоумением.

Глаша смутилась.

Положение стало критическим. Улыбающийся монстр сидел как скала. Он не рычал и не пытался наброситься, но пройти мимо не решилась бы даже отчаянная Валентина.

С того места, где они стояли, двигаться можно было только вперед или назад: слева и справа к тропинке вплотную подступали оградки. Ни один из вариантов не казался безопасным.

— Слышь, псина, тебе никуда не надо? — вступила Валя в переговоры. Ротвейлер улыбнулся еще шире, зевнул, показав полный набор зубов, но с места не двинулся.

— Валь, а может, он добрый? — робко предположила Глаша.

— Этот-то? Ага. Просто как мать родная или отец, если быть точной. Знаю я эту породу: молчит, хвостом виляет, а потом исподтишка как схватит...

— И что?

— Ничего. Хорошего. Наш сосед такую взял. Потом маялся.

— Почему?

— По судам затаскали. В смысле, покусанные.

Глаша вздохнула и решила попытаться уладить дело миром, а то как бы не пришлось сидеть тут до ночи. Какое из двух зол меньше, она даже не знала.

— Псинка! А, псинка! — робко позвала она.

Не переставая улыбаться, зверюга склонила башку набок и смачно чавкнула.

— Лучше не продолжай, — посоветовала Валя. — По-моему, он хочет тебя сожрать.

Но Глаша уже сделала шаг вперед и протянула руку ладонью вверх, демонстрируя свои добрые намерения. Собака напряглась, но не пошевелилась. Глаша осмелела. Шаг. Еще шаг. Расстояние между ними сокращалось. Валя застыла позади, шумно дыша.

Когда Глаша поравнялась с собакой, Валя закрыла глаза. Сделать что-то было уже поздно.

— Хорошая собака, псинка замечательная! Валька,

отомри! Смотри, какой он умный! Да, красавец? — обратилась Глаша к монстру.

Валя неохотно открыла глаза и увидела идиллию: Глафиру, сидящую на корточках, и пса размером с теленка-переростка, пытающегося выразить девушке свою любовь.

— Валь, он лижется! — взвизгнула Глаша с восторгом.

— Дурочка, не лезь к нему! У него, наверное, микробы!

— Да нет. Смотри, какой он гладкий, лоснящийся! Наверное, он просто потерялся, бедняга.

Услышав эти слова, пес вывернулся из Глашиных рук и совершенно неожиданно улизнул в кусты.

— Убежал, — сказала Глаша расстроенно.

— И слава богу! Пойдем быстрее, пока он не вернулся!

Валя быстро догнала свою подругу и легонько подтолкнула ее в спину. Глаша пошла вперед, но все время оглядывалась.

— Ой, смотри, вон он опять! — вскричала она обрадованно.

— Иди-иди, у него свои дела, пусть караулит следующую жертву. Вдруг он сегодня не завтракал!

Пес гавкнул басом им вдогонку. И еще.

— Валь, стой, он что-то хочет, — забеспокоилась Глаша.

— Пусть. Хотеть не вредно.

Она снова заставила Глашу ускорить шаг. Та повиновалась. Они прошли еще метров пятьдесят, когда сбоку затрещали кусты и на дорожку, как черт из табакерки, выпал ротвейлер.

— Гав!

— Какого тебе лешего надо, а? — взмолилась Валя. — Оставь нас в покое!

Но пес даже ухом не повел. Он наступал на них, теснил широкой грудью, заставляя пятиться, как глупых овец, которых загоняют в стойло.

Выбора не было. Девушки послушно двигались в обратную сторону. Теперь даже Глаша смотрела на пса испуганно. В определенном месте он опять нырнул в кусты, потом высунул морду на людей и вновь скользнул в чащу.

— Снова-здорово, — выдохнула Валя, — собака и та попалась чокнутая.

— По-моему, он нас куда-то зовет. Может, посмотрим?

— Думаешь, стоит?

— Не знаю, но мне кажется, он не отстанет.

— Настырная скотина, — кивнула Валя.

Когда они продрались сквозь кусты, пес, казалось, обрадовался. Отчаянно виляя обрубком хвоста, он несколько раз неуклюже подпрыгнул, коротко взлаивая. Потом побежал вперед, все время оглядываясь. Девушки с опаской двинулись следом.

Но опасались они напрасно. Уже через пять минут они вышли на центральную аллею.

— Как он узнал, куда нам надо? — недоумевала Валя.

Пес вертелся рядом, задевая их боками и норовя свалить с ног. Валя потихоньку отпихивала его коленкой, но посматривала с уважением.

— Не знаю. Может, совпадение?

Глаша сама себе не верила. Пес действовал со вполне определенной целью, сталкивая их с тропы. Сейчас Глаша не могла не сообразить, что, двигайся они прежним курсом, забрели бы в такие дебри старого кладбища, что пришлось бы оставаться здесь с ночевкой.

По аллее они шли втроем. Редкие прохожие при виде пса шарахались и обходили их стороной. Ротвейлер почему-то сразу определил Глашу в хозяйки и шагал строго у левой ноги, касаясь ее теплым боком. Давал понять, что он серьезная, хорошо обученная собака, а не шавка какая-нибудь.

У машины Вали они остановились в растерянности. Пес немедленно плюхнулся задом в пыль, задрал башку и уставился на Глашу вопросительно.

— Ну вот, собачка, тебе пора, — попробовала вразумить его Валя. — Что смотришь? Топай, говорю.

Пес притворился глухим от рождения и позы не изменил.

— По-моему, он хочет с нами, — проговорила Глаша растерянно.

— Сдурела? Куда с нами? Он в машину не поместится. А если и влезет, то сожрет нас по дороге. Ты хочешь, чтобы нас сожрали?

— Нет, но...

— Никаких «но». Садись в машину! Песик, гуд-бай, нам пора ехать.

С тяжелым вздохом Глаша отодвинула пса, погладила его по голове на прощание и открыла дверцу, чтобы сесть.

Пес как будто этого и ждал. Они и опомниться не успели, как пятидесятикилограммовая туша просочилась в салон, вспрыгнула на заднее сиденье и разлеглась там с независимым видом, вывалив багровый язык, как флаг, водруженный на взятой штурмом крепости.

— Ах, ты дрянь! — вскричала Валя. — А ну, выметайся живо!

Пес глухо зарычал.

— Я тебе порычу! Брысь! — рявкнула Валя, теряя терпение.

Ротвейлер лениво гавкнул. Не зло, а больше для острастки.

— И что теперь? — Валя уперла руки в бока, свирепо глядя на захватчика.

— Не знаю.

— А кто знает? Все, давай выталкивай его оттуда.

— Я его боюсь.

— Я тоже боюсь. И что? Подарим ему машину? Под конуру? Слушай, а может, он специально тренированный? Ну, новый вид угона автотранспорта...

ПОСЛЕДНЯЯ НОЧЬ КОЛДУНА

•

— Нет, быть не может. Просто он хочет поехать с нами.

— Только через мой труп!

— Его, по-моему, это не остановит.

Валя взглянула на пса оценивающе и кивнула:

— Пожалуй.

Они еще немного постояли в надежде, что псу надоест валяться в жарком салоне и он вылезет сам. Но результата не добились.

— Ладно, делать нечего! — вздохнула Глаша. — Я его отвлеку.

— Это как?

— Ну, придется мне идти домой пешком. Здесь недалеко. Если я не ошибаюсь, пес пойдет за мной, а возле дома я как-нибудь проскочу в подъезд, оставлю его снаружи. За ночь ему точно надоест ждать, и он убежит.

— По-моему, ты темнишь, — Валя прищурилась.

— В каком смысле?

— Ты его что, усыновить собралась? Признавайся!

— Нет, — воскликнула Глаша, но без должной уверенности.

— Даже не вздумай! Слышишь меня? Это не для тебя. Такой крокодил уже само по себе плохо, а он взрослый, да еще подобранный на кладбище, — принялась перечислять Валя. — Ишь, лыбится, жаба противная!

— Не ругай его!

— Начинается! — горестно вздохнула Валя. — И что тебя всю жизнь на уродов тянет, а, Глашка?

Эксперимент тем не менее прошел успешно. Пес послушно пошел за Глашей. Ей даже удалось проскочить в подъезд, как она и обещала. Потом она долго слонялась по квартире, испытывая угрызения совести и выглядывая в окно. Но из окна собаку было не видно. Кое-как она убедила себя, что Валя права и они поступили правильно. Подбирать такую большую собаку страшно — кто знает, где воспитывалась и что у нее на уме.

Валя звонила узнать, и Глаша честно призналась, что все сделала, как обещала. Валька ее похвалила, велела выбросить глупости из головы и пожелала спокойной ночи.

А утром, едва выйдя из подъезда, Глаша обнаружила пса, который, несмотря на ввалившиеся бока и пропылившуюся за ночь шерсть, с радостным лаем бросился к ней.

ГЛАВА 17

— Ты уверен, что это та самая могила? — Он старался говорить непринужденно, но голос предательски дрогнул. К счастью, его подельник ничего не заметил. Он сам трясся от страха. Когда они готовились совершить то, что задумали, все выглядело намного проще.

Девятый день они выбрали не случайно. Рассудили, что все отправятся на поминки и на кладбище на ночь глядя никто не потащится. Место было спокойное. Они убедились в этом еще раньше, прохаживаясь каждый день возле могилы: выясняли, как часто и в какое время больше посетителей. Оказалось, что старые захоронения по соседству практически не посещают. Это было на руку.

Два человека в темных куртках, джинсах и низко надвинутых на глаза шапочках боязливо озирались возле свежего земляного холма, заваленного венками, пытаясь скрыть друг от друга собственный испуг. Они считали себя крутыми, и бояться каких-то покойников было глупо.

— Лопаты где?

— Кажется, здесь. — Тот, что помельче, вгляделся в полустертую надпись на железном памятнике какой-то древней старушки и сунулся под лавку.

ПОСЛЕДНЯЯ НОЧЬ КОЛДУНА

●

Лопаты лежали в траве, там, где он их оставил накануне.

— Надо же, не сперли! — вроде бы удивился мелкий.

Второй, считавший себя за главного, усмехнулся:

— Кому тут воровать-то? Покойникам инвентарь ни к чему.

— Ну, бомжи всякие... Их здесь навалом.

— Тебя кто-то видел? — посуровел старший.

Мелкий испуганно замотал головой:

— Нет-нет, все чисто, я проверял!

— Смотри! Это называется вандализм, и за это сажают.

Мелкий фыркнул презрительно. Тюрьмы он не боялся. Он боялся покойников, точнее, того, кого им предстояло потревожить, но знать об этом напарнику необязательно. В конце концов, можно и потерпеть. Земля рыхлая, мягкая, за час-полтора они управятся, и можно будет забыть об этом навсегда. Разумеется, после того, как они получат денежки за свою работу. Денег, по его представлениям, обещали много, и эта мысль добавила ему храбрости.

Работа продвигалась споро. Вокруг — ни души. Еще бы — ночь темная, хоть глаз выколи.

До гроба добрались быстро, однако вид деревянной крышки отчего-то нагнал на обоих страху. Мелкий отчетливо слышал, как клацнули зубы напарника. У него самого так тряслись руки, что черенок лопаты прыгал, как живой. От вспотевших ладоней он стал скользким, как слизняк, и все время норовил выскочить.

— Может, курнем? — робко предложил он.

— Некогда, — огрызнулся напарник, отворачиваясь, но мелкий успел заметить его лицо, белое, как бумага.

Кое-как вытащили гроб. Из-за накиданной вокруг земли поставить его ровно не удавалось. Они пыхтели и матерились, дергая гроб туда-сюда, как вдруг крышка отскочила в сторону.

Мелкий почувствовал, как сердце подпрыгнуло до горла. Напарник, забыв про авторитет, замер рядом. Вытянув шеи, они заглянули в гроб.

Глаза покойника были открыты. В темноте он выглядел как живой и пялился на них с ненавистью.

— Черт, этого еще не хватало! — выругался старший.

— Может, не трогать его?

— Не дури, осталось самое простое: возьми то, что велено, и закопаем его обратно к едрене фене.

— А вдруг этого там нет?

— Есть. Информация точна. Ты что, струхнул, браток?

Мелкий съежился. Признаваться в трусости никак нельзя. Этот гад потом распишет все перед своими, да еще от себя добавит, что, мол, в штаны наложил со страху.

— Ничего я не струхнул. Обычный жмурик. Что его бояться?

— Ну-ну. Ладно, не трясись, я сам возьму.

Мелкий вздохнул с облегчением, еще не веря своему счастью.

Старший понял, что погорячился, почти сразу, но отступать было некуда. Стараясь не смотреть в глаза покойника, он протянул противно дрожащую руку и принялся шарить под подушкой. В тот момент, когда пальцы коснулись холодного дерева, из груди покойника с шипением вырвался воздух.

Мелкий не выдержал и заорал. Старший отпрыгнул в сторону, маскируя страх грязными ругательствами. К счастью для обоих, то, за чем они пришли, было у него в руках. Он понимал, что второй раз прикоснуться к покойнику не посмеет.

Даже не разглядев как следует находку, они наспех, кое-как прикрыли гроб, сбросили его в яму и закидали землей. От страха они работали вдвое быстрее. Венки

●

водрузили на место старательно, в том же порядке, что и стояли. Лишние подозрения им были ни к чему.

Покончив с делом, они отнесли лопаты на другой конец кладбища, забросили их в лопухи, а сами перемахнули через забор. Все делали в полном молчании.

Первым заговорил мелкий, уже когда они, переодевшись в чистое, залезали в машину.

— Гош, — позвал он испуганно, — а, Гош! Что это с тобой?

— Чего пристал? В чем дело?

— Ты в зеркало глянь! Может, мне кажется?

Гоша раздраженно бросил взгляд в боковое зеркало автомобиля. И вздрогнул. Его прическа!.. Три дреда над правым ухом поменяли цвет. Вместо каштановых они превратились в белые.

* * *

Глаша и пес, которого она окрестила Тайсон, как-то сразу поладили. Он оказался воспитанным, спокойным и очень послушным. К его жутковатой, вечно ухмыляющейся жабьей морде девушка быстро привыкла и даже увидела в устрашающей внешности нового друга некую выгоду. С ним она перестала бояться.

Прокормить Тайсона было непросто. Поесть он любил, хотя оказался некапризным, поглощая без разбора и «Педигри» и остатки вчерашнего ужина.

Валя ее не одобряла.

— Не было заботы, купила баба порося, — ворчала она в ответ на восторженные Глашины рассказы. — Лучше бы мужика нового завела, ей-богу!

— Она еще со старым не развелась, — напомнила Дина. — И потом, чем мужик лучше собаки?

Валька надолго задумалась, но явных преимуществ не обнаружила. Это был, наверное, единственный раз, когда она не нашлась с ответом.

— На день рождения идем? — поинтересовалась Дина.

— Вопрос риторический, — упавшим голосом откликнулась Глаша, — теоретически можно и не ходить...

— Да брось, — безнадежно ответила Валентина, — Лариска как-никак замдиректора. Корпоративная, мать ее, вечеринка. Явка обязательна.

— Зато наедимся на халяву, — ободряюще вставила Дина.

— Кто бы говорил, — Валя скорчила многозначительную рожицу. — Ты, Дина, едок еще тот!

— Не обо мне речь, — парировала та.

— А что? Я намерена оттянуться по полной, коли начальство угощает. Лишь бы наша Медуза горгона какой отравы не подсыпала!

— Не должна, — возразила Глаша, — она в последнее время добрая. Даже меня не достает.

— А чего ей доставать? — пробормотала Дина, тряхнув головой. — Она свое черное дело сделала: клиентов увела. К ней народ так и шастает. Воровка!

— Это не совсем так... — начала было Глаша, но Валя перебила ее.

— Прекрати! — воскликнула она, ее глаза гневно засверкали. — Нельзя быть такой мямлей! Эта дрянь пустила тебя по миру, а ты, как дура, ищешь ей оправдание. Еще на работу к ней пойди, как твоя Нелька, выручку ей улучши!

— Кстати, Нельку что-то не видно, — вспомнила Дина.

— И фиг с ней!

Когда Валя сердилась, с ней лучше было не связываться. Подруги благоразумно уткнулись каждая в свою кружку, чтобы переждать бурю.

До часа икс оставалось совсем немного времени. Особо приближенные занимались сервировкой, в том смысле, что кромсали колбасу, сыр, овощи и расставляли одноразовую посуду на сдвинутых столах. Остальным надлежало явиться сразу же после закрытия магазина, который сегодня в порядке исключения планировали закрыть на два часа раньше.

Именинница Лариса — высокая кудрявая блондинка с роскошной фигурой — с самого утра принимала поздравления и бесчисленные букеты цветов. Девицей она слыла не противной, и угодить ей пытались не только из чувства самосохранения. В тесном, сплоченном коллективе магазина Ларису если и не любили, то уважали.

Глаша разорилась на букет чайных роз и хрустальную конфетницу в форме умирающего лебедя. Вазочка сама по себе была довольно вульгарна, но Лариса по непонятной причине испытывала слабость к лебедям.

Подарок пробил существенную брешь в бюджете Глаши. Денег катастрофически не хватало. Муля почти ежедневно завозила в свой отдел новый товар и караулила покупателей у входа. Проплывая мимо Глаши, она сияла лицом и демонстративно ее игнорировала. Ходили упорные слухи, что она ведет с Ларисой переговоры о том, чтобы окончательно выжить Глашу и занять ее место. Лариска пока держалась, так как ничего против Глаши не имела, но Муля грозилась подключить какието связи, и Глаша была уверена, что после этого Лариска сдастся.

В такой ситуации проигнорировать именины начальницы не было никакой возможности. Глаша заранее напилась валерьянки, так как сидеть с Мулей за одним столом все равно что находиться в клетке с голодным крокодилом.

Глаша считала себя хорошо подготовленной, но, как известно, неприятность никогда не приходит одна. Вторая не замедлила явиться в образе Нели.

За столом места по обе стороны от Глаши заняли ее верные подруги — Валя и Дина. Рядом с ними легче было переносить хмурые косые взгляды бывшей продавщицы и откровенное злорадство Мули.

В этот раз народ напился как-то особенно быстро, к немалой радости местных мужичков, представленных в количестве двух экземпляров. Девчонки — в большинстве своем незамужние и изрядно подогретые — кадрили их наперегонки.

В общем, веселье шло полным ходом. Водка лилась рекой, однако Глаша крепкими напитками не злоупотребляла и посему к концу банкета оставалась в твердом уме и трезвой памяти. Конкуренцию в этом смысле ей могли составить только Дина — совсем непьющая — и магазинная кошка Люська.

Как известно, нет ничего хуже, чем трезвому наблюдать чужое пьяное веселье, но преждевременный уход вполне мог впоследствии при содействии Мули превратиться в хорошо срежиссированный скандал, и Глаша терпела. Все же она предприняла попытку улизнуть через черный ход в компании с Диной, но ключ куда-то задевался.

— Придется терпеть до конца. Как думаешь, это еще надолго? — сказала Дина.

Глаша скептически оглядела Наташку, которая в данный момент пыталась изобразить на столе стриптиз, ее восторженных зрителей и констатировала:

— Думаю, да.

— Может, после чая угомонятся? — не теряла надежды Дина. — Пойти, что ли, торт из холодильника достать...

Идея с тортом возымела успех, и все чинно уселись за столом. Девчонки ввиду веселого настроения позабыли о своих диетах и наворачивали торт и пирожные за обе щеки, запивая все сладким — страшно подумать! — чаем. При таком раскладе сахарный песок быстро закончился, и Муля, в кои-то веки расщедрившись, согласилась поделиться своим. Сахарницу велено было принести Неле, которая безропотно выполнила приказ.

После чая начались танцы. Веселье было прервано

•

внезапно коллективным обмороком. Две лихо отплясывающие молоденькие продавщицы вдруг побледнели и упали на пол как переспелые груши...

Когда стало ясно, что дело серьезное, девчонок общими усилиями поволокли в туалет, так как обеих тошнило, и выглядели они — хуже некуда. Туалет был единственным на весь магазин и размещался возле складов, в дальнем конце коридора. Он оказался запертым изнутри. На стук никто не отозвался.

Пострадавшие стенали на разные голоса, народ нервничал. Перед дверью санузла собралась толпа.

— Черт, почему не открывается? — разозлился Айрат, навалившись на дверь плечом. — Может, заклинило?

Сразу несколько человек забарабанили по двери кулаками. Из-под щели возле самого пола пробивалась полоска света.

— Может, там заснул кто? — предположил кто-то.

— Ой, все, больше не вытерплю! — простонала Иришка, и ее вырвало прямо в коридоре.

Айрат удвоил усилия. Андрей Петрович, бухгалтер, склонился к притолоке и, внимательно оглядев зазор, сделал открытие:

— Замок-то не заперт.

— Не может быть!

— Кто там безобразничает?!

— Открывайте немедленно!

Стошнило и вторую девчонку. Запах в коридоре сделался невыносимым. Народ протрезвел и испугался уже по-настоящему. Кто-то побежал в администрацию, чтобы вызвать «Скорую». Айрат поднялег, дверь поддалась его усилиям, приоткрылась. Он сунулся было внутрь и тут же с криком отпрянул. Передние оттеснили его, заглянули, потом все испуганно шарахнулись к стене. Переступить порог не решился никто. В коридоре внезапно стало тихо...

Бледная как полотно, Глаша влетела в торговый зал и столкнулась с Любой, которая крикнула на бегу:

— «Скорую» вызвала! Сказали — едут!

— Увы... Кроме «Скорой», придется вызвать и милицию.

— Зачем?

— Там, в туалете... Муля...

— Что с ней такое? Зачем ей милиция? Ей тоже плохо?

— Хуже некуда. Померла она.

— Мама дорогая! Тоже отравилась?

— Да нет. Похоже, что ее убили.

ГЛАВА 18

Глаша была уверена, что образ Мули, распростертой на грязном полу общественного туалета, будет преследовать ее до конца дней. Когда удалось открыть дверь, выяснилось, что прежде это мешало сделать ее тело. В тесном пространстве для нее было слишком мало места. Женщина громоздилась на полу бесформенной кучей, босая нога застряла в дверной коробке. Айрат, боровшийся с дверью, сам не зная того, раздробил ей все пальцы и только поэтому смог открыть дверь. Увидев, что произошло, крепкий мужчина испытал такой шок, что его забрали на «Скорой» вместе с двумя отравившимися девчонками.

Муля лежала на боку, лицом к стене, и было похоже, будто ее внезапно сморил пьяный сон. Выпить она вообще была не дура, но сегодня превзошла саму себя, так что вполне могла отключиться.

Глаша, заглянувшая в дверной проем, одной из первых смогла оценить случившееся лишь спустя несколько секунд, в течение которых она таращилась на бесчувственное тело. В туалете было светло, и яркое пятно на стене привлекло ее внимание. Почему-то штырь в трубе отопления, вентиль с которого давно отодрали и по-

●

теряли, оказался выкрашен красной краской, настолько свежей, что она капала на пол. Дикая мысль, что Муля в туалете красила кран, сменилась ужасом, потому что Глаша поняла, что это — кровь. На полу, под самым штырем образовалась лужа. Кровь уже загустела, подернулась пленкой...

В уши ударил пронзительный крик. Кричала женщина, но Глаша не узнала искаженный ужасом голос, хотя все время помнила, что рядом были только свои. Только свои...

Позже было много милиции и миллион вопросов, испуганные, подавленные лица сотрудников, приглушенные голоса. Неубранный стол с остатками праздничной гулянки выглядел посреди всего этого почти непристойно, но трогать что-либо запретили.

Валя шепотом сообщила, что милиция заинтересовалась отравлениями даже больше, чем Мулиной смертью. Ходят слухи, что девчонки отравились мышьяком.

«Снова мышьяк», — похолодела Глаша, а вслух пробормотала:

— Просто эпидемия какая-то.

— Точно! Совсем как в той истории, о которой ты рассказывала, — кивнула Дина. — Ту женщину ведь тоже отравили мышьяком?

— И тоже не до конца, — задумчиво проговорила Глаша.

— По-моему, мышьяка что-то слишком много для простого совпадения, — нахмурилась Валя.

— Странно, что отравились именно эти девчонки, — сказала Дина. — Они такие молодые, и между ними — ничего общего. Они даже не дружили, работали в разных отделах.

— Нам-то какая разница? Скажи спасибо, что никто из нас не оказался на их месте, — сердито посоветовала Валя.

— С какой стати? Лично меня травить не за что, — фыркнула Дина.

— Ага. Безгрешна, как ангел.

— Девчонок, на мой взгляд, тоже не за что было травить, — тихо промолвила Глафира.

— Это нам с тобой так кажется, — отрезала Валя. — А на самом деле мы ничего про них не знаем. Может быть, они обе — законспирированные вражеские шпионы.

— Ага, а Эллочка — их резидент.

— Очень может быть. Вон, ментов понаехала чертова уйма, вот пусть они и разбираются. Им за это зарплату платят.

— А что они насчет Мули решили? — спросила вдруг Глаша обеспокоенно.

— Не знаю. Но про нее никак не скажешь, что невинно пострадал человек. Всем нагадить успела, — зло сказала Валя.

— Это-то и плохо. Значит, все мы под подозрением. Замучают теперь, — вздохнула Дина печально.

— А мне не страшно! — расхрабрилась Валя. — Я за весь вечер ни разу с места не вставала.

— Еще бы. Ты ж напилась до полного остекленения, — поддела ее Глаша.

— Язва. Я же не нарочно. Просто не рассчитала на голодный желудок.

— Да бросьте вы, девчонки, — вклинилась Дина. — Не о том вы думаете, честное слово. Разве сейчас важно, кто сколько выпил?

— Знать бы, о чем думать, мы бы со всей душой.

Неожиданно для всех смерть Мули объявили несчастным случаем. Новость принесла Оксана из отдела бижутерии.

— Говорят, что она пьяная была, поскользнулась и упала неудачно, — трещала она с округлившимися от переизбытка эмоций глазами.

●

— Что-то не очень похоже на несчастный случай, — усомнилась Галя, продавец обуви.

— А ты помалкивай, что похоже, а что не похоже, — посоветовала Оксана. — Может, оно и лучше, что так решили. Меньше доставать будут.

— Несчастный так несчастный. Мне-то что? — пожала Галя плечами.

— Это для кого как, — насмешливо протянула Наташка. — Для кого несчастный, а для кого и наоборот — очень даже выигрышный.

— Чего глупости болтаешь? — прикрикнула Галина.

— Знаю, знаю, о покойниках плохо не говорят. Только покойник покойнику — рознь. Бывают такие, что слова доброго о них не скажешь. Муля наша — из таких. Ведь всех достала! Чего притворяетесь?

— Что-то раньше ты не была такой смелой, — прошипела Неля злобно.

— Зато и задницу ей, как ты, не лизала, — огрызнулась Наталья. — Думаешь, если ты у нее на побегушках была, то тебя в покое оставят?

— Ну, это спорный вопрос, — неприятно улыбнулась Галя.

Неля резко побледнела.

— Ты на что намекаешь?

— Так ведь дружба ваша — пустой звук. Она тебя выгнала. Разве не так?

Присутствующие переглянулись. До сих пор Неля казалась единственным преданным Муле человеком, который не успел с ней поссориться, и это ставило ее вне подозрений. Новость о ее увольнении все меняла. Однако продолжения темы не последовало. Неля, не прощаясь, ретировалась, а Галя не захотела ничего прибавить к тому, что уже сказала.

Когда подошла Глашина очередь давать показания, она все еще не решила для себя, стоит ли рассказывать о случае в доме Райского. С одной стороны, там тоже присутствовал мышьяк, с другой — единственная пострадавшая умерла вовсе не от отравления.

Дотошный мужичок в слегка мятом костюме засыпал Глафиру вопросами, точно горохом из дырявого мешка. Отвечая на них, она удивлялась, как много всего запомнила. Поэтому с легкостью могла ответить, кто с кем сидел и кто куда перемещался в течение вечера.

Теперь она вспомнила, что Муля, прежде чем ее нашли, отсутствовала довольно долго, полчаса, не меньше. Что Муля делала так долго в туалете, если умерла она, как сказали эксперты, минут за пять до того, как они все вместе ее обнаружили?

Для себя Глаша приняла твердое решение разобраться во всем до конца. Она понимала, что почти никто, кроме милиции, в несчастный случай не поверил, а значит, все станут друг друга подозревать. Ее в том числе, так как история с кражей бизнеса вышла громкой. Ей совсем не хотелось прослыть за глаза убийцей, а избежать этого ей может помочь только правда.

Когда в магазине появилась дочь Мули, Карина, на нее страшно было смотреть. Кто-то сообщил ей о том, что произошло, и она тут же примчалась, похожая на привидение. Глашу появление девушки испугало и расстроило. Как бы они все ни относились к Муле, для этой испуганной девочки она была матерью, единственным близким человеком. А что такое остаться без матери, Глаша слишком хорошо знала.

* * *

Он никогда прежде не видел снов. Поэтому увиденное им в ту ночь показалось особенно страшным. Это даже был не сон, это была реальность, вполне осязаемая, наполненная звуками и запахами. Впрочем, пахло отвратительно, и это было первое, что он почувствовал.

ПОСЛЕДНЯЯ НОЧЬ КОЛДУНА
•

Пахло гнилой картошкой, мокрой землей и тухлым мясом.

Потом он увидел ЕГО.

То есть сначала он разглядел только, как дверь в его комнату медленно, с тихим скрипом отворяется. И лишь потом вошел ОН. В комнате было темно, но он почему-то сразу узнал вошедшего. Он твердо знал, что ЕГО здесь быть не должно, ЕГО присутствие противоречит здравому смыслу. Но ОН был. Ходил из угла в угол, словно искал кого-то.

От осознания того, что мертвец ищет именно его, парня прошиб холодный пот, что было совсем уж скверно. Ему захотелось, как в детстве, спрятаться с головой под одеяло. Тогда, может быть, удастся остаться незамеченным.

Он успел натянуть одеяло только до подбородка, потому что оно вдруг сделалось неподъемно тяжелым, словно его набили цементом. И в этот миг мертвец заметил его.

ОН пересек комнату, замер в изголовье, прожигая насквозь пустыми глазницами, и медленно заговорил.

— Ты не закрыл мой гроб, — сказал мертвец укоризненно. — В глаза мои набилась земля, и теперь я ничего не вижу. Но я нашел тебя.

Парень хотел что-то пролепетать в свое оправдание, но из горла вырвался только хрип. Мертвец протянул к кровати руку, и парень все так же беззвучно заорал от ужаса.

— Я уничтожу тебя, — пообещал мертвец, шевеля пальцами возле самого лица своей жертвы, — но сделаю это позже. Сначала ты должен потерять всех тех, кто тебе дорог. Всех по очереди. Когда боль станет небыносимой, ты осознаешь, что натворил. И тогда настанет твой срок.

— Пощадите! — прошептал парень. — Я все исправлю!

— Исправишь? — Мертвец захохотал, широко разинув рот. — Это хорошо. Но наказание неизбежно. Любое зло должно быть наказано!

Парень приготовился умолять, снова и снова просить о пощаде, но просить стало некого — мертвец исчез, оставив после себя только могильный смрад.

Телефонный звонок прозвучал как избавление. Он был таким реальным, что он даже рассмеялся от радости. Звонок не умолкал, точно канатом вытягивая его сознание из ночного кошмара. Он протянул руку к тумбочке возле кровати, схватил трубку, пробормотал хрипло «алло».

И тогда кошмар начался снова.

* * *

Тайсон, словно буксир, тянул Глашу к дому. Учитывая то, что гуляли они совсем недолго, это выглядело странно.

— Да что с тобой, Тайсон? Ты можешь еще погулять. У нас куча времени, — попыталась возражать Глаша, но пес впервые за все время проявил упрямство. Он хотел домой — и точка.

Собака явно нервничала, вертя головой и шумно втягивая носом воздух. Когда Глаша, сдавшись, нагнулась, чтобы пристегнуть карабин к ошейнику, она почувствовала, что шерсть на холке ротвейлера вздыбилась так, что колола пальцы. Пес мелко дрожал.

«Замерз, наверное», — подумала девушка удивленно. На то, чтобы представить себе, что огромный пес дрожит от страха, ее фантазии не хватило.

На улице действительно похолодало.

По обе стороны дороги высились деревья. Они были старыми, их ветви смыкались вверху, образуя туннель. Свет фонарей пробивался сквозь них словно через частую решетку. На секунду Глашу охватила тревога, но она тут же успокоила себя. Рядом с Тайсоном — ее телохранителем — ей нечего опасаться. Конечно, она не имела возможности убедиться, как поведет себя собака в случае прямой угрозы, но догадывалась, что один его вид внушает окружающим страх и уважение.

Кусты слева от нее затрещали. Ротвейлер замер. Глаша налетела на него — словно ударилась о бетонную стену. Когда она, потирая ушибленную коленку, подняла глаза, темная фигура возвышалась над ней, слегка покачиваясь из стороны в сторону. От человека сильно пахло водкой.

— Что, сука? Трясешься? Вот мы и встретились! Ты мне за все ответишь, падла.

Глаша отпрянула, слегка натянув поводок. В темноте она не могла разглядеть лица человека: огромная, черная вонючая масса надвигалась на нее, размахивая похожими на лопаты руками.

В это время Тайсон, на которого она так рассчитывала, сидел на земле и... улыбался. Как будто все происходящее его забавляло. Глаше стало по-настоящему страшно. Она поняла, что сильно ошиблась на его счет и помощи ей ждать неоткуда. Даже крикнуть «фас» она не рискнула. Пока еще отморозок испытывал некоторые иллюзии насчет Тайсона и держался на расстоянии. Дело ограничивалось матом и угрозами, но стоит ему сообразить, что собака абсолютно индифферентна к происходящему, — тогда Глаше несдобровать.

Осмелев, амбал попытался схватить Глашу за руку, но промахнулся. Глаша сжалась, ожидая повторного нападения, но тут вдруг Тайсон молча, плавно, не делая резких движений и не переставая улыбаться, поднялся на четыре лапы, совершил молниеносный бросок и деликатно откусил амбалу часть задницы. В прямом смысле, вместе со штанами, трусами, шкурой и мясом. Оттяпал и тут же брезгливо выплюнул под дикие вопли укушенного. Осатанев от боли, мгновенно протрезвевший придурок рванул к кустам. А Тайсон снова улыбался, довольный собой.

Уже дома, утирая ротвейлеру морду, Глаша устроила ему разнос. Тайсон даже обиделся. Странные эти люди, ничего толком не смыслят. Ведь он все сделал правильно, защитил любимую хозяйку и восстановил справедливость. Неужели она так глупа, что не унюхала запах стали в правом кармане его куртки? Тайсон хорошо знал, что так пахнут охотничьи ножи, которые таят опасность. Да и от самого человека плохо пахло. НЕ алкоголем, нет, хотя Тайсон терпеть не мог этот запах. От него пахло страхом и ненавистью. Он пришел, чтобы причинить хозяйке зло. Тайсон остановил его вовремя, а теперь его же за это и ругают. Можно подумать, что откусывать чужие задницы — такое уж большое удовольствие. Тайсон немного попил из своей миски, чтобы отбить мерзкий привкус, и покорно лег на полу.

Хозяйка больше не кричала. Поджав ноги, она сидела на диване и смотрела на него испуганно. Глупая. Он здесь как раз для того, чтобы она ничего не боялась. Неужели не понятно? Поднявшись, пес подошел к дивану и примирительно лизнул ее руку, потом уронил свое тяжелое тело рядом, шумно вздохнул, пристроил голову на лапы и прикрыл глаза. Он-то знал, что все сделал правильно.

ГЛАВА 19

Конечно, Карина ее заложила. По-другому и быть не могло. Ее опять вызывали. Слава богу, не в отделение, а всего лишь в директорский кабинет, в котором временно разместилась милиция.

Магазин закрыли якобы на учет. Арендаторы маялись от безделья, опергруппа что-то искала. Мышьяк нашли еще вчера. Он оказался в сахарнице, причем имен-

•

но в той, что, по просьбе Мули, принесла Неля. Сахарница принадлежала лично Муле. Определить был ли там мышьяк до того, как Неля взяла сахарницу в руки, или она сама же его и насыпала, было трудно, но оперативники очень старались. Неле теперь доставалось больше всех. Ее даже увезли куда-то на специальной машине под любопытные взгляды сотрудников.

— Посадят теперь Нельку, — мрачно предрекла Галина.

— Не каркай. Может, она совсем ни при чем, — оборвала ее Дина.

Галя спорить не стала. Милиция уже знала об увольнении. Галя не стала этого скрывать на допросе. Но почему-то Неля вызывала жалость, и Галину сторонились.

Про Нелю Глашу тоже спросили. Что да как, по какой причине расстались. Глаша ответила обтекаемо. Нашел, мол, человек место получше, а остальное ей неведомо.

— Странно. И недели у Трясковой ваша Неля не протянула, — недоверчиво ввернул следователь, тряхнув давно не стриженной шевелюрой.

— Ну, это уж их дела, — не стала Глаша вдаваться в подробности. Ей вообще было трудно сосредоточиться, так как, идя сюда, она столкнулась в коридоре с Райским. Он даже не поздоровался, взглянул на нее с презрением. Почему-то ее это задело. Сейчас неожиданная обида мешала ей быть собранной, как того требовала ситуация, она часто ошибалась в ответах и путалась.

— Скажите, Амалия Тряскова и Элла Флоринская были подругами? — огорошил ее следователь.

— Не знаю, — соврала Глаша сгоряча. — Я видела Эллу лишь однажды, в гостях и практически с ней не общалась.

— Там же присутствовала и Тряскова. Вы разве не заметили? Это ведь было в тот день, когда Флоринскую пытались отравить? Странное совпадение.

ЛАНА СИНЯВСКАЯ

●

— Но ведь ее не отравили? — уточнила Глаша, стараясь казаться спокойной.

— Это просто везение, — протянул следователь, поигрывая дешевой шариковой ручкой. — Дочь Трясковой собщила, что насчет того, что мышьяк находился в солонке, первой догадались именно вы. Так?

— Да, — подтвердила Глаша неохотно, предвидя следующий вопрос. И он последовал.

— Вы всегда такая догадливая?

— А что?

— То, что вы могли заранее знать про мышьяк. Элла не умерла. Замысел раскрылся, и вы поторопились отвести от себя подозрения.

— Это обвинение?

— Нет, ну что вы. Просто предположение. Всякое, знаете ли, бывает.

Глаша ему не поверила. Ведь она присутствовала при обоих отравлениях, и это казалось следователю подозрительным. Учитывая скандальную историю с кражей бизнес-идеи, о которой ему наверняка уже донесли, Глаша являлась почти идеальным кандидатом в подозреваемые. Она даже удивлялась, отчего ее до сих пор не упекли в каталажку на пару с Нелей.

— А как вам кажется, могла ваша бывшая продавщица насыпать яд в сахарницу? — спросил он, словно прочитав ее мысли.

Глаша поморщилась.

— Нет... Не знаю... Зачем ей это делать?

— Чтобы отомстить. Ведь ее дважды несправедливо уволили за короткое время.

— Это глупо. Тогда ей нужно было травить нас обеих.

— Ну, мало ли. На Тряскову она надеялась, а перед вами могла испытывать чувство вины, что делало увольнение в вашем случае отчасти справедливым. Как ни крути, а сахарницу на стол принесла она.

— По просьбе Трясковой, — напомнила Глаша.

ПОСЛЕДНЯЯ НОЧЬ КОЛДУНА
•

— Ну и что? Мышьяк был только сверху и должен был достаться тому, кто возьмет сахар первым. Как вы полагаете, зная Тряскову, позволила бы она кому-либо опередить себя? Она ведь была, как бы это выразиться, собственницей?

— Все равно Нелина виновность выглядит сомнительной. Зачем ей подставляться и нести отраву на общий стол, туда, где сидит куча потенциальных свидетелей?

— Может, ее допекло? В состоянии аффекта человек совершает и большие глупости.

— Все равно ерунда. В конце концов, Муля не пила отраву.

— В ее чашке оказалась лошадиная доля мышьяку. Она все-таки зачерпнула сахар первой. Именно это спасло вашим коллегам жизнь.

— Тогда я вообще ничего не понимаю.

— Вы о чем?

— Тот, кто собирался ее отравить, должен был видеть, что дело сделано. Она положила яд в свою чашку. Зачем тогда было убивать ее другим способом?

— Ее никто не убивал. Это был несчастный случай, — напомнил следователь.

— Может быть.

— Опять в детектива играете, Морозова?

— Нет. Имею я право на собственное мнение? Я просто думаю...

— И до чего додумались?

— До того, что убийц могло быть двое. Причем друг о друге они не знали, действовали каждый по собственному сценарию.

— Это все? — съязвил следователь.

— Нет, — ответила Глаша резко. — Тот, кто подсыпал мышьяк, на вечеринке не присутствовал. Иначе все бессмысленно.

— Что именно?

— Убийство в туалете.

ЛАНА СИНЯВСКАЯ

•

— Сколько можно повторять, Морозова, не было убийства. Не бы-ло!

— Я помню.

— Вот что, мисс Марпл, или как вас там. Вы сами себе противоречите. Следствие — не игра. Тут фактами оперировать надо. А факты говорят, что никого постороннего в магазине в тот вечер не было. Ключ у вас — один на всех. И он все время находился у вашего замдиректора. А может, был запасной?

— Не знаю. Спросите у Ларисы.

— Обязательно. А теперь ответьте мне, кто, по вашему мнению, мог ненавидеть Тряскову до такой степени, что решился на преступление.

— Вы разве еще не в курсе?

— Я хочу услышать ваше мнение. Так кто?

— Да все. Тряскова была настоящей мразью, хотя о мертвых плохо не говорят.

— Конкретнее, пожалуйста.

— Повторяю, ее все ненавидели.

— И вы?

— И я в том числе. Но я не могу назвать никого, кто ненавидел ее настолько сильно, чтобы убить. Для этого нужна причина посерьезнее мелких пакостей, на которые она была великая мастерица.

— Деньги, например?

— Мотив подходящий.

— А вам известно, что вчера из ее тумбочки пропала крупная сумма в валюте?

— Что?!

— Вы прекрасно слышали.

— Что за деньги? Выручка?

— Похоже, что нет. Выручка осталась в кассе. Это были личные деньги Трясковой. Три тысячи долларов.

— Кто вам вообще сказал об их существовании?

— Ее дочь. Мать звонила ей днем и упомянула про деньги. Однако найти их не удалось. Они пропали.

ПОСЛЕДНЯЯ НОЧЬ КОЛДУНА

●

— А откуда они взялись, Карине известно?

— Да. Опять же, со слов матери. Та сказала, что ей
вернули долг.

— Вот как?

— Вас это удивляет?

— Более чем. Амалия никогда не давала в долг. Это
прекрасно известно всем в магазине. Тем более — такие
суммы. Она слыла большой жадиной.

— Ну что же, мы это учтем, — неожиданно свернул
разговор следователь. — Спасибо за беседу. Можете быть
свободны.

Он попросил пригласить следующего по списку, и
Глаша поспешно ретировалась. Дина и Валя поджидали
ее за углом коридора.

— Вы чего такие напуганные? Ожидали, что меня вы-
ведут в наручниках? — пошутила она.

— От тебя всего можно ожидать, — проворчала Валя.

— Мы беспокоились, — добавила Дина. — Мало ли
чего там наши наплели ментам. Грязью друг друга поливать все горазды.

— Да ерунда, — отмахнулась Глаша беспечно. — У нас
в магазине плюнуть некуда от Мулей обиженных.

— Бог с ней. Оставим ее в покое.

— Девчонки, вы о краже что-нибудь слышали? —
спросила Глаша через некоторое время.

— О какой еще краже? — не поняла Валя.

— Денег, естественно. Вчера кто-то подсуетился и
смахнул у Мули пачку бабок. Три тысячи зеленых, — пояснила Глаша. — Мне следователь сказал.

— Нужно у Насти спросить, — подала дельную
мысль Валя. — Она напротив работает. Может, видела
что-нибудь. Девка она глазастая.

Направляясь в отдел к Анастасии, Глаша с удивлением заметила в Мулином отсеке ее дочь. Карина сдержан-
но поздоровалась, впрочем, без особой враждебности.
Глаза у нее были красные, в руке она комкала носовой

платок, мокрый от слез, и это вызывало острую жалость помимо воли.

Чтобы скрыть свое замешательство, Глаше пришлось поспешно нырнуть в соседний отдел, так и не дойдя до Насти. Вести какие-либо разговоры в присутствии осиротевшей девчонки было бы слишком цинично. Оставалось ждать более удобного момента.

Глаша помнила, что Настя частенько выбегает покурить во двор. Набросив куртку, она не спеша вышла на улицу и устроилась под деревянным навесом напротив входа.

Ждать пришлось довольно долго.

Странная смерть Мули не давала ей покоя. Ее смущало, что Мулю пытались убить дважды и, как ей казалось, сделали это разные люди.

Взять, к примеру, мышьяк. Его могли насыпать только вчера. В причастность Нели Глаша не верила ни секунды. Неля прибыла уже после закрытия магазина, а Муля отличалась привычкой непременно чаевничать около пяти часов вечера. То есть мышьяк оказался в сахарнице уже после этого времени, но до того, как попал на стол. Кто же принес отраву? Да кто угодно. В отделе все время толокся народ. Так что вычислить отравителя будет непросто. Единственная надежда на довольно короткий временной промежуток. Чуть больше двух часов.

Что касается смерти в туалете, то тут вообще полная путаница. Почему-то в несчастный случай верить упорно не хотелось. Муля разбила голову о штырь сама? Или ей кто-то помог? Как узнаешь? Глаша попыталась припомнить, кто покидал главный торговый зал уже после ухода Мули. В зале было темновато. Верхний свет погасили, чтобы создать интимную обстановку. Играла музыка. Несколько человек танцевали. Вроде бы она видела всех, но вот вместе или по отдельности?

Странностей хватало. Глаша не могла отделаться от ощущения, что враг затаился где-то рядом. И этот враг

●

имеет зуб на саму Глафиру, так как подозрение первым делом должно было пасть на нее, если бы не невезучая Неля, которая принесла злополучную сахарницу. Вокруг Глаши в последнее время творилось нечто невероятное. Ее спокойная, размеренная жизнь превратилась в зловещий калейдоскоп. Неизвестно, какая жуткая картина сложится из кусочков в следующую минуту.

Главное, что ничего не понятно. Кто, например, ездил вместо Глафиры к ее дедушке? Что за девица? И зачем ей это понадобилось? Кто подстроил нападение, после которого она осталась без ключей от квартиры? Кто звонил адвокату и назначил ему встречу? В деле явно замешана женщина, но Глаша, как ни старалась, не могла припомнить, кому перешла дорогу. Ясно только, что этот кто-то — один из тех, кто работает рядом с ней, хотя, на ее взгляд, никто из девчонок не выглядел настолько подозрительным. Глаша старалась ладить со всеми. За исключением Мули, у нее не было врагов. Теперь Муля мертва, а кошмар — продолжается.

Следователь интересовался дружбой Мули и Эллы. Глаша подозревала, что их связывали тесные отношения, но можно ли назвать их дружбой, она понятия не имела. Обеих женщин пытались отравить. И в обоих случаях цель не была достигнута. Что это значит? Одно ясно, Мулю и Эллу пытался отравить один из тех, кто присутствовал в тот вечер в доме. Глаша припомнила всех, кого встречала. Кто? Райский, вездесущий, как демон мщения? Или робкий доктор, который впоследствии приложил немало усилий, чтобы отравленную откачать? А может, все же повариха? Глаше она понравилась, но, в конце концов, она совсем ничего про нее не знает. Или — совсем уж абсурдно — Мулина дочь? Полный бред.

Глаша нахмурилась, вспомнив распростертую на полу Мулю с проломленной головой. Что, если следователь прав и это в самом деле был несчастный случай?

Может, Глаша напрасно ломает голову, пытаясь доказать недоказуемое?

Не надо было мне ввязываться во все это, — вдруг подумала Глаша отчетливо. У нее неожиданно появилась уверенность в том, что любопытство не доведет ее до добра. Но ей не хватило времени, чтобы убедить себя в этом окончательно. Хлопнула дверь магазина. Прямо навстречу ей не спеша двигалась Настя.

— Привет, — поздоровалась она небрежно. Настя на всех смотрела немного свысока и всегда держалась отстраненно.

Щелкнув дорогой зажигалкой, девушка прикурила и проговорила, глядя на верхушки деревьев:

— Достал весь этот кошмар.

— Тебе-то какая печаль? Тебя ведь вчера не было?

— Это верно. Были неотложные дела, — Настя нахмурилась так, что Глаше стало не по себе. Она чувствовала себя не в своей тарелке. Почему-то ей всегда было трудно общаться с Настей, почему-то именно в ее присутствии Глаша чувствовала свою неполноценность. Кто-кто, а Настя всегда умела «подать себя», хотя никогда к этому не стремилась.

Сигарета Насти быстро догорала. Нужно было на что-то решаться.

— Послушай, Насть, ты не слышала, откуда у Мули вчера взялись доллары?

Глаше показалось, что Настя вздрогнула. Однако, когда Настя вновь заговорила, ее голос звучал подчеркнуто спокойно.

— Что за бред? Какие еще доллары?

— Сумма приличная, — отозвалась Глаша. — Три тысячи. Для меня это много. Их сперли вчера вечером из ее отдела. Неужто не слышала?

— Я сплетен не собираю и тебе не советую. — Настя сбила с сигареты пепел сильным щелчком.

— Почему сплетни? — Глаша сделала вид, что обиде-

●

лась. — Мне следователь сказал. Я почему спросила? Потому, что ты там совсем рядышком. Может, видела что-нибудь?

— Я за Мулей не слежу. У меня своей работы навалом, — ответила Настя резко.

— А ты чего психуешь-то? — поинтересовалась Глаша миролюбиво.

— Я не психую. Просто устала. — Настя глубоко затянулась.

— Интересно, кто следователя насчет денег просветил? — задумчиво спросила Глаша. — Я думала, что это ты, но раз ты не в курсе, то становится совсем непонятно.

— Нелька твоя ляпнула, больше некому, — бросила Настя неприязненно.

— Так она ж только к самой вечеринке подгребла!

— Да нет, она в течение дня приходила. После обеда где-то. Повертелась немного и ушла. Они с Мулей поговорили на повышенных тонах, Нелька уползла изрядно потрепанная.

— Надо же, а я ничего не слышала.

— Повезло тебе. Зрелище было не из приятных. — Неожиданно Настя пристально взглянула на Глашу. — Даю бесплатный совет: не лезь ты в это дело, — проговорила Настя негромко. — Вокруг Мули столько грязи, что просто рядом пройдешь, и то на всю жизнь измараешься. А для таких, как ты, это вообще топь непролазная. Поняла, что я имею в виду?

Глаша поняла. Будь на ее месте другая — сильная и решительная, то все могло сложиться по-другому, а ей лучше сидеть в своей норке и не высовываться. Такова жизнь: кому сыр, а кому мышеловка. Глашу передернуло. Неужто она выглядит такой уж жалкой? Она упрямо сжала губы и попыталась даже посмотреть на более высокую Настю сверху вниз. Попытка самоутвердиться с треском провалилась, Настя даже не глянула в ее сторону, так что оценить Глашину храбрость не могла. Глаша разочарованно вздохнула и спросила, как ей казалось, весьма проницательно:

— А откуда ты так хорошо знаешь все про Мулю? Ты же в магазине не так давно?

— Уж поверь мне, знаю.

Настя усмехнулась как-то особенно жестко, и все Глашины потуги рассыпались в прах. Ей даже стало немного страшно. Отшвырнув окурок, Настя стремительно пошла прочь. Попавшейся на пути Оксане пришлось отскочить в сторону, чтобы дать ей дорогу.

* * *

Райский наблюдал за Глашей из машины. Эта тетеря, разумеется, не заметила ни саму машину ни тем более его. Она вообще ни черта вокруг не видит, эта идиотка. Он не сразу сообразил, что она не просто так гуляет, а караулит стервозного вида девицу. Сама девица сориентировалась куда быстрее. Ему было хорошо видно, как напряглись острые лопатки под тонкой черной тканью ее блузки. Павлу не слышно было, о чем они говорили, но он ясно видел, что девице разговор не по нраву. А нрав у нее крутой, это к гадалке не ходи. Очень непростая девушка. Глашино поведение выглядело в точности как танцы пьяного кролика перед пастью голодного питона. Пьяного потому, что трезвый давно улепетывал бы со всех ног.

Ему вдруг захотелось вылезти из машины, подойти, выдернуть Глафиру из ненужного разговора, отшлепать как следует, потом отвезти домой и запереть на ключ, подальше от глупых игр в Шерлока Холмса. Вообразила себя детективом, дура несчастная. Начиталась, наверное, этих малахольных писательниц, у которых чем героиня тупее, тем веселей идет расследование. Он-то знал, чем кончаются подобные игры в реальности для таких вот наивных идиоток.

●

Павел рассердился на себя за ненужные мысли. Все было не ко времени: и убийство, и беспокойство за эту полоумную, и все, все, все... Он не станет ни во что вмешиваться, у него свои планы и куча дел. Так будет правильно. Почему же, приняв правильное решение, он разозлился еще сильнее?

Чертыхнувшись, он потянулся, чтобы открыть дверцу машины и отправиться на спасение идиотки, но в эту секунду из дверей магазина выпорхнула та, кого он ждал, и он с сожалением разжал пальцы.

ГЛАВА 20

— Смотри, куда прешь! — гневно крикнула вслед Насте Оксана. Добавить еще что-то нелицеприятное ей помешала Глафира, которую Оксана заметила только сейчас. Глашу почему-то вообще замечали не сразу.

— Привет. Воздухом дышишь? — спросила Оксана равнодушно.

— Дышу, — с готовностью ответила Глаша. — Все равно работы нет. Магазин закрыли, а домой не пускают.

Глаша все еще была под впечатлением от Настиных слов. Права она, ничего у нее не получится.

Оксана, стройная платиновая блондиночка, затянутая в тугой розовый брючный костюмчик, блестящий, как фантик от чупа-чупса, притопнула обутой в модный сапожок ножкой и взглянула на Глафиру с интересом:

— О чем это вы с Настькой базарили? Я через окно видела.

— Да все о том же.

— Об убийстве, что ли?

— Ну да. О чем еще разговаривать. Тема дня.

— И что интересного она тебе рассказала?

— Ничего. Ее же не было на вечеринке, она не в курсе.

— Ах да, я и забыла. Кстати, чем это ты ее так задолбала? Морда у нее была...

Бесцеремонность Оксаны рассердила Глашу.

— Никого я не задалбывала, — ответила она неприязненно. — Я спросила у Насти, не знает ли она, откуда у Мули деньги. Те самые, которые украли. Меня следователь о них спрашивал.

— И она, само собой, ушла в полную несознанку, — проявила Оксана догадливость. — А сколько денег?

— Три тысячи долларов. Многовато для дневной выручки.

— Ха! Выручка! Да у Мули и три тысячи рублей в день — праздник.

— Странно. Она говорила, что у нее просто столпотворение.

— Понтовалась, — уверенно заявила Оксана. — В том числе и перед тобой.

— Я-то тут каким боком?

— Таким. Она у тебя бизнес сперла? Сперла. Думала — озолотится теперь. А не прокатило. Муля торговать не умела. Она пыталась нахрапом брать. Кидалась на теток, впихивала им всякую лажу. Надо — не надо, идет — не идет. Ей все было по фигу. А теткам — нет. Народ сейчас избалованный. Они от Мулиного сервиса как черт от ладана шарахаются. Муля злилась ужасно и все боялась, что ты просечешь. Она и Нельку твою послала из-за того, что та продавала мало.

— А мне казалось, что они подружились.

— Наивная ты, Глашка. На фига Муле твоя Нелька квелая? Она ее сущность с первого взгляда просекла. А подобрала, чтобы тебе досадить. Увидела, что толку от нее в торговле — чуть, сразу — до свидания. Нелька у тебя балованная, к такому обращению не привыкла. Начала слезу давить. А Муле хоть бы хны. Она ей даже не заплатила. Сказала, что та на зарплату не наработала. В итоге имеем что? Труп.

ПОСЛЕДНЯЯ НОЧЬ КОЛДУНА

●

— Намекаешь, что это Неля пыталась Мулю отравить?

— Да я не намекаю, я открытым текстом говорю. Хотя у Мули и без твоей Нельки врагов было, как на трубочисте грязи.

— Да уж, на мелкие пакости она была горазда.

— На мелкие? А вот ни хрена. Ты про деньги спрашивала?

— Спрашивала.

— Кажется, я знаю, откуда они у Мули.

— И откуда же?

Оксана оценивающе взглянула на Глашу, прищурив густо накрашенный глаз.

— Ладно, скажу, так и быть. Было у Мули хобби. А совести не было. И она на этом неплохо зарабатывала.

— Что за хобби?

— Подсматривать, подслушивать, сплетни собирать по углам. Короче, накапливать информацию. А потом ее продавать всем желающим.

— Муля зарабатывала шантажом?

— Ага.

— А кого она шантажировала? Можешь сказать конкретно? — с надеждой спросила Глаша, перед которой ясно нарисовался весьма подходящий мотив убийства.

— Могу, но не стану, — решительно покачала головой Оксана. — Я себе не враг.

Глаша приуныла. Оксана понаблюдала за ней некоторое время и сжалилась.

— С Альбинкой потолкуй, — буркнула она. — Из наших тебе никто ничего не скажет, а она уже давно уволилась. Кстати, не без Мулиного участия.

— А где я ее найду? — встрепенулась Глаша.

— У Вальки спроси. Они вроде общались.

— Спасибо!

— Не за что. — Оксана дернула плечиками и ухмыль-

нулась. — Ты, конечно, чокнутая, что во все это ввяза-
лась, но я желаю тебе удачи.

— В чем?

— В поисках убийцы, бестолочь. Ясно же, что Мулю
пристукнул кто-то из своих. Вот и найди его, а то как-то
неуютно.

Оксана давно упорхнула, а Глаша еще долго стояла,
бессмысленно таращась на закрытую дверь магазина.

Если недалекая Оксана легко догадалась о Глашиной
заинтересованности в этом деле, то что говорить об остальных? Неужели это так очевидно? Если да, то Глаша
сама находится в опасности. Убийца-то и вправду из
своих. Никто из посторонних в тот день не мог оказаться в магазине в разгар вечеринки. Глаша почувствовала
озноб. Свой, значит, все время рядом. Значит, все видит
и слышит. А чего не слышит, может спросить, точно так
же, как она сама только что спрашивала. У них в магазине вообще все про всех известно. Просто мистика какая-то.

«Так что же делать? — подумала она испуганно и сама себе ответила: — Искать». Не от скуки, не ради интереса, а для того, чтобы быть готовой. Ей не хотелось думать о том, к чему нужно готовиться: к чашке чая с мышьяком или внезапному удару ножом в спину. Какая, к черту, разница, если конец все равно один? Вокруг нее и
так сгущались тучи. Спасет ли ее то, что она «найдет»?
Если успеет «найти», конечно. Но искать и успеть нужно
в любом случае. Она будет очень стараться. У нее просто нет другого выхода.

* * *

Глафира резала помидор. Крупный, сочный, спелый.
Ее всегда удивляло, что нарезанный помидор выглядит
объемнее, чем целый. Этого, например, хватило на целую миску. Пожалуй, она все не съест.

ПОСЛЕДНЯЯ НОЧЬ КОЛДУНА

•

Тайсон валялся на полу кухни, но к овощам интереса не проявлял, делал вид, что спит. Уши его подрагивали, что означало: Тайсон только притворяется спящим.

С тех пор как не стало в ее жизни Славика, она могла себе позволить все, что заблагорассудится. Раньше — нет. Она никогда не готовила только для себя, всегда на двоих. И всегда то, что любит Славик. Ей не повезло: у Славика были совсем другие вкусы. Конечно, можно было как-то приспособиться, например варить по два обеда или ужина, но на такой подвиг ее никогда не хватало. Ей было проще приноровиться к его вкусам и полюбить то, что никогда не нравилось. Вот это она умела. В этом она была виртуоз. Было немного обидно, когда оказалось, что ее старания пропали впустую. Славик безжалостно бросил послушную серую мышку и предпочел роскошного павлина. С тех пор как он ушел, даже ни разу не позвонил, вот как она была ему безразлична.

Ойкнув, Глаша затрясла в воздухе рукой. Из небольшого пореза закапала кровь. Глаша сунула палец в рот по старой детской привычке, схватила свободной рукой тряпку и быстро вытерла со стола несколько кровяных капель. Тайсон поднял голову, выражая беспокойство.

— Все в порядке, собака, спи себе, — успокоила его Глаша.

Тайсон уронил голову на лапы, как будто понял, о чем она говорит, но его внимательные карие глаза неотрывно следили за тем, как хозяйка носится по кухне в поисках изоленты. Почему-то она всегда заклеивала порезы на пальцах изолентой. Ей казалось, что так заживает быстрее и повязка не намокает от кухонных мероприятий.

Обмотав палец синей лентой, она вернулась к приготовлению салата. Нужно добавить укроп. Бабушка всегда говорила, что от укропа сплошная польза, а Глаша привыкла бабушку слушаться.

ЛАНА СИНЯВСКАЯ

●

От нарезанной зелени по кухне поплыл пряный аппетитный аромат. Есть захотелось почти нестерпимо. Глаша водрузила миску с салатом в центре стола и полезла в сушилку за вилкой.

В дверь позвонили.

Глаша вздрогнула, неловко дернула рукой, ложки и вилки с оглушительным звоном посыпались в раковину. Тайсон гавкнул басом и, цокая когтями по линолеуму, потрусил в прихожую.

Глаша медлила. Она никого не ждала. Еще только двенадцать, девчонки на работе. Кто мог прийти к ней, если никто не знает, что она дома? Она решила устроить себе выходной совершенно внезапно, сегодня утром, когда поняла, что за последние дни совершенно вымоталась. Работа подождет, за один день ничего не изменится.

Дверной звонок зазвонил снова. Тайсон, принюхиваясь, громко сопит, так, что слышно даже из кухни. Почему он не лает? Лучше бы гавкнул. Тогда тот, кто за дверью, поймет, что в доме собака, и уйдет. Почему-то Глаша была уверена, что за дверью кто-то чужой. Тайсон, словно из вредности, голос подавать не спешил, только пыхтел, тянул воздух носом и шумно возился у двери.

После третьего звонка собака наконец-то залаяла. Гавкал Тайсон вполсилы, так, для острастки. В самом деле, чего им бояться? В конце концов, это может оказаться все тот же Славик, которому позарез понадобилось что-то забрать.

Она так расхрабрилась, что даже не стала заглядывать в дверной глазок, специально, чтобы доказать самой себе собственную смелость. Оттеснив Тайсона коленом, она открыла замок и распахнула входную дверь.

На пороге стоял Святой. Она оказалась к этому совсем не готова и теперь таращилась на него во все глаза, глупо и растерянно. В джинсах и джинсовой куртке, фисташковом тонком джемпере и нарочито грубых баш-

•

маках, кажется, очень крутых и модных, он еще сильнее напоминал рекламного ковбоя. Светлые волосы небрежно свешивались до самых бровей, как будто их растрепал встречный ветер, и скрывали выражение его глаз.

Тайсон протиснулся между ними и деловито обнюхал ботинки гостя, потом заинтересовался джинсами, но был остановлен бесцеремонным шлепком по лбу.

— Ну все, собака, познакомились, и хватит. Место.

Тайсон беспрекословно подчинился и сразу же отошел, плюхнувшись на старый матрас в прихожей, который как раз и считался его «местом». Глаша даже заревновала, но ругаться с псом при посторонних не стала, посчитала это непедагогичным. Вместо этого она набросилась на Райского.

— С какой стати вы командуете моей собакой? — спросила она сурово.

Райский усмехнулся.

— Простите, но кто-то должен был его остановить, иначе он мог отцапать какую-нибудь важную часть моего тела. По-моему, он уже приноравливался. Кстати, я и не знал, что у вас есть собака.

За пространными объяснениями Павел пытался скрыть свою растерянность. Он оказался не готов к тому, что дома она выглядит совсем по-другому. Ее расписной китайский халат стал для него откровением.

Словно почувствовав что-то, она нервно поправила ворот левой рукой. Правую она почему-то прятала за спину. «Скалка там у нее, что ли?» — подумал Павел. Он слегка подался вперед, чтобы заглянуть ей за спину. Скалки не было, но его движение напугало девушку, и она отпрянула.

Ему не нравилось, что она так его боялась. Что за детский сад, в самом деле? В конце концов, он не сделал ей ничего плохого. Райский не привык навязываться, и будь на то его воля, он бы немедленно ушел. Но ему нужно было остаться. Чтобы она немного успокоилась, он воспользовался испытанным способом — сказал комплимент.

— Красивый халат.

Комплимент был незамысловатый, примитивный даже, но она вспыхнула до корней своих рыжих волос, будто к ней поднесли спичку.

— Вы пришли, чтобы сказать мне это?

Это уже смахивало на хамство, но он постарался сдержаться и сказал с улыбкой:

— Я понятия не имел о вашем халате. Просто в нем вы похожи на японку.

Она покраснела еще сильнее, хотя дальше, кажется, было некуда, и это его развеселило. «Интересно, а бывают ли рыжие японки?» — подумал он, пристально ее разглядывая. Он знал, что ей это не нравится, но ничего поделать с собой не мог. Позади нее громоздился какой-то шкаф, и на фоне его темной лакированной дверцы она смотрелась великолепно. Плотная атласная ткань голубого цвета, покрытая переливчатой вышивкой, удачно оттеняла ее розовую кожу, похожую на тонкий шелк. Собранные в высокий хвост волосы открывали маленькие уши и длинную шею. Ему вдруг очень захотелось потрогать эти похожие на раковины ушки с розовыми мочками.

— Послушайте, прекратите на меня пялиться, — потребовала она, и он почувствовал, что тоже краснеет. Последний раз он краснел разве что в школе, а с тех пор считал себя слишком крутым для этого. Тоже мне, Джеймс Бонд хренов. От смущения он заговорил сердитым тоном:

— Мы так и будем стоять в дверях и развлекать соседей, или я все-таки могу войти?

— Можете войти, хотя я вас в гости не приглашала, — парировала она язвительно.

— В следующий раз обязательно запишусь на ауди-

•

енцию за неделю, — пообещал он и шагнул через порог, осторожно прикрыв за собой дверь.

— Проходите на кухню, — неприветливо буркнула она, вжавшись в стену, чтобы они могли разминуться. Коридор был настолько узким, что протискиваясь мимо нее, он оказался так близко, что, почувствовал ее запах. Она пахла не духами и даже не мылом, она пахла яблоками. Не свежими, а чуть подвяленными. Запах, знакомый с детства. Дед собирал яблоки в августе, потом резал их на аккуратные, ровные дольки и сушил на солнце. Яблоки пахли точно так же, как эта рыжая, полузнакомая девица, и у него почему-то слегка закружилась голова.

Вспомнив это, он чуть замешкался, проходя мимо нее, и она тут же оскалилась:

— Имейте в виду, если что, Тайсон вас на куски порвет.

— Кто бы сомневался.

Тайсон, услышав свое имя, заулыбался во всю пасть, но Глаша тешила себя тем, что в его случае это ничего не означает. Тайсон вообще исключительно улыбчивая собака.

Она повела его в кухню не просто так. В комнате висел большой мамин портрет, и ей не хотелось, чтобы Райский лишний раз вспоминал о том, чья она дочь. Он и так таращился на нее с нездоровым любопытством. Ей даже показалось, что он к ней принюхивается.

— Фигуру бережете? — спросил Райский, кивнув головой на миску с салатом.

— Нет. Мне просто нравятся овощи.

Он сразу поверил, что это не обычное женское кокетство, а чистая правда. Глаша косилась на свой салат с сожалением. Помидоры уже дали сок, и скоро есть его станет невкусно. От того, что приготовленное блюдо пропадет ни за что, она разозлилась еще больше.

— Зачем вы пришли? Я уж не спрашиваю о том, как вам удалось разузнать номер квартиры.

— Это совсем просто. Я пришел, потому что нам с вами нужно поговорить.

— Вот так вот, — пробормотала она удивленно.

— А разве у вас лично не возникли ко мне вопросы? Куда подевалось ваше любопытство? Или вас еженедельно спасают из различных передряг посторонние мужчины?

— Я не попадаю в передряги еженедельно, — тут же огрызнулась она, обидевшись за свою драгоценную репутацию. — Вопросы у меня, конечно, есть, но я не уверена, что получу на них честные ответы. Во всяком случае, от вас.

Они уселись друг против друга.

— Вы меня недооцениваете. Я кто угодно, но не лжец. — Он отметил, что ее травянисто-зеленые, кошачьи глаза зажглись от любопытства, хотя она изо всех сил пыталась скрыть его.

— Может, поговорим в другой раз? — прикинулась она независимой. — Я собиралась пообедать.

— Я могу подождать. Ешьте свой салат. Я же вижу, как вы мучаетесь.

— И ничего я не мучаюсь. Хотите салата? Или вы, как настоящий хищник, употребляете только мясо?

— Это комплимент или оскорбление? — уточнил он. — Впрочем, неважно. Давайте ваш салат. Только, чур, с хлебом. У вас есть хлеб?

Хлеб нашелся в хлебнице и даже, вопреки ее опасениям, довольно свежий. Стесняясь замотанного изолентой пальца, она орудовала ножом так неловко, что выронила его из рук.

— Давайте я попробую.

Он отобрал у нее нож, сполоснул его под краном и нарезал хлеб крупными ломтями. «Напахал», сказала бы бабушка, а Славик, тяготевший к изяществу форм, по-

•

морщился бы брезгливо. А ей так показалось вкуснее, и она все удивлялась, почему не делала так раньше.

Они слопали весь салат, и весь нарезанный хлеб тоже, а потом пили чай с печеньем. И совсем почти не разговаривали.

После того как она убрала со стола, он вдруг спросил:

— Ну что, поехали?

— Это куда же?

— Разве я не предупредил? Извини. — Очевидно, он счел, что после совместной трапезы обращаться на «вы» уже неактуально. — Я хотел предложить тебе съездить в лес.

— В какой еще лес? С какой стати?! — испугалась она.

— Обыкновенный лес, смешанный. Там сейчас грибов много. Опята пошли.

— Вы же хотели поговорить?

— Вот там и потолкуем. Я знаю отличное грибное место. Ты любишь собирать грибы?

Как он узнал? Собирать грибы Глаша обожала с раннего детства. Славик не одобрял, считал ее замашки деревенскими. Ему было скучно бродить по лесу и заглядывать под каждый листик, а из грибов он употреблял в пищу одни шампиньоны. Вычитал где-то, что в Европе лесными грибами брезгуют, и вообразил себя европейцем.

Глаша снова уступила мужу, она же мастер по уступкам. Она перестала звать его в лес осенью и почти забыла, как это замечательно: поехать в лес за грибами.

— Ну, так что? Любишь собирать грибы? — повторил свой вопрос Райский.

— Да. Очень. А вы разве тоже любите?

— Люблю, — признался он с улыбкой. — Но не очень-то умею. У меня только с опятами хорошо получается. Нашел пень, вжик-вжик — и полная корзинка.

— Те опята уже, наверное, закончились.

— Пневые — да, а вот луговые еще только начинаются. За ними мы и отправимся. Сколько тебе надо на сборы? — спросил он деловито.

Глаша таращилась на Райского во все глаза. Еще бы, она впервые видела миллионера, который обожал тихую охоту. Он так озадачил ее, что она даже позабыла про то, что должна его бояться.

Павел навел справки заранее. Глаша не раз говорила в магазине, что любит собирать грибы, так что ему не составило труда выяснить сей факт у Карины и ее матери. Если бы оказалось, что Глаша фанатеет от рыбалки, он потащил бы ее на рыбалку. Ему было все равно, лишь бы увезти ее подальше от города, от посторонних глаз и ушей.

ГЛАВА 21

Место действительно оказалось грибным, дивным и расположенным совсем недалеко от города. Глаша собралась очень быстро, второпях, как будто боялась, что он передумает. С одеждой проблем у нее не было. Почти все, что она носила, годилось, что называется, и в пир, и в мир, и в добрые люди. В лес тоже было можно, так как неярко и немарко.

Корзинка отыскалась тоже на удивление быстро, а ведь Глаша совсем позабыла, куда ее когда-то засунула.

Увидев Глафиру при полном параде с корзиной в руках, Райский как-то странно закашлялся, а предатель Тайсон, развалившийся у его ног, не вставая с места, помахал обрубком хвоста.

Глаша была в черных узких джинсах и черной водолазке. Волосы она собрала на затылке в тугой узел.

— Ты что, прямо так и поедешь? — спросил Павел, прокашлявшись.

— Нет, конечно, — рассудительно сообщила Глаша. — Еще куртку надену и сапоги.

Куртка вернула все на свои места. Она была большая,

●

стеганая, на молнии от шеи до колен и делала Глашу похожей на пингвина.

В машине девушка вся как-то съежилась, нахохлилась, закопалась в свою необъятную куртку так, что снаружи торчал только нос. Она молчала и таращила глазищи, как загнанная в угол мышь, чем ужасно его раздражала. Бояться, по его мнению, нужно было раньше.

Немного пообвыкнув, а может, просто смирившись со своей участью, как осужденный после оглашения приговора, Глаша завозилась тихонько, угнездилась поуютнее на сиденье, но на него все равно старалась смотреть только украдкой. Видя ее страх, Павел никак не мог начать важный разговор, опасаясь, что она перепугается еще больше и чего доброго сиганет на полном ходу из машины. Хотя нет, не сиганет, побоится свою собаку бросить. Вон он, Тайсон, сидит на заднем сиденье и пускает от восторга слюни, высунув в приспущенное окно башку.

Он был недоволен собой. Эта Глафира действовала на него как-то странно. Честно сказать, девица была так себе. У него бывали и красивее, и моложе, и умнее. Даже жена была. Так что удивить его трудно. Но эта удивляла каждый раз. Поначалу он записал ее в невезучие — уж больно часто она попадала в истории. И поскольку в силу обстоятельств он все время находился поблизости, ему волей-неволей приходилось ее выручать, не бросать же на произвол судьбы наследницу деда Федора? Когда он стал следить за ней по его поручению, он и представить себе не мог, что простое наблюдение превратится в круглосуточную охрану. Со временем он узнал все о ее характере и привычках, но она все равно оставалась для него загадкой, поскольку он не мог понять главного.

Она оказалась непредсказуемой. Разобраться с этой девицей будет непросто, но необходимо. Он должен выяснить, и как можно скорее, кто она на самом деле —

исчадие ада или ангел во плоти. От этого зависит и его и ее будущее.

В лесу она сразу же позабыла о его существовании. И это тоже было странно, никогда еще девицы не пренебрегали его обществом. Узкая тропинка вела через подлесок, заросший высокой, колышущейся от ветра травой. Еще стрекотали кузнечики. По краю поляны стеной вставали высокие, густо-зеленые ели. Сладко пахло прелой хвоей.

И девица, и ее пес пропали из виду прежде, чем он успел опомниться. По тому, как слева и справа трещали сучья, он догадывался, что они ускакали далеко вперед.

Грибов вокруг было — завались. Холодные крепкие шляпки торчали повсюду. Дед Федор, старый колдун, научил его разбираться в грибах и лекарственных травах. Даже сейчас, спустя много лет, он мог навскидку определить название любого растения и рассказать, как оно применяется. Ему не хватало этих уроков, неспешных вдумчивых разговоров обо всем, ощущения некой тайны, к которой он мог прикоснуться. Жаль...

Нахмурившись, Райский смотрел на молодую березку, трепетавшую на ветру тонкими ветками. Главное — это свиток. Остальное — эмоции. Он дал слово и должен его сдержать, потому что это не просто обещание, это долг. Долги он всегда платил вовремя.

Глаша набрала уже полную корзину крепеньких, упругих опяток, а грибов вокруг по-прежнему было много. С трудом преодолев азарт заядлого грибника, она устроилась передохнуть на поваленном стволе дерева. Корзинку она поставила между корней. Ноги гудели, в спине покалывало, но в голове было светло и радостно. Она глубоко вдохнула пряный воздух, терпкий и вкусный, как хорошее вино. Голова немного закружилась.

Глаша прислушалась и неожиданно обнаружила, что вокруг стало очень тихо. И Тайсон что-то давно не показывался. Первое время он каждые пять минут высовы-

●

вал из кустов лобастую голову, проверяя, все ли у хозяйки в порядке. А теперь исчез.

— Тайсон! — окликнула Глаша громко. Ее голос прозвучал как-то неестественно в наступившей тишине. Она встревоженно осмотрелась.

На первый взгляд лес выглядел обычно. Слева от нее — довольно глубокая яма с нависшими над ней корявыми, почерневшими от времени корнями. Яма была старая, из нее тянуло подгнившими листьями и стоячей водой. Вокруг ямы плотно сгрудились осины. Подлеска почти не было, и она могла видеть довольно далеко во все стороны. Солнечные лучи, пробивающиеся сверху сквозь сомкнутые желтые кроны, давали призрачный, зыбкий свет, но сумерки еще не наступили. Только в одном месте, возле нагромождения поваленных стволов сразу за ямой, сгущалась тень.

От завала исходило беспокойство.

Сзади раздался шорох. Нервы Глаши были до того напряжены, что она моментально подпрыгнула, как подброшенная пружиной, и обернулась. Никого. «Наверное, полевка или другой лесной обитатель», — подумала она, чтобы успокоиться.

Шорох повторился, но совсем с другой стороны. На этот раз ее реакция оказалась быстрее, и, обернувшись, она успела заметить маленький вихрь из листьев. Они взлетели над землей и опали, как будто кто-то подул на них из озорства. Вокруг не шелохнулся ни единый листок, ни одна травинка. Ветра не было.

От внезапного страха заломило в виске. Нужно поскорее выбираться отсюда. Но куда? Она совсем потеряла ориентацию, хотя старалась не заходить слишком далеко от дороги.

Пока она обдумывала, в какую сторону двигаться, следующий вихрь, возникший метрах в пятнадцати впереди, стремительно понесся прямо на нее. Листья издавали странный шорох, словно жесткие подкрылки тысячи крупных насекомых, трущихся друг о друга.

Коротко вскрикнув, Глаша отпрянула, запнулась о корзинку и вывалила наружу все содержимое. Но под ноги она даже не взглянула. Словно завороженная, она следила, как маленький смерч кружится и вьется в полуметре от земли, приближаясь.

Внезапно листья замерли, зависнув в воздухе, как в густом сиропе, и ссыпались на землю небольшой горкой с тихим звоном. Звон? Откуда он? Или это звенит в ушах от напряжения?

Все снова стихло. На всякий случай Глаша ворохнула кучку ногой, листья разлетелись во все стороны, как им и положено. Что за сила подняла их недавно в воздух и заставила плясать свой дьявольский танец под жуткую музыку?

Забыв про корзинку, Глаша побежала. Никогда в жизни она не бегала с такой скоростью. От шума и свиста в ушах она почти оглохла, но слышала, как за спиной вновь приближается шелест и звон. Теперь листья гнались за ней, как хищник за добычей.

«Только не оборачиваться!» — твердила она и неслась вперед. Она перепрыгивала через поваленные стволы, продиралась сквозь орешник, но никуда не сворачивала и не останавливалась ни на секунду. Ветви хлестали ее, цеплялись за растрепавшиеся волосы, которые все время падали на лицо.

Когда шелест и звон за спиной стали оглушительными, она все-таки обернулась и заорала в полный голос. Издалека вслед за ней тянулся широкий след, как будто проползла огромная змея. Эта змея теперь настигла ее. Прямо позади над девушкой нависла гигантская, туго закрученная спираль из бешено вращающихся желтых листьев. Слегка покачиваясь, она медленно, но неотвратимо приближалась.

Отчаянный вопль вырвался из ее груди. Она попыта-

ПОСЛЕДНЯЯ НОЧЬ КОЛДУНА

•

лась сдержать его, но куда там. Деревья дрогнули от ее крика. Глаша, словно со стороны, слышала свое тяжелое дыхание. Нужно бежать, спасаться, удирать, но ноги подвели ее: они вросли в землю, точно деревья корнями... Она как-то сразу поняла, что теперь все кончено.

Один лист словно вырвали из общей массы и с силой швырнули ей в лицо. Острая боль обожгла щеку. Глаша прижала к щеке руку и почувствовала, как между пальцами стало мокро и горячо. Недоумевая, она взглянула на ладонь, красную от свежей крови. Желтый лист оказался вдруг твердым и острым как бритва.

Еще несколько листьев-убийц атаковали ее с разных сторон. Тот, что чиркнул по куртке, вспорол плащовку точно скальпелем. Рукам стало больно, и она подняла их к лицу. Из правого запястья сочилась ярко-красная кровь и капала на землю. Тыльная сторона левой руки тоже была разодрана.

— О боже, нет! — закричала она, пытаясь защитить лицо окровавленными руками. Ее крик заглушил дикий звон. Точно стая разъяренных ос, листья обрушились на нее, как дождь из битого стекла, вспарывая кожу, сдирая ее заживо.

Поскуливая и рыдая, девушка попыталась натянуть на голову куртку, но это была лишь временная преграда. Ткань трещала и лопалась под напором осатаневшей листвы, в воздухе летали клочья синтепона.

Глаша поняла, что не выберется отсюда живой. Сквозь превратившиеся в лохмотья куртку и водолазку острые лезвия царапали плечи, спину, шею. Водолазка пропиталась кровью и липла к телу, кровь струилась по рукам, текла за шиворот.

Глаша уже не кричала. Она свалилась на землю, в центре крутящегося злобного торнадо и лишь вздрагивала всем телом, уткнувшись лицом в мох.

Она была без сознания, когда все внезапно прекратилось.

ЛАНА СИНЯВСКАЯ

●

Павел вбежал на залитую солнцем поляну и увидел скрюченное тело в ворохе опавшей листвы, густо забрызганной кровью. Кровь была повсюду, и Павел понял, что самое страшное свершилось.

Он боялся прикасаться к ней, не зная — жива она или нет. Только огромным усилием воли он заставил себя нагнуться над Глашей и осторожно перевернуть ее на спину. Сквозь корку запекшейся крови проглядывала бледная до синевы кожа, глаза были плотно зажмурены, но она дышала. Дыхание было слабым и прерывистым, но означало, что в теле девушки еще теплится жизнь. Он осторожно убрал с ее щеки слипшиеся от крови волосы и с облегчением вздохнул. Раны оказались не глубокими, однако их было много. Чертовски много для такого маленького слабого тела.

Бережно подняв девушку с земли, он прижал ее к себе, кое-как пристроив на плече ее безвольно болтающуюся голову. Она пошевелилась и пробормотала что-то неразборчивое.

— Все хорошо, девочка, все хорошо, — торопливо прошептал он ей на ухо. — О боже, это моя вина.

Ее тело дрожало, сердце сильно, неровно колотилось.

Крепко держа ее, он быстро шел вперед, приговаривая:

— Все кончилось... потерпи... уже все в порядке... все кончилось.

Она неожиданно распахнула глаза, в которых отразился животный ужас.

— Павел?

Ее голос дрожал и прерывался, как у человека, пережившего сильный шок. Она силилась что-то сказать, беззвучно шевеля запекшимися губами. Что-то очень важное, как ей казалось. Ему пришлось прижаться щекой к ее губам, чтобы расслышать:

— Они были как из стали... Острые... очень острые...

Он кивал, чтобы успокоить ее, но ни на секунду не

убавлял шаг. Он потом во всем разберется. После. Сейчас дорога каждая минута. С каждой минутой, с каждой каплей крови из нее вытекала жизнь, и он должен был торопиться.

Осторожно придерживая голову, он уложил ее на заднее сиденье своего джипа, быстро стянул со своих плеч куртку, свернул и подсунул ей под голову. По ее окровавленной щеке стекла слеза, оставив кривую дорожку.

— Мне больно, — пожаловалась она.

— Я знаю.

— Что это со мной?

— Тише, тише... Все закончилось. Потерпи еще немного, я отвезу тебя домой.

Она старательно кивнула, как маленькая девочка, которая хочет вести себя хорошо, в надежде, что ее не станут наказывать.

Она снова потеряла сознание, не справившись с болью. Чертыхнувшись, Павел торопливо нашарил в кармане мобильник, нажал кнопку автоматического набора и, едва услышав «алло», отрывисто отдал распоряжение. На том конце хорошо знали свою работу, и повторять ему не пришлось. Захлопнув заднюю дверцу, он обошел машину и сел за руль. Джип сорвался с места и понесся напрямик, подпрыгивая на ухабах.

* * *

Павел Райский, преуспевающий бизнесмен, глава концерна, стоял на коленях перед софой, на которой без сознания лежала Глафира, и нежно и тщательно промывал ей порезы. На низком столике рядом с ним стоял тазик с теплой водой и лежал огромный клок ваты. Лицо девушки было измученным.

— Ей повезло, что не задеты глаза, — сообщил стоящий за спиной Райского Альберт Натанович.

Павел кивнул, соглашаясь. Он сказал врачу, что на

девушку обрушилось стекло. Тот сделал вид, что поверил. По большому счету, он давно привык не задавать лишних вопросов. Сейчас перед ним была очередная пациентка, и ее состояние внушало ему опасения. Чувство долга перед этой несчастной боролось во враче со страхом перед мрачным озабоченным человеком, который добровольно выступал в роли сиделки. Такое самоотречение в его случае говорило о многом. Если доктор не справится, спросится с него по всей строгости.

— Она долго не приходит в себя. Это нормально? — спросил Райский, не оборачиваясь.

Доктор взглянул на часы.

— Пока да. Я вколол ей обезболивающее, оно имеет седативный эффект. Она вполне может проспать еще час. Если дольше, то это уже плохо.

Мужчины обменялись взглядами.

— Ее здорово потрепало, Павел Аркадьевич, — отвел глаза первым доктор, — но все должно нормализоваться. Молодой организм, хорошая регенерация, здоровое сердце...

Павел почти не слушал. Он видел, как она выглядит. Паршиво. Дело даже не столько в ранах. Глаша пережила сильный шок, столкнувшись с невсдомым, находящимся за гранью понимания нормального человека. Поэтому неизвестно, как отреагирует ее сознание после того, как она придет в себя.

Доложив, что сделал все возможное, врач покинул комнату. Павел, еще раз посмотрев на спящую девушку, вышел вслед за ним.

Как он и ожидал, Сашка Восковец по прозвищу Свеча отирался возле двери.

— Ну что, доэкспериментировался? — спросил он злорадно, оценив по достоинству мрачное лицо Райского. Павел стиснул зубы так, что они скрипнули, но промолчал.

— Я же говорил тебе, что девчонка ни при чем, — не

200

•

унимался Саша, ничуть не испугавшись грозного вида патрона. — И вообще, какого черта ты поволок ее в лес, да еще в одиночку? А если бы и тебя прихватило? Совсем спятил?

— И чем бы ты мне помог? — Усмешка показалась Свече оскорбительной. — К тому же мне лично ничего не угрожало.

— Это тебе так кажется. С этой минуты твоя жизнь, так же как и ее, гроша ломаного не стоит, — отрезал телохранитель, шагая по коридору рядом с Павлом. — Ты уверен, что это сработал свиток? — спросил он после паузы.

— Да. На все сто.

— Но ведь она возвратила его!

Райский резко остановился. Они неизбежно столкнулись бы лбами, но у Свечи была профессиональная реакция. Его неповоротливое на первый взгляд тело застыло на месте за долю секунды до столкновения.

— Я видел эти листья, Свеча, — злым шепотом сообщил Райский, — обычные листья, которые превратились в смертельное оружие, острое, как лезвия. Что, кроме свитка, способно на подобные превращения?

— По мне, так это все вообще смахивает на старую сказку. Девчонка вполне могла оступиться, свалиться в какие-нибудь колючки и расцарапаться в хлам.

— Ты мне веришь?

— А ты сомневаешься? Не верил бы, давно сменил бы работу, нашел бы более вменяемого клиента. Ты бы себя со стороны послушал. Колдовство, превращения, свитки древние. Бред. Но я знаю, что с головой у тебя все в порядке. Просто мне кажется, что девчонку нельзя было использовать вслепую. Там, где я служил, мирное население стараются не привлекать к особо опасным операциям. Я так привык.

— Здесь особая ситуация.

— Понятное дело. А тебе ее не жалко? Просто по-человечески? Нормальная ведь девчонка, симпатичная. Тебе, по-моему, тоже нравится. Вот рехнется теперь после всех этих чудес. Что делать будешь? Передачи в дурдом таскать и угрызениями совести мучиться?

— Ты прав, Саша, но это не мой выбор. Дед все решил за нас сам. Только он мог бы рассказать своей внучке всю правду о свитке. Но он этого не сделал, а значит, не могу сделать и я.

— Ну, теперь-то придется.

— Теперь — да.

— И то хлеб. Хотя по мне, так ее лучше отпустить на все четыре стороны, а еще лучше — увезти куда-нибудь подальше, пока мы со всем этим не разберемся. Какой от нее прок? Сам говорил, что сила деда ей не перешла.

— Она в опасности. Для свитка нет расстояний и срока давности. Пусть побудет на глазах.

— Ну, пусть побудет, — неохотно согласился Саша.

Райский взглянул на него с интересом.

— Что-то ты слишком сильно о ней печешься.

— Ну, я же человек, а не робот, как некоторые.

— Успокойся.

Восковец недобро усмехнулся и холодно взглянул Павлу в глаза.

— А я всегда спокоен, Паша. Я — профессионал. Вот только с бабами я не воюю.

— Я не собираюсь причинять ей вред.

— Но чем она может помочь?

— Человек, у которого сейчас находится свиток, кто-то из ее окружения. И он ее ненавидит. Вариантов — масса. Проверить их все можно, но на это понадобится время. У нас его нет. Чувство вседозволенности превратит человека со свитком в монстра. Тогда будет поздно. Девушка — единственная наша надежда. Я уверен, что он попытается убить ее снова. Мы должны опередить его.

— Ты говоришь очень уверенно. Это так важно?

— Да, черт возьми.

•

— Важнее, чем ее жизнь?

Восковец увидел, как в глазах Павла что-то дрогнуло.

— Не знаю, Саша, — нехотя выдавил Райский. — Надеюсь, что до крайностей не дойдет. — Он усмехнулся. — Ведь ты же профессионал?

На секунду ему показалось, что Свеча его ударит, но тот сдержался.

— Что там насчет собаки? — спросил Райский, чтобы сменить тему.

— Ничего. Мы с ребятами прочесали всю округу. Собака исчезла.

ГЛАВА 22

Окончательно Глаша пришла в себя только на следующий день, под вечер. Врач продержал ее на успокоительном почти сутки. Открыв глаза, она никак не могла сообразить, где она. Парчовые шторы, роскошная кровать с резной спинкой орехового дерева, какие-то пуфики, диван с гнутыми ножками. Глаша посмотрела на забинтованную по локоть руку и все вспомнила и удивилась, что жива. Осторожно приподняв край атласного, с вышивкой, одеяла, она обнаружила, что ее не только забинтовали, но и приодели. Ночная сорочка из натурального шелка приятно скользила по телу. Чья-то — она догадывалась, чья — щедрость не обрадовала, а рассердила ее. Но на то, чтобы разозлиться как следует, у нее не хватило сил.

Преодолев вялость и головокружение, Глаша сползла с кровати. Тапочек почему-то не нашлось, и ее ноги сразу же заледенели. Тонкий ковер не делал пол теплее, но Глаша упрямо двинулась вперед.

Придерживаясь рукой за все более-менее устойчивые предметы, она доковыляла до одной из дверей и ос-

•

торожно ее приоткрыла. За дверью был коридор. Ойкнув, Глафира поспешно нырнула обратно в комнату.

За другой дверью оказалась ванная комната. Старинная ванна на массивных звериных лапах, водруженная в самом центре, вызвала у нее восхищение, а громадное тропическое растение в кадке с широкими, плотными листьями привело в полный восторг.

В зеркале во всю стену Глаша увидела свое отражение и застонала: все было гораздо хуже, чем она предполагала. То, что не было забинтовано, было густо смазано йодом...

Она в доме Райского, никаких сомнений быть не может. Наверное, он привез ее сюда, после того как с ней случилось... ЭТО. Но думать о том, что произошло в лесу, было нельзя, она понимала это каким-то шестым чувством.

И она постаралась не думать.

Чтобы отвлечься, она схватила со стеклянной полочки какой-то флакон и принялась с преувеличенным вниманием его разглядывать.

— Зачем вы встали с постели, Глаша?

Озабоченное лицо Натальи Алексеевны взглянуло на нее из зеркала, возникнув там слишком внезапно. Глаша ойкнула. Флакон полетел на пол. Он не разбился, но пробка от удара отлетела, и по беломраморному полу растеклась густая розовая лужица.

— Извините, я не нарочно! — расстроилась Глафира.

— Ничего страшного. Я все уберу. А пока давайте-ка вернемся в постельку. Или вы хотите в туалет?

В туалет Глаша сходила первым делом, но признаваться в этом было стыдно.

— Вроде нет, — бодро отрапортовала она. — А долго я... проспала?

— Да уж вторые сутки пошли, — с готовностью сообщила Наталья Алексеевна.

ПОСЛЕДНЯЯ НОЧЬ КОЛДУНА

●

— А сейчас что, ночь? — Глаша почему-то испугалась.

— Нет. Вечер еще. Около шести где-то. Есть, наверное, хотите?

— Не знаю. Вроде нет. — Глаша прислушалась к собственным ощущениям, но так и не поняла, проголодалась она за сутки или все же не очень.

— Это от снотворного, — кивнула повариха без удивления. — Врач предупреждал. Но поесть все равно надо. Я принесу чего-нибудь легкого. Салатик, например. Или картошечки?

Глаша улыбнулась с благодарностью.

— Спасибо. Я очень люблю картошку. Но не нужно беспокоиться. Мне бы домой. Вы не знаете, где моя одежда?

Наталья Алексеевна усмехнулась:

— А нигде.

— Что значит «нигде»?

— То и значит. От одежи вашей остались только ленточки. Уж не знаю, как вас угораздило. Хозяин сказал, что на вас в магазине витрина обрушилась, стеклянная. Так, нет? — Повариха подождала ответа, потом сказала: — Ладно, молчите, если хотите. А то соврете что-нибудь не ко времени, будете потом мучиться.

— Почему же совру? Павел Аркадьевич сказал — стекло, наверное, так оно и было. А я все равно ничего не помню.

— Ясно. Память, значит, отшибло. Сказала же — молчите лучше. — Перехватив Глашин недоуменный взгляд, она пояснила: — Вы за дуру-то меня не держите, не надо. Я не вчера родилась, знаю, что стеклом так не поранишься. — Она вздохнула обиженно. — Пойдемте лучше в постель. Обопритесь на меня.

Но Глаша от помощи отказалась. Она чувствовала себя гораздо лучше и ходить могла самостоятельно. В голове тоже немного прояснилось.

В комнате она присела на край кровати.

— Это спальня для гостей?

— Нет, гостевые все заняты. А что?

— Мне здесь как-то неуютно. Как будто следит кто-то.

— Это от температуры. Мерещится. Кому нужно за вами подглядывать? Вы ведь в приличном доме.

Отвернувшись от Глаши, она отдернула штору и деловито пощупала батареи.

— Горячие. Но вы все равно одеялом накройтесь. Или вот халат набросьте.

Бархатный халат, разложенный в кресле, не вызвал у Глафиры энтузиазма. Она с благодарностью отказалась.

— Ну, как хотите. — Наталья Алексеевна не стала настаивать. — Спальня эта принадлежала Бэлле, жене хозяина. Остальные сейчас заняты, поэтому вы тут и оказались. Но вы голову себе не забивайте. Бэлла хоть и покойница уже, но умерла она не здесь, в больнице. Так что привидениям у нас взяться неоткуда.

— Да я вовсе и не думала о привидениях!

Кухарка хмыкнула, нервно сцепила перед собой руки, потом глубоко вздохнула.

— Просто так я, — пробормотала она суетливо. — Ничего такого в виду не имела. — Она вдруг приложила руку к своему лбу, словно проверяла температуру, и пробормотала: — Ох, что-то мне нехорошо. Устала я сегодня как собака.

При этих словах Глаша немедленно вскочила на ноги и вскрикнула:

— Собака! Где моя собака?!

— Какая еще собака, девочка? — отпрянула кухарка.

— Моя собака. Ротвейлер. Черный такой, большой очень. Где он, вы не знаете? Его Тайсон зовут, он был со мной в лесу, — затараторила Глаша, тараща на женщину умоляющие глаза.

— Да не было здесь никаких собак.

— Не может быть! Где же он?

ПОСЛЕДНЯЯ НОЧЬ КОЛДУНА

•

— А я откуда знаю? Вы были без собаки. Я вам дверь открывала, видела. Впрочем, нужно у хозяина спросить. Кстати, откуда в лесу взялось стекло, об которое вы поранились?

Вопрос застал Глафиру врасплох. Она была слишком расстроена, чтобы быстро придумать достойное объяснение, и поэтому просто сделала вид, что не расслышала. Поднявшись с кровати, она решительно двинулась к двери.

— Куда вы? — всполошилась Наталья Алексеевна.

— Искать хозяина.

— Зачем меня искать? — раздалось с порога.

Глафира остановилась, в бешенстве сжав кулаки. В пылу гнева она совсем позабыла, что одета более чем легкомысленно. В отличие от нее Райский это заметил и оценил.

— Где моя собака, Павел Аркадьевич? — В голосе Глаши отчетливо звенели слезы, хотя она старалась говорить с достоинством.

Он промолчал. Кухарка пролепетала что-то про картофельное пюре и поспешно ретировалась. Они остались один на один.

— Почему вы не отвечаете? Куда подевался мой пес?

Глаша машинально убрала с лица длинную прядь волос и требовательно посмотрела на Павла. Уголки ее рта заметно тряслись. Павел сел в кресло, помолчал еще немного, барабаня по подлокотнику пальцами. Эта дробь прозвучала для Глаши как похоронный марш.

— Понимаете, Глаша, ваш пес пропал, — выговорил он наконец, явно сделав над собой усилие.

— Как это пропал? Это невозможно! Он не отходил от меня ни на шаг. Он не мог пропасть! — выкрикнула девушка отчаянно.

— Очевидно, произошло что-то, с чем он не смог справиться, — осторожно предположил Райский. — Он мог просто испугаться и убежать.

— Да что вы несете? — возмутилась Глаша. — Тайсон ничего не боится! Он сильный и смелый, он бы не бросил меня ни за что!

Она поняла, что только что сама выдвинула единственное возможное объяснение, которое не решался высказать вслух Райский. Если собака никогда не оставила бы хозяйку по своей воле от страха или по трусости, то исчезнуть она могла лишь в одном случае — если кто-то убил ее. Поняв это, Глаша заплакала.

— Успокойтесь, пожалуйста, — попросил Райский удрученно. — Ваш пес вас не бросал. То, что произошло с вами в лесу, могло напугать кого угодно. Вы ведь тоже испугались?

— Да! Да! Тысячу раз да, будь оно все проклято! — крикнула Глаша сквозь слезы. — Но Тайсон... Он, наверное, не стал бы пугаться, ведь он жил на кладбище...

Райский мгновенно заинтересовался.

— На кладбище? Странно. Нельзя ли поподробнее?

Глаша не отреагировала на его вопрос. Она стояла посреди комнаты с закрытыми глазами и крепко прижатыми к щекам ладонями, по которым текли крупные слезы. Потом она медленно открыла глаза и произнесла почти спокойно:

— Извините, мне нужно идти.

— Куда, позвольте узнать?

Она взглянула на него непонимающе.

— Искать мою собаку, разумеется. Он, наверное, ищет меня и думает, что я его бросила. Я должна торопиться.

Она нервно огляделась в поисках одежды. Подошла к шкафу, распахнула дверцы, нахмурилась, увидев пустые полки. Потом растерянно обернулась к Райскому.

— Мне нужна моя одежда. — Тут она вспомнила слова кухарки и поправилась: — Хоть какая-нибудь одежда у вас найдется? Мне нужно срочно идти.

— Никуда идти не надо, — твердо сказал Райский. — Мои люди прочесали лес...

ПОСЛЕДНЯЯ НОЧЬ КОЛДУНА

•

— И что? — перебила Глаша.

— Ничего. Собака исчезла. Если вас это успокоит, то могу сказать, что труп ее тоже не нашли. Есть надежда, что ваш Тайсон жив и здоров, просто убежал куда-то.

— Но это же невероятно, правда?

— Странно, да. Хотя возможны варианты...

Почему-то Глаше не хотелось слушать про варианты, в этом слове ей чудилась угроза. Райский понял это по ее несчастному лицу.

— Ладно, поговорим об этом позже, — сказал он. — Я вижу, вы уже совсем оправились и можете спуститься к ужину.

Глаша с усилием сфокусировала взгляд на Райском, пытаясь уловить смысл его слов. Все, что не имело отношения к ее пропавшей собаке, в данную минуту доходило до нее с трудом.

— Я не хочу есть, — выдавила она. — Мне нужно домой. Пожалуйста, дайте мне какую-нибудь ненужную одежду.

— Одежда в шкафу. — Она взглянула на него недоуменно, и он насмешливо добавил: — Вы открыли не то отделение.

— Я не...

— Эта одежда не принадлежала моей жене, если вас это беспокоит. Переодевайтесь. Я подожду в коридоре и провожу вас в столовую.

— Я же сказала, что не голодна.

— Я слышал. Но поесть все же придется. Потом, если захотите, я отвезу вас домой.

— Я уже захотела.

— Тогда не тратьте время на капризы.

Он развернулся и быстро вышел, аккуратно прикрыв за собой дверь.

В другом отделении шкафа действительно нашлись новые, с биркой, джинсы, пара футболок с длинными рукавами и короткая модная куртка. Все дорогое, уж в этом-то она разбиралась. Глаша озадаченно разглядывала вещи, не решаясь даже примерить. Она никогда бы не выбрала для себя джинсы такой светлой, будто вылинявшей голубизны, да еще и стрейч в придачу. Чего ей обтягивать? А заниженная талия — это вообще полный кошмар, она потеряет штаны, не доходя до столовой. Что касается футболок — ярко-голубых, как весеннее небо, — то в последний раз она позволяла себе нечто подобное в старшей группе детского сада.

За неимением другого, она все же натянула на себя новую одежду и с опаской взглянула в зеркало. Все сидело как влитое.

Сложенный вчетверо листок на полу она заметила не сразу. Раньше ничего подобного тут не валялось. Она нагнулась, подняла записку и развернула ее.

«Если хочешь остаться живой, держись подальше от Райского».

Короткий компьютерный текст запрыгал у нее перед глазами. Глаша задумчиво почесала пальцем нос, задела свежую царапину, поморщилась. Что это такое? Угроза? Или предупреждение? Кто написал это и подбросил в стопку предназначенной для нее одежды? Друг или враг? В дверь деликатно постучали. Глаша поспешно запихала бумажку в карман джинсов, схватила куртку, повернулась и... нос к носу столкнулась со Свечой. Облаченный в красную безрукавку, которая подчеркивала ширину его груди и рельефную мускулатуру, он выглядел угрожающе, особенно — бычья шея.

— Привет, — хрипло сказал он, уставившись на нее. — Классно выглядишь!

— Здрасьте, — мяукнула Глаша неожиданно тонким голосом. — А где Павел Аркадьевич?

— Понятия не имею. А что?

Сообщить о том, что хозяин собирался дожидаться ее в коридоре, Глафира не решилась. Раз они не встре-

●

тились, стало быть, Райский куда-то подевался. Может, оно и к лучшему.

— Послушай, детка, а ты, оказывается, хорошенькая, — как будто удивился Восковец, внимательно ее изучая. — Ты куда-то собралась?

— Домой, — быстро соврала Глаша, рассчитывая на то, что ей, возможно, удастся проскочить до того, как хозяин успеет вернуться.

— Хочешь, отвезу тебя?

Глаша помедлила. Вообще-то, предложение было заманчивым, но что-то ее настораживало. Кто его знает, этого бугая? Вдруг он задумал что-то недоброе?

— В чем дело, малышка? — проявил нетерпение Восковец. — О чем задумалась?

— Нет, нет, все в порядке. Просто я проголодалась. Павел Аркадьевич приглашал меня поужинать, так что я, пожалуй, действительно поем перед дорогой.

— Я тоже могу тебя пригласить. — Свеча не желал понимать намеков. — Какой ресторан ты предпочитаешь?

— Спасибо, никакой. Мне нравится, как готовит ваша повариха...

Восковец недовольно шмыгнул носом и насупился.

— Я так понимаю, что ты не хочешь дать мне ни единого шанса, да, детка? А вдруг ты будешь приятно удивлена? Или я не гожусь на роль благородного рыцаря?

Глаша собиралась что-то сказать в свое оправдание, уверить силача в том, что он просто вылитый герой, и мягко намекнуть, что — увы — не ее романа. Но, пока она собиралась с духом, телохранитель шагнул к ней и сгреб ее в охапку, прижав к могучей груди. Глаша слабо пискнула.

— Не передумала еще? Может, попробуем?

— Пожалуйста, нет...

Он не дал ей договорить, закрыв рот поцелуем. В разговорах он был не силен и надеялся убедить девушку действием. Восковец был действительно крупным мужчиной и держал ее крепко, не вырваться. Но Глаша не собиралась сдаваться. В свое время мама показала ей один приемчик. Ее саму научил приему китаец — горячий ее поклонник. Надо было всего лишь сильно ткнуть пальцем в бок противника. Главное, попасть в нужную точку, ну, и палец не сломать от усердия, разумеется. Глаша попала куда надо, потому что Свеча вздрогнул и выпустил ее от неожиданности.

— Ты что? Больно же, — проговорил он с обидой. Глаша кивнула.

— Так и было задумано!

Он взглянул на нее с уважением.

— Где научилась?

— Да так...

— У тебя что, муж — китаец?

— Нет, — улыбнулась девушка. — Китаец подразумевается, но ко мне он не имеет отношения.

— Не сердишься на меня? — спросил парень миролюбиво, и Глаша вдруг поняла, что никакой он не душегуб, просто внешность у него такая, угрожающая. Ей стало легко от этого открытия, и она улыбнулась.

— Конечно, не сержусь. Мне даже лестно.

Свеча усмехнулся, и вдруг усмешка сползла с его лица. Глаша непонимающе обернулась, проследив за его взглядом. Возле дверей, скрестив руки на груди, стоял Райский и брезгливо наблюдал за парочкой. Когда он успел просочиться в комнату, оставалось загадкой. Увидев шефа и сделав выводы, Свеча протяжно вздохнул и протиснулся мимо него к выходу. После его позорного бегства Глафира осталась в одиночестве расхлебывать последствия. В эту минуту меньше всего Райский был похож на Святого. Ему скорее подходило имя Зевса-громовержца.

— Извините, что помешал. Я только хотел поторопить вас, — язвительно сообщил он. — Вы, как вижу, даром времени не теряли.

ПОСЛЕДНЯЯ НОЧЬ КОЛДУНА

●

— Может, не стоит торопиться с выводами?

Он ничего не ответил, резко развернулся и вышел, нимало не заботясь о том, последует она за ним или нет.

* * *

Надейся на лучшее, но всегда готовься к худшему — так всегда говорила бабушка. К присутствию Карины за столом Глаша оказалась не готова. Смысл записки, где говорилось, чтобы она остерегалась Райского, начал доходить до нее: она явно угодила в расставленную им ловушку. В данной ситуации яркая одежда, в которой девушка и без того чувствовала себя неуютно, неожиданно превратилась в вызов. Карина и Эллочка, с ног до головы одетые в черное, переглянулись многозначительно. Эллочка выпучила глаза и возмущенно фыркнула, в то время как Восковец, успевший прочно обосноваться за столом, пялился на Глашу с откровенным удовольствием, смущая ее еще больше. Более неудачного момента для смены имиджа было не сыскать.

— Вижу, что вам намного лучше, милочка, — растягивая слова, произнесла Эллочка, и яду в ее словах было побольше, чем в давешней солонке.

— Вам тоже вроде полегчало, — огрызнулась Глаша.

Элла поперхнулась. Карина взглянула испуганно. Соблюдая правила приличия, Райский помог Глаше сесть, никак не реагируя на короткую перепалку. Тем не менее дамы остались им недовольны, и он удостоился парочки неодобрительных взглядов. Усаживаясь, Глаша слегка отодвинула от него свой стул. Эллочка подняла бокал:

— Выпьем за мою дорогую подругу, царство ей небесное.

— А что, сегодня поминки? — Глаша понимала, что хамит, но ее раздражение достигло предела, и пить за Мулю совсем не хотелось. Ей вообще надоело ломать комедию. Единственный человек, перед которым она

•

испытывала неловкость — Карина, — оказалась здесь слишком некстати, но даже ее присутствие не могло Глафиру остановить. Эллочка намеренно бросала Глаше вызов, рассчитывая, что та не посмеет ответить в чужом доме. Глаша это понимала, но правила игры принимать не собиралась. Под слащавой улыбкой Эллочки отчетливо проглядывали оскаленные от ненависти острые зубки, и Глаша решила любой ценой дать ей отпор. Райский наблюдал за ее внутренней борьбой с любопытством патологоанатома, неожиданно обнаружившего у вскрытого трупа живое бьющееся сердце. Восковец, напротив, на Глашу не смотрел, мрачно изучал антрекот на своей тарелке. Ни тот, ни другой не спешили поднимать свои бокалы, но Глаша понимала, что именно от нее ждут ответной реакции. «Патологическая вежливость» пересилила. В полнейшей тишине девушка схватила бокал, стоящий возле ее тарелки, наполненный чем-то золотистым, быстро глотнула из него и принялась есть. Некоторое время тишину нарушали только позвякивания приборов о тарелки.

— Кариночка, девочка моя, почему ты плохо кушаешь? — запричитала Эллочка.

— Мне что-то не хочется, — прошелестел голосок. — Можно, я пойду к себе?

— Конечно, иди, дорогая. Тебе нужно отдохнуть. Я зайду к тебе перед сном, принесу теплого молока и печенья, — заворковала Эллочка, словно перед ней была пятилетняя кроха, а не взрослая, в общем-то, девица.

Глаша исподтишка бросила на Карину заинтересованный взгляд. Неужели молоко перед сном будет безропотно принято? Но Карина и не подумала возразить, возможно, просто не осмелилась. Она послушно кивнула Эллочке, озадачив Глафиру.

— После похорон Кариночка боится ночевать дома одна, — поспешно пояснила Эллочка, хотя ее никто ни о чем не спрашивал. Очевидно, пояснения делались исключительно для Глаши. — Она временно живет в нашем доме, хотя почему-то очень стесняется. — Слегка укоризненный взгляд в сторону Карины остался незамеченным: стеснительная мадемуазель так и не подняла опущенные в пол очи.

— Я вам очень признательна, — пролепетал ангел во плоти, собравшись с духом. Только вот единственный взгляд был брошен ею не на благодетельницу, а на Райского. Тот отреагировал незамедлительно.

— Не стоит благодарности, — проникновенно заявил он. — Живи, сколько захочешь. Места много.

До Глаши дошло наконец, почему все спальни в доме оказались занятыми, жильцов действительно прибавилось. И Карина — одна из них. Эта новость почему-то огорчила Глашу, хотя она сумела сделать незаинтересованное лицо. Мысленно девушка немедленно сделала себе выговор. С какой стати она расстраивается? Это не ее дом, и ей нет никакого дела, сколько народу здесь проживает. Пусть вот Райский разбирается. Карина грациозно поднялась со стула, Эллочка немедленно вскочила вслед за ней.

— Что-то ты плохо выглядишь. Я провожу тебя в комнату.

— Спасибо, не стоит. — Голос девушки дрогнул.

Эллочка положила руку ей на плечо, словно успокаивая. Карина дернулась, будто от неожиданного отвращения. Глафира едва удержалась, чтобы не присвистнуть от удивления. О-ля-ля! Да тут, похоже, намечается любовный треугольник? Куда мамаша-то смотрела? Эллочка ничего не заметила. Она с преувеличенной заботой приложила ладонь к горящей щеке Карины.

— Боже мой, да у нее жар!

«Скорее уж любовная лихорадка», — подумала Глаша ехидно.

— Павел! Нужно немедленно позвать доктора! Вечно его нет, когда он нужен!

●

Судя по бесстрастному выражению лица, Райский не слишком обеспокоился состоянием Карины. Наверное, тоже догадывался насчет лихорадки. Тем не менее он откликнулся:

— Альберт Натанович уже уехал, но, если понадобится, я вызову его.

— Спасибо, — заалела щеками Карина, — не нужно беспокоить доктора. — Незаметным движением девушка отстранила руку Эллочки. — Он и так проводит здесь массу времени. — Быстрый взгляд из-под ресниц не оставил сомнений, на кого тратит это время бедный доктор. Глаша поняла, что камень был пущен в ее огород. — Со мной ничего страшного не случится, — продолжала мужественная страдалица. — Мне нужно только прилечь. Можно? — Изящно склонив к плечу точеную головку, Карина снова взглянула на Райского с неожиданной нежной робостью в фиолетовых глазах.

Глаша чуть не свалилась со стула. Вот это размах! Девчушка провела свою партию виртуозно. Какое уж тут молоко с печеньем! Получив разрешение — а кто бы посмел ей отказать? — Карина немедленно выскользнула из столовой. Понаблюдав за ее игрой, Глафира стала сомневаться в том, что ее траурный наряд был выбран исключительно в соответствии с поводом. В черном фигура девушки выглядела особенно хрупкой и беззащитной... Свеча неожиданно подмигнул Глаше заговорщицки. Внезапный рзский звук Эллочкиного голоса царапнул Глаше нервы.

— Глафира, теперь, когда Кариночка ушла, вы должны рассказать нам все подробности.

— Какие? — осведомилась Глаша вежливо.

— Ну как же? Вы ведь были в этом отвратительном сельпо в тот ужасный, ужасный вечер, когда моей подруги не стало?

— Если вы про магазин, в котором я работаю, — подчеркнула Глаша, несогласная с определением «сельпо», —

ПОСЛЕДНЯЯ НОЧЬ КОЛДУНА

●

то да, на дне рождения я была, так же как и два десятка других сотрудников. Но никаких подробностей я не знаю.

— Ерунда! Отговорки! У вас такой крошечный магазинчик, что...

— Не супермаркет, это точно.

— Вот-вот. Должны же быть какие-то свидетели!

— В туалете? — уточнила Глаша, изобразив смущение. Ей почему-то нравилось злить и дразнить Эллочку. Ничего подобного она раньше за собой не замечала. — Ваша Му... Амалия скончалась именно там, а такие места посещают, как правило, без свидетелей. — Глаша развела руками. — Увы!

— Вы темните. Все равно я не верю, что это был несчастный случай! Такая рана! — продолжала Эллочка упрямиться.

— Воля ваша. Но так сказали в милиции.

— Господи, да милиция вся куплена! Что велели, то и сказали.

— Вы заблуждаетесь, — Глаша начала терять терпение. — Продавцы не так много получают, чтобы хватило на подкуп органов правопорядка.

— Своя шкура дороже любых денег, — фыркнула Элла презрительно. — Это было убийство — и точка! — Она пристально уставилась на Глафиру, как будто ожидала, что та незамедлительно сознается в преступлении и прилюдно покается во всех грехах. Глаша не дрогнула, чем вызвала сильное разочарование Эллочки. — У Амалии было столько врагов! — воскликнула она с пафосом. — Кариночка мне рассказывала. И вы, кстати, в том числе. Не думайте, что я ничего не знаю. На нее покушались, ее хотели отравить. Эти ужасные продавщицы, отбросы общества!

— Вас тоже хотели отравить, хотя вы у нас в магазине не работаете, — резко возразила Глаша. Эллочка вдруг

217

как-то вся съежилась, заозиралась затравленно и незаметно отодвинула от себя тарелку.

— Ах, не напоминайте мне об этом! Я до сих пор боюсь садиться за стол! — скривилась она.

— Ага, Элла у нас теперь осторожничает, — хохотнул Саша Восковец весьма непочтительно, — питается только полуфабрикатами из супермаркета, сама покупает, сама в микроволновке готовит, а к соли и сахару вообще не притрагивается. За общий стол садится исключительно со своей миской.

— А что вы смеетесь? Думаете, это так просто — жить рядом с теми, кто хотел тебя отравить?

— А вы не живите, Эллочка, — предложил вдруг Павел. — Вы можете уехать. Ради собственного спокойствия хотя бы.

— Точно! — подхватил Восковец. — Какая там у вас квартирка-то, Элла Геннадьевна? Если память мне не изменяет, однушка на восьмом этаже панельного дома? Чудный, чудный вариант! Тесновато, конечно, зато запретесь на все замки, и никто до вас не доберется. А микроволновку мы вам, так и быть, подарим.

— Да как вы смеете! Павел, немедленно прикажите вашей горилле заткнуть пасть и извиниться! — вскипела Эллочка.

— Если я прикажу ему заткнуть пасть, то он уж точно не сможет извиниться, — заметил Райский рассудительно.

— А-ааа! Я поняла! Это вы его подучили! Зря стараетесь! Вам меня отсюда не выжить! Этот дом принадлежит мне по закону. Так захотела моя сестра. Видать, не таким уж хорошим мужем ты был. Я все знаю! — Она погрозила костлявым пальцем. — Если не прекратите свои издевательства, я всем расскажу! Понятно?! Так что будь со мной поласковее, для своей же пользы. — В заключение она треснула по столу кулаком так, что жалобно зазвенели фужеры, и вихрем вылетела из столовой.

— В детстве я читал одну книжку, «Волшебник Изумрудного города» называется, — задумчиво проговорил Восковец. — Там одна ведьма была, Бастинда, что ли? Так вот — вылитая наша Эллочка! Честное слово! Может, попробовать окатить ее водой? В сказке это помогло.

— А что с ней стало? — спросила Глаша с любопытством. Саша развел руками:

— Растаяла.

— Вы, кажется, торопились домой? — неожиданно напомнил Райский. Твердость на грани высокомерия, прозвучавшая в его голосе, разозлила ее.

— Я не передумала, не бойтесь. Но как же вы поведете машину? Вы ведь набрались, уважаемый!

В самом деле, за ужином Райский почти ничего не ел, зато вину отдал должное. В ответ на ее слова он так расхохотался, что лицо у Глаши окаменело, и она резко отвернулась.

— Вас ЭТО беспокоит? Хорошо! Вон, Саня трезвый, он вас доставит в лучшем виде, вы ведь именно этого добивались? — Он хлопнул своего телохранителя по монументальному плечу и ухмыльнулся: — Поздравляю, у вас все на мази.

— Но я не хочу... — Павел сложил губы в такую насмешливую, даже издевательскую улыбку, что у Глаши от ярости мурашки побежали по позвоночнику.

— Ладно, Глаш, не бойсь, — поднялся из-за стола Саша, — доставлю тебя в лучшем виде. А хозяин пока за Каринкой приглядит. Совсем расклеилась барышня. Ее второй маме, Эллочке, доверять не стоит. Как бы чего...

— Я присмотрю, чтобы этого не случилось, — пообещал Павел, лениво откинувшись на спинку стула.

— Тьфу, — выругалась Глафира. Схватив куртку, она резко развернулась и промаршировала к двери. Ее спина подрагивала от едва сдерживаемой злости. Поглядев на эту спину, Восковец сказал:

— Вот теперь я бы уже не стал списывать тебя со счетов, детка. Я имею в виду список подозреваемых.

— Не напрягайся, — фыркнула Глаша. — Если бы я решила отравить твоего драгоценного босса, я не стала бы пользоваться мышьяком. Слишком легко. Я бы нашла препарат, который парализовал бы его полностью, за исключением слуха. Вот тогда я с удовольствием высказала бы ему все, что я о нем думаю. Пары часов мне бы хватило.

ГЛАВА 23

Соваться на работу с такой физиономией явно не стоило. Глаша поняла это, едва взглянув на себя в зеркало. Еще день простоя. Черт знает что! Скоро она совсем обнищает. Однако продавец с таким лицом много не продаст, скорее распугает последних покупательниц. Глаша раскисла. Деньги таяли с катастрофической скоростью. Очень хотелось заплакать, вот как было себя жалко. И почему на нее все это навалилось? За какие грехи? Такое ощущение, что она досрочно попала в ад, вот как все было плохо. Селевой поток мрачных мыслей прервал телефонный звонок. Звонила Валя. Хорошо, что хоть кому-то есть до нее дело. Валя с ходу принялась ругаться. Оказывается, они с Диной совсем сбились с ног, разыскивая ее. И звонили, и даже приезжали — все без толку. Дина уже предлагала начать обзванивать больницы и морги. Хорошо, что у Вали хватило ума подождать еще немного. Теперь она, Глаша, нашлась, и ей здорово достанется от обеих. Глафира коротко поведала о своих приключениях. Пропажа собаки не произвела на Валю большого впечатления. Глаша подозревала, что подруга всегда втайне была против — как она выра-

●

жалась — кладбищенского монстра. Однако едва Глафира заикнулась о взбесившихся листьях, Валя решительно заявила, что немедленно выезжает, и бросила трубку. Неслась она, должно быть, во весь опор, так как в дверь позвонили уже через четверть часа. Наученная горьким опытом, Глаша, прежде чем открыть, заглянула в глазок. Валя погрозила ей кулаком и крикнула:

— Открывай давай, конспираторша!

— Как я выгляжу? — первым делом спросила Глаша. Соврать Валя не решилась. В доме имелось как минимум одно зеркало, и подруга сама знала ответ на свой вопрос.

— Скажем так: раньше ты выглядела лучше, — призналась Валя и покачала головой.

Она деловито поворошила содержимое своей сумки, извлекла целлофановый пакет, сложенный во много раз, и протянула его Глаше.

— Это что?

— Деньги, — будничным тоном ответила Валя.

— Какие еще деньги? Ты что, спятила?

— Ничего я не спятила, не выдумывай. Это твои деньги. Выручка.

— Валь, какая, на фиг, выручка, если я уже несколько дней не работаю?

— Зато мы с Диной заработали. Люди ходят, спрашивают. Что нам, трудно продать, что ли? И вообще, ты чего пристала, а?

Стало быть, девчонки торговали вместо нее целый день, а то и больше, прикрывая друг друга, рискуя нарваться на какую-нибудь проверку или, что еще хуже, оказаться застуканными на месте преступления собственными хозяевами. За отлучку всегда наказывали строго.

— Валь, зачем? — тихо спросила Глаша.

— Слушай, отвяжись ты. Мы с Диной что, не люди? Или у тебя деньги лишние? Что ты разволновалась?

•

— Да ничего. Много наторговали-то? — поинтересовалась она.

— Да уж побольше, чем твоя Неля.

Денег действительно оказалось довольно много. Пересчитав их по просьбе Вали, Глаша немедленно попыталась всучить часть ей же, но та снова погрозила кулаком, приказала «закрыть тему», и Глаша сдалась.

— Что делать думаешь? — поинтересовалась Валя некоторое время спустя.

— Да вот, хочу к Альбине съездить. На работу в таком виде — курам на смех. Год потом потешаться будут. Да и объяснять что-то придется. Поговорю с Альбиной, может, хоть узнаю что интересное.

— К Альбинке я тебя отвезу. Все равно у шефа до конца дня отпросилась. Только чует мое сердце, зря это. Не расскажет тебе ничего Альбинка.

— А вдруг?

— Вдруг бывает только... впрочем, ты сама понимаешь. Альбину я давно знаю, она девка приличная. Не сплетница. Разговорить ее вряд ли удастся. Хотя попробуй. Чем черт не шутит? Очень уж ей Муля в свое время насолила.

— А из-за чего, ты не в курсе?

— Понятия не имею. Говорю же, не болтливая она. Только тогда у них чуть до драки не дошло. Если бы Альбинку не оттащили, она бы точно Муле глаза выцарапала. Самое прикольное во всем этом, что Муля тоже как воды в рот набрала. Ни слова не сказала, за что ее Альбинка мутузила.

Альбина жила в обычной пятиэтажке, ощетинившейся разномастными балконами. На небольшом пятачке таких домишек было понатыкано штук пятнадцать, номера шли почему-то в произвольном порядке, а на большинстве домов табличек совсем не имелось, так что без Вали Глаша могла бы плутать тут хоть до полуночи.

— Я у нее была в гостях как-то раз, — пояснила Валя,

●

останавливая машину возле нужного подъезда. — Этаж, кажется, второй, дверь — направо. Может, все-таки с тобой пойти?

— Не надо. Что я, маленькая? — обиделась Глаша. На самом деле она чувствовала себя совсем неуютно и храбрость проявляла только на словах, но Валя об этом не догадывалась и потому отпустила ее с миром.

Поднимаясь по разбитым, давно не мытым ступенькам, Глаша гадала, как поведет себя Альбина, когда Глаша начнет приставать с расспросами. Вполне вероятно, захочет спустить ее с лестницы и будет совершенно права. Правая крайняя дверь на втором этаже оказалась самой задрипанной. Даже дешевый дерматин был местами продран, а потом аккуратно зашит суровыми черными нитками. Звонок не работал или был отключен. Глаша неуверенно стукнула в дверь, но та от толчка неожиданно бесшумно открылась. На Глашу пахнуло запахом кипяченого молока и стираных детских пеленок. В квартире по всей прихожей, словно флаги дружественных государств, были развешаны те самые пеленки вперемешку с ползунками и неправдоподобно крошечными распашонками.

— Эй, есть кто дома? — негромко позвала Глаша. Ей не ответили. Потоптавшись немного у порога, она протиснулась в квартиру, неплотно притворив за собой дверь, и вновь окликнула хозяев, на этот раз погромче.

— Чего ты разоралась? — пристыдил ее неожиданно чей-то сердитый шепот. Глаша повернулась на голос и обнаружила возле себя невысокую девушку с малышом на руках. Девушка была в дешевом байковом халатике и сама походила на ребенка с ангельским личиком: острый подбородок, огромные голубые мультяшные глаза и светло-пепельные кудри до плеч. Не хватало только прозрачных крылышек за спиной.

— Здравствуй, — Глафира замялась. — А... Мне бы кого из взрослых...

●

Фея усмехнулась как-то так, что Глафира вдруг поняла — девушка давно уже не школьница и даже, наверное, не студентка. Улыбка сделала ее старше, хотя обычно бывает как раз наоборот. Такое впечатление, что девушка вообще не умела улыбаться и оттого делала это неловко, словно через силу.

— Тебя кто впустил? — все так же шепотом спросила девушка, слегка покачивая спящего ребенка. — Мама, что ли? Где она?

— Меня никто не впускал, — смущенно призналась Глаша. — Я сама вошла.

— Ну, тогда сама можешь и выйти отсюда, — сурово отчеканила фея. — Опять мама к соседке выскочила и дверь не заперла, — пробормотала она расстроенно.

— Простите меня, пожалуйста. Я стучала, звала, но никто не откликнулся. Я не хотела вас беспокоить или пугать. Я пришла по делу. Вы ведь Альбина?

— Допустим. Но вас я не знаю.

— Я из магазина. Вы там работали. А теперь я там тоже работаю. Пришла уже после того, как вы уволились. Мне очень нужно кое о чем вас расспросить.

— Какие у вас могут быть ко мне вопросы, если мы даже незнакомы? — искренне удивилась девушка.

— Меня Глаша зовут.

— Ну и что это меняет?

— Ничего. Просто Муля, то есть Амалия Тряскова... она умерла, и я хотела...

Внезапно открывшаяся дверь больно ударила Глашу по лопаткам. Глаша ойкнула и отступила, давая дорогу маленькой полной женщине с совершенно седыми волосами и добрым, но невероятно грустным лицом. Сейчас это лицо выражало беспокойство.

— Кто это, доченька? — испуганно спросила женщина.

— Не волнуйтесь, мама, это ко мне. Пожалуйста, уло-

•

жите Маринку в кроватку. Она уже заснула. А я скоро освобожусь и подменю вас.

Женщина бережно приняла ребенка, прижала его к груди и поспешно скрылась в комнате, плотно прикрыв за собой дверь.

— Идем на кухню, — скомандовала Альбина. — Неужто эта гнида сдохла? — спросила она возбужденно, пристраиваясь на краешек табурета в чистенькой кухоньке. — Да сядь ты, — нетерпеливо махнула она рукой в сторону второй табуретки. Глаша села. — Ну? Как это случилось? Когда?

— Недавно совсем. Прямо в магазине. Милиция приезжала. Сказали — несчастный случай. Она упала так неудачно, в туалете, разбила висок о трубу, то есть о металлический штырь, который...

Громкий смех перебил ее. Альбина хохотала так искренне, словно услышала суперсмешной анекдот.

— В туалете? Правда? Класс! Как будто специально! Лучшей смерти для нее не придумаешь. — Тут девушка перехватила изумленный Глашин взгляд и спросила с вызовом: — Что смотришь?

— Ничего, извини. Ты ее недолюбливала?

— Ха! Я ее ненавидела! Так и запомни. И сейчас ненавижу, хотя она уже мертвая. И буду ненавидеть всю оставшуюся жизнь, до последнего вздоха. Постой-ка... А это точно был несчастный случай? Ты уверена? — вдруг встрепенулась Альбина. Глаза у нее зажглись горячечным блеском. В лице появилось что-то хищное.

— По официальной версии, она упала сама... — покачала головой Глаша, стараясь говорить уверенно, но Альбина ее перебила:

— Официально? — Она наморщила гладкий лоб. — Похоже, кое-кто в этом сомневается. Я права? И кто же?

— Я. — Глаша решила быть честной.

— Вот как? А тебе что за дело?

— Да никакого дела, в общем-то, и нет. Просто мне

●

кажется, что с несчастным случаем поторопились. Что-то не сходится. Конечно, Муля была пьяная и все такое, но ведь не в первый же раз. И упала она уж больно «удачно». Чуть в сторону — и осталась бы жива, а тут сразу насмерть. Опять же, ее характер, репутация, ты должна понимать, что я имею в виду.

— Пока что-то не очень, — призналась Альбина. — И потом, почему ты пришла именно ко мне? Я ведь давно у вас не работаю.

— Это как раз самое важное. Понимаешь, чтобы доказать версию с убийством, нужен мотив. Мотив есть — Муля занималась шантажом, — но нет доказательств. Все, кого она донимала, молчат. Оно и понятно. Дела-то в основном мутные. Огласка никому не нужна. А убийца — кто-то из своих. Его хорошо бы найти.

— Да ему памятник поставить надо, прижизненный. Такую гадину изничтожить! — пылко воскликнула Альбина.

— Не все так просто, — покачала Глаша головой. — Мне нужна информация о Муле, хоть какая-нибудь. Помоги мне.

— Так ты пришла затем, чтобы я рассказала тебе, кого и за что она шантажировала?

— Что-то вроде того.

— Зря время потратила. Не буду я ничего рассказывать.

— Валя меня предупреждала, — удрученно вздохнула Глаша.

— Это какая же Валя? Блондинка? Здоровенная такая? — Глаша кивнула утвердительно. — Так она все еще там работает! Надо же!

— Работает. Она моя подруга. — Альбина о чем-то размышляла, нервно постукивая ноготком по столу. Солнечные лучи, падающие из окна, золотили ее курчавую макушку.

ПОСЛЕДНЯЯ НОЧЬ КОЛДУНА

•

— Ладно! Что ты хочешь узнать? — неожиданно решилась она. — Только, чур, не про чужое грязное белье.

Глаша ответила не сразу. По правде сказать, ее интересовало как раз грязное белье. Как ни противно в нем копаться, но только там можно было отыскать тайну возможного Мулиного убийцы. Однако Альбина ясно дала понять, что этой темы касаться не хочет, и Глаша не знала, как ее переубедить. Она спросила навскидку:

— Ты не помнишь, были у кого-нибудь запасные ключи от черного хода?

— Так у Мули и были, — последовал неожиданный ответ.

— Ты ничего не путаешь?

— Я пока не в маразме, чтоб путаться. Сама видела. Иначе бы не говорила. Как-то раз я пришла пораньше, еще закрыто везде было. Стою, жду, на часы поглядываю. Смотрю — Муля чешет. Прямиком к двери и ключами — звяк, звяк. Поковыряла в замке, дверь открыла и — шасть внутрь. Я за ней, да не тут-то было. Она дверь прямо перед моим носом захлопнула.

— Вот, значит, кто мне шмотки портил, — догадалась Глаша.

— Какие еще шмотки?

— Ну, вещи, одежду в отделе.

— Ты одеждой, что ли, торгуешь?

— Ну да. Муля у меня идею сперла, клиентов переманила, наплела им гадостей всяких. Еще продавца увела, с которым я много лет проработала.

— Узнаю Мулин почерк. Только тебе, Глаша, еще повезло.

— Ничего себе везение.

— У тебя эта тварь всего лишь бизнес украла, — продолжала Альбина, не обращая внимания на ее возражение. — Это не самое страшное.

— А что еще можно украсть?

— Душу можно. Или целую жизнь.

●

— Это в каком смысле?

— В прямом. Хочешь, расскажу, что она со мной сделала?

— Ну, если ты не против...

— Ладно, слушай. Мне вообще-то по жизни с мужиками не очень везло. И не смотри на меня так. Тут не в одной красоте дело. Мне, понимаешь, все время козлы какие-то попадались. Не то чтобы я слишком уж разборчивая, но когда видишь, что перед тобой чмо, это же сразу ясно, да? И вот, представь себе, вдруг познакомилась я с парнем. На первый взгляд — так себе, ничего особенного, хотя на внешность я внимания не обращала. Принца на белом коне я никогда не ждала. Стали мы встречаться. По его инициативе. Я-то так: придет — и ладно, не придет — тоже неплохо. Только через некоторое время я вдруг поняла, что мне с ним так хорошо, как никогда и ни с кем... Он особенный был, Димка-то мой. Умел в людях самое ценное разглядеть, а потом это ценное наружу вытащить, чтобы всем заметно стало. Он меня сразу к матери своей повел, знакомиться. И мать оказалась замечательная. Никаких таких штучек, как у свекровей водится, ни придирок, ни скандалов, будто они только меня всю жизнь ждали. А могли бы и по-другому себя поставить. Димка очень хорошо зарабатывал. Не миллионер, конечно, но по сравнению со мной... — Она повела вокруг рукой. — Сама видишь, как живу. Я его поначалу сюда даже приводить стеснялась. — Альбина помолчала немного, будто вспоминая что-то приятное. Но длилось это недолго. На ее личико вновь набежала тень, и она проговорила глухо: — Он меня сразу в загс звать стал. Вот буквально через месяц после знакомства. Представляешь? — В глазах ее вновь забрезжил огонек, но разгореться ему помешали вдруг набежавшие слезы.

— А почему ты плачешь, если все так хорошо складывалось? — решилась спросить Глафира.

ПОСЛЕДНЯЯ НОЧЬ КОЛДУНА

•

— Потому, что вскоре вся моя сказка превратилась в кошмар. Это произошло тогда, когда Муля о нас узнала. — Альбина сильным, злым движением утерла с глаз слезы. — Я, дура, сама во всем виновата. От счастья совсем умом тронулась, молола языком как мельница. Ну как же, замуж выхожу! За богатого, по любви! Вот счастье-то привалило. Забыла, что для Мули чужое счастье — что рыбья кость в горле. Поженились мы с Димой, свадьбу сыграли. А через месяц после свадьбы у меня вдруг задержка. Димке сказала, так он обрадовался! Как на крыльях летал, не знал, как мне угодить, желания исполнял, что твой старик Хоттабыч. И мама его тоже радовалась. Она и так-то ко мне хорошо относилась, а тут и вовсе доченькой считать стала. Пошла я, как положено, к врачу, а там... — Альбина судорожно вздохнула, сжала между колен руки и замолчала. Глаша ждала, не решаясь поторопить ее. — В общем, врач определил, что беременности моей больше трех месяцев, — произнесла Альбина убитым голосом.

— То есть...

— Ну да, да! Это был не Димин ребенок. Встречалась я до него с одним балбесом. Самое смешное, что я его всерьез никогда и не воспринимала, на расстоянии держала, не подпускала к себе. Только один раз, на даче у моих друзей, он меня напоил сильно, тискать начал. До этого самого у нас дело не дошло, но раздеть он меня раздел, и сам... не удержался. Я ему по роже надавала, выгнала, но всерьез об этом не беспокоилась. Ведь ничего же не было! Я как была девственницей, так и осталась. А вышло...Черт знает что вышло. Я потом в книжке специальной вычитала, оказывается, это действительно возможно. Жаль, поздно я об этом узнала.

Альбина продолжала тихо, монотонно говорить, а глаза ее наполнялись невыплаканными слезами, словно она заглянула внутрь себя, в свой собственный ужас. Глаша хорошо понимала тот кошмар, который пережила девушка, попав в такую безвыходную ситуацию. Даже аборт она сделать не могла, ведь ее муж уже знал о ребенке. Он ждал его, как своего, радовался, готовился. Такая новость почти наверняка разрушила бы их отношения.

— Можно было, конечно, соврать, что ребенок родился недоношенным, но и тут мне не повезло. Мы с Димкой светленькие оба, а тот, другой — жгучий брюнет. Вдруг бы ребенок пошел в него?

— Ну и что? Так тоже бывает. Придумала бы что-нибудь про дальних родственников.

— Может, и придумала бы. Да только не успела. — Альбина горько усмехнулась. — Уж как там Муля вызнала подробности — понятия не имею. Только однажды подловила она меня, да и выложила: либо я ей бабки гоню, либо она моему мужу устроит курс политпросвещения с демонстрацией наглядных пособий. Моего предыдущего парня в магазине видели, я его не скрывала. Кто же мог знать, что все так обернется?

— И много она запросила?

— Не слишком. — Рот Альбины искривился в жалкой имитации усмешки. — У нее на все про все была одна такса.

— Но ты не стала платить, верно?

— Верно. Не стала. Не только потому, что денег не было. Откуда у меня такие деньги? Просто я знала, что эта дрянь никогда не отвяжется. Она ведь намекала мне на богатого мужа. Дескать, выпроси у него на шпильки там, на булавки, вот и сочтемся. Но я ничего у него просить не стала. Решила, что судьба это и нужно все рассказать как есть. Димка ведь добрый у меня, ласковый, он бы мне поверил. Ведь правда же? — спросила она жалобно и сама же себе ответила: — Правда. Я знаю. Мы бы и для мамы его что-нибудь придумали. А потом я бы ему хоть еще пяток своих ребятишек родила. Очень мне от него детишек хотелось...

— Ты рассказала?

ПОСЛЕДНЯЯ НОЧЬ КОЛДУНА

●

— Не успела я... — Альбина всхлипнула. — Муля раздобыла Димкин телефон. Заранее готовилась, наверное. И позвонила. И что-то такое ему рассказала, что он как с ума сошел. Мне потом в милиции сказали, что он сам в эту стену бетонную врезался. Разогнался сильно и... — Голос Альбины надломился, из горла вырвались ужасные рыдания.

— Что вы натворили! — раздался возле Глаши гневный возглас. Пожилая женщина ворвалась в кухню. Глаза ее метали громы и молнии.

— Я не хотела! Простите, ради бога. Я не знала ничего... — залепетала Глаша, немедленно вскакивая на ноги.

— Уходите, уходите теперь. Немедленно. Аля, девочка, успокойся. Выпей водички. — Женщина суетливо схватила стакан, принялась лить в него воду из графина. Руки ее дрожали, и вода все время расплескивалась. С трудом ей удалось наполнить стакан наполовину. Она протянула его Альбине, заставляя выпить. Девушка не хотела пить, давилась. Вода стекала по подбородку, а женщина заботливо вытирала ее краем чистого полотенца. — Вы все еще здесь? — воскликнула она раздраженно, обнаружив застывшую как соляной столб Глашу.

— Простите. Я ухожу.

— Мама, не гоните ее. Она не виновата, — слабо запротестовала Альбина. Но женщина уже теснила незваную гостью прочь из кухни.

— Я не хотела расстраивать вашу дочь, — оправдывалась Глаша, пока женщина пыталась справиться с дверным замком. Его заело, и он не желал открываться.

— Альбина не моя дочь, девушка, — устало поправила ее женщина. — Ее мама умерла от инфаркта, когда все это произошло.

— А вы?..

— Я мама Димы, ее мужа. У нас с Алечкой теперь одно горе на двоих. Я ее не брошу. Она мучается от чувства вины, страдает, но я давно простила ее. Жизнь по-раз-

●

ному складывается. У меня погиб ребенок, и Алечка стала мне дочерью, а ее малыш — внуком. Вот подлечу ее немного, успокою, а потом перевезу в наш с Димой дом. Она, глупая, после его смерти наотрез отказалась от всего, мыкается вот здесь, как будто сама себя наказывает... Лучше бы бог ту страшную женщину покарал, чем моих детей. Но нет, видно, в мире справедливости.

— Есть. Та женщина умерла. Об этом я и хотела сказать Альбине.

Глаша вышла на лестничную площадку оглушенная. Валя, услышав ее рассказ, долго хмурилась и качала головой, потом мрачно изрекла:

— Знала я, что Муля мразь, но чтоб настолько...

— Хорошо, что ее господь прибрал, — добавила Глаша. — Иначе после сегодняшнего я бы ее своими руками удавила.

ГЛАВА 24

Дину в подробности истории Альбины решили не посвящать. Рассказали только про запасной ключ, который, как оказалось, давным-давно имелся у пронырливой Мули. Этот факт существенно менял дело. Глаша давно не могла отделаться от мысли, что на вечеринке присутствовал кто-то чужой. Но при наличии единственного ключа от черного хода, с которым не расставалась директриса, и запертой с вечера двери все Глашины догадки казались беспочвенными. Теперь выяснилось, что был как минимум еще один ключ. Им могли воспользоваться как сама Муля, впустившая кого-то тайком в своих целях, одной ей ведомых, так и кто-либо еще. Надо было попытаться выяснить, кто мог воспользоваться запасным ключом. Этот кто-то был опасен, и Глаша отдавала себе отчет в том, что она здорово рискует, однако преступника требовалось найти. Интуиция подсказыва-

●

ла ей, что история не закончена и не известно, кто может стать следующей жертвой. Заглянувшая к ним на чаек Наташка долго и с удовольствием разглядывала Глашины порезы, преувеличенно громко ахая и сокрушаясь. Помешанная на собственной красоте, она всегда испытывала удовлетворение, обнаруживая неожиданные дефекты в чужой внешности, будь то вскочивший некстати прыщик, неудачно покрашенные волосы или набранные после праздников лишние килограммы. Девчонки знали об этом, но прощали ей ее маленькую слабость. Ее тоже ввели в курс дела по поводу запасного ключа. Со свойственной ей непосредственностью Наташка предложила немедленно прижать к стенке Карину и выбить из нее всю правду.

— Так она тебе и рассказала, — фыркнула Дина.

— А мы ее к стенке прижмем, — не сдавалась Наталья.

— Чем прижимать-то будешь? — поинтересовалась Валя.

— Да хоть своим бюстом, — хихикнула Наташка.

— Не хами, — предостерегла ее Дина.

— И не думаю даже. А чего она придирается? Я идею подала, а вы ее дальше развивайте. Вы же у нас умные.

— Подлиза, — фыркнула Глаша. Ей нужно было подумать. Она подошла к окну, повернулась к девчонкам спиной, оперлась обеими руками о подоконник и ткнулась лбом в холодное стекло.

— Что скажешь, командир? — окликнула ее Валя.

— Я к Карине не пойду. У меня ничего не получится, — ответила Глаша, не оборачиваясь. Голос ее прозвучал глухо.

— Это не проблема. Наташку и пошлем. Она у нас девушка шустрая, без мыла влезет куда надо, — отмахнулась Валя.

— А мне не надо! — сразу же пошла на попятный Наталья, которой не понравилось замечание про мыло. — Я не сумею.

ЛАНА СИНЯВСКАЯ

— Чего тут уметь? — удивилась Дина. — Что говорить, мы тебе скажем. Просто повторишь — и все дела.

— Но почему я-то?

— Потому что из всех нас ты для нее наименьший раздражитель. И по возрасту вы с ней ближе, — объяснила Валя назидательным тоном. Это было наглое вранье, так как Наташка была младше подруг всего лишь года на полтора, но Наташка купилась на лесть и больше возражать не посмела. Через полчаса, после мозгового штурма, ее заслали в стан врага. В качестве козырного туза предполагалось использовать намек, что сама Карина тоже оказывается в числе подозреваемых, так как ключ был изготовлен ее матерью и Карина имела к нему доступ. Всерьез подозревать ее в убийстве матери было глупо, но подруги рассчитывали на слабую юную психику, которую легко вывести из строя. Девчонки приготовились к долгому ожиданию. Однако Наталья возникла на пороге буквально через пять минут, таинственная и загадочная.

— Она тебя послала? — спросила Дина упавшим голосом.

— Еще чего. Мы мило поболтали. — Наташка величаво повела плечами и уселась на стул.

— Что ж так быстро? — недоверчиво прищурилась Валя.

— А она мне сразу все про ключ объяснила. Даже врать ничего не пришлось.

— И что же она тебе объяснила? — спросила Валя заинтересованно.

— Все. Ключ, оказывается, пропал. То ли потерялся, то ли сперли. Причем случилось это буквально накануне вечеринки.

— А где Муля хранила ключ? Носила с собой или держала дома? — поинтересовалась Дина.

— С собой носила. Он у нее в сумке болтался.

234

●

— Значит, свистнуть могли в любом месте. Да хоть в автобусе, — разочарованно вздохнула Валя.

— У Мули машина, она в автобусе не ездила, — напомнила Глаша. — Ключ мог потеряться, но слишком уж вовремя для простого совпадения. Либо его могли стащить, и тогда наиболее вероятно, что стащили его именно в магазине.

— Почему это? — возразила Наташка, которой показалось, что Глаша посягает на ее лавры великого сыщика.

— Да потому, что, кроме местных, этот ключ никому не нужен. Зачем красть ключ, который неизвестно что открывает?

— А может, Каринка брешет и ключ никуда не пропадал? — предположила Валя.

— Как же не пропадал? Она мне сказала, что всю сумку матери перетрясла, когда его искала. Пропал он. Точно.

— Если Карина уже знает о пропаже ключа и даже искала его, значит, она собиралась им воспользоваться. Интересно, с какой целью? — задумчиво протянула Валя.

— Глаш, а ты что думаешь? — обернулась к девушке Дина. — Эй, Глаш, ты чего застыла? Что с тобой?

Глаша не ответила. Она неотрывно смотрела на Наташку, которая после немалых умственных усилий почувствовала зверский голод и поэтому, потеряв к расследованию интерес, переключила все свое внимание на пачку миндального печенья.

— Глаш, ты чего уставилась-то? — поежившись от пристального взгляда, спросила Наташка с набитым ртом.

— У тебя на щеке родинка, — пробормотала Глаша словно под гипнозом.

— Ну да. А ты только что заметила?

— Только что, — удрученно кивнула Глафира.

— Далась тебе эта родинка. Чего ты ерундишь, Глафира? — нетерпеливо бросила Валя.

— У той девушки тоже была родинка на этом месте, — пробормотала Глаша. — На левой щеке, возле уха. Крупная, темная. Мне адвокат рассказывал.

— Ты чего бормочешь? Тебе нехорошо?

Нахмурившись, Валя подошла к подруге и встряхнула ее за плечо. Глашина голова дернулась, и она будто очнулась от наваждения.

— Наташ, зачем ты все это затеяла? — спросила она глухо.

— Затеяла ЧТО?

— Ну, спектакль весь этот? С адвокатом, кражей ключей, бандитами и всем прочим...

— Она бредит? — деловито осведомилась Наталья у остальных.

— Да нет. По-моему, она подозревает тебя в краже, — отрапортовала обескураженная Валя.

— Ты дура, что ли? Это я, по-твоему, свистнула Мулины ключи? — взвизгнула Наташка. — Совсем ума лишилась! Да на черта они мне сдались?

— Да не о тех ключах речь, — отмахнулась Глаша с досадой. — Я говорю о моих собственных ключах. Их у меня отобрали те придурки, от которых меня Райский спас. Потом я ночевала у Вали. А в это время кто-то пил чай в моей квартире, с адвокатом, который меня разыскивал из-за наследства. Он сказал, что это была девушка, похожая на меня, только с большой родинкой возле уха. У тебя, Наташка, есть такая родинка. И ты первая услышала про адвоката...

— Девочки, по-моему, у нее крыша едет, — неуверенно предположила Наташка и на всякий случай попятилась.

— Это вряд ли, — заступилась за Глашу Валя. — Кажется, я начинаю кое-что понимать. Наташка, если это и впрямь твоих рук дела, лучше сразу признавайся.

— Да в чем признаваться-то? Дина, у них массовое помешательство. Вызывай «Скорую»!

ПОСЛЕДНЯЯ НОЧЬ КОЛДУНА

●

— Наталья, ты адвоката видела? — грозно спросила Валя.

Дина только растерянно хлопала глазами, не понимая, что происходит.

— Какого адвоката, господи? Я сказала, что Глашу искал какой-то мужик! И все! Откуда мне знать, где он работает? Он же не со мной, он с Нелей разговаривал!

— Но разговор-то ты слышала? — не унималась Валя.

— Не слышала я ничего! Сколько можно повторять? — В голосе Наташки уже звенели слезы. — Он Нельке визитку дал. Вот и все. Я еще подумала, что крутой мужик, раз визитка имеется.

— Вот! Ты видела визитку и вполне могла потом потихоньку посмотреть, что там написано. И позвонить ему тоже могла! — горячо воскликнула Глаша.

— Да не смотрела я никуда! — проорала Наталья отчаянно. — Девчонки, она бредит. Остановите ее кто-нибудь!

— Глаш, может, ты и правда, того, перегибаешь палку? — жалобно спросила Дина. — Ты действительно уверена, что Наташка что-то натворила? Честно говоря, на нее это совсем не похоже. — Она произнесла это с такой уверенностью, что Наталья сразу же насторожилась.

— Это почему это? — спросила она осторожно.

— Да потому. — Валя тяжело вздохнула. — Не обижайся, Натуль, но ты у нас не слишком — как бы это сказать? — сообразительная.

— Дура, что ли? — уточнила Наташка, насупившись.

— Вроде того, — кивнула Валя с облегчением.

— Но это тебя совсем не портит, — поспешила с утешением справедливая Дина. — Женщине ум вообще ни к чему. Умных мужики не любят.

— Это точно, — кивнула Наташа со знанием дела. В чем в чем, а в мужиках она понимала. Валентина не-

●

сильно хлопнула по столу широкой ладонью, словно припечатала:

— Ну вот и ладненько. Твоих, Наталья, мозгов на всю эту махинацию с подменой наследницы маловато будет, — пояснила Валя. Видеть Наташку в роли преступницы ей совсем не хотелось. — Думаю, что, даже услышав разговор Нели с адвокатом полностью, ты бы не озарилась подобной идеей.

— А как же быть с родинкой? — робко напомнила Дина.

— А это кто-то так пошутил. Точнее, не абстрактный кто-то, а тот, кто все это затеял. Нарисовать родинку — дело плевое. Раз-два — и готово. Зато примета запоминающаяся. Короче, подставили нашу Наталью. Не всерьез подставили, шутейно, что особенно настораживает.

— А почему настораживает? — спросила притихшая Наталья.

— Потому, что тот, кто делает гадости просто так, ради развлечения, очень опасен. Дерьмо человек. Нельзя его недооценивать.

— Похоже, этот кто-то совсем рядом, — задумчиво проговорила Глаша. — Он все про нас знает. Следит из-за угла и лапки потирает, глядя, как мы тут корчимся.

— Вообще-то все эти козни очень на Мулины похожи, — сказала Дина задумчиво.

— Нет, не она это, — покачала Глаша головой. — Для нее моя Неля визитку бы в зубах принесла, и мне бы ни словом не обмолвилась. Она же не могла знать, что Наташка про адвоката слышала. А я визитку потом нашла. Она в органайзере вместе с другими лежала. Похоже, Неля ее туда сунула, да и забыла. Кроме того, насколько я знаю, адвокат ничего не сказал Неле про наследство. Просто спрашивал, когда меня можно застать. Позвонить просил. И все. Слишком мало для того, чтобы Муля активизировалась.

— Да и внешне не подходит, — сказала Валя. — Муля

●

старая и толстая, а девушка была молодая и стройная. На Глашу похожа. Вот если бы наоборот...

— Но у Мули дочка есть, — напомнила Дина.

— Дочка здесь ни при чем. — Тут Валя была категорична. — Муля над своей Каринкой тряслась, как над тухлым яйцом. Точно знаю, что она дочку в свои... делишки не впутывала.

Глаша попыталась представить субтильную робкую Карину на своем месте и решительно помотала головой:

— Точно не она, девочки. Нравится она мне или нет, но Карина бы не справилась. Девчонка привыкла жить в своей башне из слоновой кости, где ей в авантюрах участвовать. Вот богатого папика приручить — это ее профиль, — усмехнулась она, вспомнив поведение Карины за ужином.

— Да что вы, девчонки, в самом деле? Они вовсе даже не похожи. Каринка вдвое моложе, худее и выше, чем Глаша.

— Умеешь ты, Наталья, сказать человеку приятное, — заметила Дина с осуждением. Наташка проигнорировала ее замечание и продолжила как ни в чем не бывало:

— И вообще, в тот раз Мули не было. Она только к вечеру заявилась. Не могла она слышать про вашего адвоката. Он же утром был. Вы что, забыли?

— Молодец, Наталья, — похвалила Валя, — с тобой еще не все потеряно.

— Со мной вообще все в полном порядке! — неожиданно завелась Наталья. — Может, я и не слишком умная, зато не продаюсь направо и налево.

— Стоп! Это ты о чем? — озадачилась Глаша.

— О Галине нашей, естественно.

— А чего это ты про Галину вспомнила? Она тут ни при чем.

— Ну и что? Галка — проститутка. Я давно хотела вам рассказать.

— Тише ты! — оборвала ее Валя, заслышав шаги в ко-

●

ридоре. — Мелешь языком, как... как я не знаю что! С какого перепоя тебе это привиделось?

— Я не пью! — заявила Наташка с гордостью. — И галлюцинациями не страдаю. И вообще. Не видела бы своими глазами, не говорила бы.

— Да что ты видела-то? Говори толком.

— Галку и видела. В бане. У нас воду месяц назад отключили. Всю под корень. Я уже запаршивела вся. Очень помыться захотелось. Я и пошла.

— Куда? — спросили ее сразу три голоса.

— Да в баню же! Вы каким местом слушаете? Вообще-то, я бани терпеть не могу. Но тут пришлось тащиться на ночь глядя...

— А ночью-то почему?

— Так ждала, что воду все же дадут. Не дали. А голова грязная — ужас просто. А завтра на работу. Пришлось пожертвовать своими убеждениями и переться в места общего пользования. Как дура, с тазиком. — Наташка нахмурилась, очевидно, представив себе, как она выглядела с тазиком в обнимку.

— И что? — безжалостно вторглась Валя в ее воспоминания.

— А? Да ничего. Пришла я, значит, да с непривычки двери перепутала. Заскочила с разгону в мужское отделение. А там мужики голые и... Галя.

— А ты ничего не путаешь? Может, обозналась?

— У меня зрение — единица! Ничего я не путаю. Она это. Она там не одна была, с другими девицами, но тех я не знаю.

— Ладно, не кипятись. Говори по порядку.

— Да ну вас! Опять дурой обзывать станете.

— Не станем, — клятвенно пообещала Глаша.

Валя и Дина кивнули, соглашаясь.

— А рассказывать больше нечего! — выпалила Наталья зловредным голосом. — Я, как Галю увидела, сразу задний ход дала. Успела только заметить, как ее какой-

240

•

то жирный мужик начал лапать, а потом повел куда-то, в отдельную кабинку, наверное.

— Что-то ты слишком много разглядела, — усомнилась Валя в ее искренности. — Сколько ты там пробыла, в мужском отделении-то?

— Сколько надо, столько и пробыла, — огрызнулась Наташка. — И попрошу без намеков. Я вам не какая-нибудь... Галя. — Девчонки помолчали, переваривая новость.

— Нехорошо это, — промолвила Валя наконец. — Ты, Наталья, смотри у меня, держи рот на замке. Никому ни слова.

— Да что я, не понимаю, что ли? Я же только вам, по секрету, как подругам.

— Вот и умница.

— Меня мучает один вопрос, — задумчиво проговорила Глаша.

— Какой? — насторожилась Валя.

— Знала ли о Галиной второй профессии Муля?

— Зачем тебе это знать?

— Кажется, я нашла источник информации.

* * *

Глаша понятия не имела, во сколько заканчивают работу проститутки. Поэтому она не знала, в котором часу следует поджидать Галю после окончания ее трудовой вахты. Глаша сразу решила, что ловить ее следует именно после, а не до. Девушке было противно, так как то, что она собиралась сделать, очень походило на шантаж, но другого пути не было. Глашино следствие зашло в тупик. События последних дней перемешались и наслоились друг на друга. Глаша все время чувствовала, как вокруг нее сжимается некое кольцо. Необходимо было как можно быстрей разорвать его.

Валя в который раз согласилась сопровождать подругу, и это было очень кстати. После двух часов ночи пребывание на улице в непосредственной близости к бане сулило массу неприятных впечатлений. Озабоченные досугом джентльмены, спешившие в «цитадель любви» стаями и поодиночке, внушали неискушенной Глафире не только омерзение, но и банальный ужас. Ночи стали по-осеннему холодными, и подруги продрогли в машине до костей. Из экономии они не могли держать печку постоянно включенной и дуэтом выбивали зубами барабанную дробь. Глаша быстро устала, и ей очень хотелось домой. Вале, наверное, тоже хотелось, но она ничего не говорила об этом. В какой-то момент поток мужичков внутрь бани иссяк, зато все чаще они выныривали «на поверхность». Их красные, распаренные рожи излучали спокойное умиротворение, что делало их похожими друг на друга вне зависимости от возраста и общественного положения. На часах было без четверти три. Около четырех на крыльце показалась Галя. Глаша к тому времени успела задремать, и, если бы не бдительная Валя, вся операция закончилась бы позорным провалом.

— Вон она! — ткнула Глашу в бок Валя.

— Кто? Где? — Глаша, щурясь спросонья, таращилась на полноватую, невысокую женщину, бредущую по асфальту, и не узнавая в ней Галину.

Было еще совсем темно, но фонари светили ярко, безжалостно выплескивая казенный свет на чисто умытое, болезненно уставшее лицо женщины. Галя слегка покачнулась, с трудом нашла опору и двинулась дальше нетвердыми шагами. Глаша поняла, что она сильно пьяна. В голове не укладывалось, что это та самая Галя, которую она привыкла видеть в магазине: шикарная, ухоженная, чуточку вульгарная и ярко, но умело накрашенная...

— Ну что ты сидишь? — прошипела Валя Глаше в ухо. — Иди давай.

Глаша кивнула и нехотя выползла из машины.

ПОСЛЕДНЯЯ НОЧЬ КОЛДУНА

●

Хлопнула автомобильная дверца. Женщина, вздрогнув, оглянулась на звук. При виде неловко улыбающейся Глаши Галино лицо вытянулось и посерело. Она как-то неловко попятилась, споткнулась и чуть не свалилась на землю, потеряв равновесие. Когда она вновь подняла голову, ее растерянность сменилась откровенной неприязнью.

— Выследили все-таки! — почему-то обратилась она к Глаше во множественном числе. Галя силилась говорить с вызовом, но от выпитой водки язык заплетался и фраза прозвучала жалобно-плаксиво.

— Галь, ты не пугайся, давай поговорим, — попросила Глаша. Она подошла к женщине и слегка потянула ее за рукав пальто. — Пойдем вон туда. Не нужно, чтобы нас видели твои... твои коллеги.

— Тебе нужно, ты и иди, — огрызнулась Галя, выдергивая рукав из ее пальцев. Такой поворот Глашу озадачил. Она не подумала о том, что Галя не захочет с ней разговаривать. Как ее заставишь? Пытками, что ли? Несколько часов назад ее план казался ей блестящим, а теперь выглядел глупым и непродуманным.

— Галя, ну, пожалуйста! — взмолилась девушка. — Мне только поговорить. Я не хочу ничего плохого!

— А ты чего дрожишь-то? — вдруг с интересом спросила Галя, взглянув на Глашу совершенно трезвыми глазами. — Боишься, что ли?

— Нет.

— А чего тогда?

— Замерзла.

— Ах, ну да! Ты же меня небось всю ночь караулила. Так?

— Так, — неохотно призналась Глаша.

— Чего ж внутрь не вошла? — спросила Галя с насмешкой.

Глаша, не сдержавшись, отпрянула, чем очень развеселила Галину.

— Ну, я... мне не хотелось...

— Да что ты блеешь, как овца? — перестав смеяться, устало отмахнулась Галя. — Побрезговала? Так и скажи. Кстати, правильно делаешь. Работенка у нас хоть и в бане, да слишком грязная. — Уверенным движением она сгребла Глашу за руку и потянула за собой вдоль стены. За непомерно разросшимся кустом она Глашу отпустила, как будто оттолкнула от себя и спросила с угрозой: — Чего надо? Говори.

— Ничего не надо. Я же сказала — поговорить.

— Не прикидывайся. Денег хочешь? Лавры Мули покоя не дают?

— Значит, она и тебя шантажировала? — спросила Глаша, странно сморщившись, как будто ей вдруг стало больно.

— А ты не знала? — спросила Галя язвительно. — Комедию не ломай, не на подмостках. Если б не Муля, откуда б ты про меня узнала? А я-то, дура, радовалась, когда эта тварь наконец сдохла. Вот, думала, вздохну спокойно. Да, видно, свято место пусто не бывает. Смена подросла и оперилась. Выкладывай быстрее, сколько тебе? Но сильно-то губу не раскатывай, я не Рокфеллер.

— А сколько ты Муле платила?

— Тьфу, падла, — выругалась Галя. Лицо ее скривилось, как скомканный лист бумаги. Глаша испугалась, что женщина собирается заплакать, но она захохотала резким истеричным смехом. — Торговаться собралась, подруга? Продешевить боишься? — спрашивала она и веселилась все сильнее.

— Галя, погоди, остановись. Мне вообще не нужны деньги. Муля мертва, и никто больше, ни один человек не узнает твою тайну. По крайней мере, от меня. Я пришла не затем, чтобы разоблачить тебя, поживиться или выставить на посмешище.

— А зачем, зачем ты пришла?! — резко прекратив смеяться, серьезно спросила Галя.

ПОСЛЕДНЯЯ НОЧЬ КОЛДУНА

●

— Поговорить.

— О чем? На путь истинный, что ли, направлять будешь? Это в твоем духе. Ты же у нас вроде блаженная.

— Не буду я тебя наставлять, — возразила Глаша, и голос ее прозвучал наконец твердо. — Твоя жизнь меня не касается. Кстати, мою мать тоже называли развратницей и шлюхой, но я никогда не осуждала ее! — Выпалив это, Глаша на минуту испугалась того, что только что сделала. В запале она раскрыла свою самую главную тайну. И кому? Полупьяной гулящей женщине, озлобленной на весь мир и на нее в частности. Да завтра же эта новость облетит весь магазин! В нее начнут тыкать пальцем и шушукаться за спиной. На мгновение Глашу прошиб пот, но она упрямо тряхнула головой. Все правильно. Она устала от лжи и отныне не станет больше скрывать правду, ничего хорошего ей это не принесло.

— Твоя мать была проституткой? — вытаращила глаза Галя.

— Нет. — Глаша назвала имя и фамилию своей матери, терпеливо переждав бурное проявление Галиных эмоций. На имя ее матери люди всегда реагировали очень бурно.

— Неужели та самая? — не могла прийти в себя Галя.

— Да. Та самая. И я не стыжусь того, что я — ее дочь. Она была такой, какой была. У каждого есть право на выбор.

Галя некоторое время что-то решала для себя, встряхивая головой и сосредоточенно хмуря брови, потом спросила уже совсем другим тоном, в котором больше не было неприязни:

— Чего ты спросить-то хотела?

— Сколько ты платила Муле за молчание и как часто?

— Штуку платила. Зелеными. Раз в квартал. У нее такая такса была. Все, как у больших. Последний раз — в сентябре, как раз конец квартала подошел.

— А ты не пыталась прекратить это?

•

— Нет. Муля умела взять за горло, а хватка у нее была, как у бульдога. Поверь мне, дешевле было заплатить.

— Ты так боялась сплетен?

— Да при чем тут бабья болтовня? Неужели ты думаешь, что после такой школы, — она мотнула головой в сторону бани, — меня могут испугать чьи-то косые взгляды? Да у меня нервы — как канаты. И Муля это понимала. Она бы поступила умнее: почапала бы сразу к хозяину...

— И он бы тебя выгнал, — закончила Глаша.

— Естественно. И без выходного пособия. И еще раззвонил бы всем вокруг, так что во все приличные места для меня была бы дорога закрыта.

Возразить тут было нечего, и Глаша лишь сочувственно молчала. Надо было как-то выходить на интересующую ее тему, но она не знала, с чего начать.

— Галя, а ты случайно не догадываешься, кого еще Муля держала за горло? Накануне смерти у нее из отдела пропали деньги. Там было три тысячи. Если одна из них — твоя, то чьи две остальные?

— Так вот что тебя интересует. Думаешь, что кто-то из нас на нее покушался?

— Не знаю, — честно призналась Глаша. — Но кто-то ведь насыпал ей мышьяк. Логично предположить, что у кого-то из ее жертв кончилось терпение, или деньги, или и то и другое.

— Я этого не делала, — проговорила Галя, старательно отводя в сторону глаза.

— А я тебя и не обвиняю. Это вообще мог быть кто-то посторонний, из числа ее знакомых или клиентов. Что-то мне подсказывает, что нашим магазином Муля свою деятельность не ограничивала.

Говоря это, Глаша не кривила душой. Она никогда не подозревала Галю всерьез. Женщина казалась ей достаточно умной, чтобы понимать, что убийство шантажистки своими руками слишком рискованно. Отравись

ПОСЛЕДНЯЯ НОЧЬ КОЛДУНА

•

Мулю тем самым мышьяком, и расследования бы не избежать. Под подозрение попали бы все сотрудники. Всплыли бы горы грязного белья, в том числе и Галина «вторая специальность». И до шантажа докопались бы рано или поздно. Кроме того, Галя наверняка могла обратиться за помощью к сутенерам, если ситуация показалась бы ей слишком критической. С их помощью проблема с Мулей решилась бы легко, быстро и безболезненно, по крайней мере — для Галины. За здоровье Мули при подобном исходе дела Глаша бы не поручилась. Короче говоря, Глаша была уверена, что покушаться на Мулю мог либо полный идиот, либо человек, чей мотив не столь очевиден. И еще. Он должен быть как-то связан с домом Райского, ведь буквально накануне Мулиной смерти произошло похожее покушение на Эллочку. А Галя с Райским никак не были связаны.

— Я знаю еще одного человека, которого Муля доила, — произнесла Галя неохотно. Глаша встрепенулась. Галя медлила. Она явно еще взвешивала все «за» и «против» и никак не могла решиться на признание. Глаше показалось, что Галя боится чего-то. Очевидно, тот, кого она собиралась назвать, казался ей опасным.

— Галя, — осторожно окликнула Глаша, боясь спугнуть женщину.

— Черт с тобой! Это Настя, — выпалила Галя.

— Как Настя? Ей-то что скрывать?

— Точно говорю.

— Да быть этого не может! Я тебе, конечно, верю, но на чем Муля могла ее подловить? Настя совсем не похожа на человека, который может быть замешан в чем-то постыдном. Она для этого слишком... — Глаша помолчала немного, пытаясь подобрать слово, и выдала: — Брезгливая. Да! И на вечеринке ее не было! — вспомнила девушка.

— Жаль, что я тебя разочаровала, — усмехнулась Галина. — Но я знаю не только то, что Настя платила Муле дань, но и ЗА ЧТО она платила. Так уж вышло, извини.

— Ты расскажешь?

— Придется. Наша брезгливая Настенька что-то там мудрила со скидками. Против обыкновения сама Муля мне об этом проболталась. Обычно она умела держать язык за зубами, а тут нашло на нее что-то. Засекла она Настю элементарно, у них же отделы друг против друга, а у Мули зрение единица и слух как у мартовского зайца. Если я правильно поняла, то механизм, которым пользовалась Настена, прост, как все гениальное. Она продавала пару обуви за полную цену, а пробивала в кассу цену со скидкой. Разницу брала себе. Оборот у нее в отделе хороший, обувь дорогая, так что на круг выходило прилично. Хозяин ее не проверял. Чего проверять, если выручка большая? Но узнай он о ее деятельности, по головке бы точно не погладил. Тут Муля и подсуетилась. Понаблюдала она за Настей недельку, записала все, что успела заметить, в тетрадочку, а заметила она немало, в том числе и клиентов, которые к ней самой попутно захаживали, еще когда она чаем торговала. А в конце недели Настене списочек представила. И цену назвала, за которую готова придержать информацию, чтобы начальство Настино не расстраивать.

— Гадость какая, — сказала Глаша тихо.

— А это еще не все новости, — усмехнулась Галя. — В тот день, когда я к Муле зашла, чтобы... хм... расплатиться, я там Настю видела.

— Ну и что?

— Да ничего. Только Мули в тот момент в отделе не было. Настя что-то искала в ее тумбочке. В той самой, между прочим, где Муля хранила посуду.

— Боже мой!

— Вот тебе и боже мой.

— А сама-то Настя что сказала, когда вы столкнулись? Она тебя видела?

— Ага. Поначалу она испугалась сильно, пролепетала что-то невразумительное, я и не разобрала — что. Честно говоря, я особо не прислушивалась. Удивилась, конечно, не без этого, а когда выяснилось, что у Мули полна сахарница отравы, я испугалась. Настя меня видела. Скажи я хоть слово, и мне крышка. Настя она того, девушка с характером. Черт ее знает, на что она способна. Веришь, я в последнее время даже по улице с оглядкой ходить стала. Все мне шаги за спиной мерещатся.

— Думаешь, это Настя сделала?

— Не знаю. Все может быть. А если один раз убил, то второй раз уже легче. Это как в бане: противно только поначалу, потом привыкаешь.

Глаше вдруг стало зябко, как будто ей передался Галин страх. Ей стало казаться, что из темноты за ними кто-то наблюдает. Только воспоминание о том, что всего в двух шагах, в машине ее ожидает верная Валя, привело ее в чувство. Кстати, она наверняка уже волнуется. Поблагодарив Галю и еще раз пообещав, что не проговорится никому о том, что видела, Глаша попрощалась с ней и повернулась, чтобы бежать к машине.

— Эй, сыщица! — окликнула ее Галя.

— Что?

— Ты... это, не бойся... ну, насчет твоей матери. Я никому не скажу, — она неуверенно улыбнулась. — Я-то знаю, каково это.

У Глаши вдруг зачесалось в носу, а к горлу подкатил ком.

— Спасибо, — только и смогла она выговорить.

ГЛАВА 25

Глаша и сама не знала, почему не пересказала Вале весь разговор с Галей. Что-то ее останавливало. На следующий день она долго пыталась улучить момент, что-

•

бы поговорить один на один с Настей. Момента подходящего все не было. И тогда она решила действовать открыто: просто подошла и пригласила ее в кафе. Неожиданно для Глаши Настя сразу же согласилась. По правде сказать, покупателей с утра было немного, и, возможно, Насте захотелось развеяться, однако ее согласие очень удивило Глашу. Кафе располагалось в том же здании, буквально через дверь от их магазина. Они забегали сюда нечасто, хотя и работали по соседству. В основном покупали пирожные к чаю. Пирожные были так себе, но для того, чтобы заморить червячка, вполне годились. Глафира искренне надеялась, что их физиономии в этом заведении не успели примелькаться, однако жестоко ошиблась. Весть об убийстве распространилась по округе стремительно. Глаша заметила, что две официантки вкупе с молоденьким барменом навострили ушки, едва девушки показались на пороге кафешки, но менять планы было поздно. Они выбрали самый дальний от стойки столик и устроились за ним с независимым видом. В такой ранний час кафе было совершенно пустым. Посоветовавшись с Настей, Глаша заказала по чашке кофе и мороженое. В наличии оказалось только клубничное, и через пять минут им подали две подтаявшие горки в прозрачных креманках, щедро политые густым красным сиропом. Кофе же оказался довольно приличным, свежесваренным и главное — горячим. Некоторое время девушки делали вид, что именно ради кофе они здесь и оказались.

— И когда же начнется допрос с пристрастием? — с показным равнодушием осведомилась Настя, брезгливо ковырнув десертной ложечкой мороженое.

— Почему допрос? Я не милиционер в кителе с погонами, — обиделась Глаша, отхлебнув кофе. Кофе почти закончился, а она еще не придумала, как начать разговор, чтобы Настя не послала ее куда подальше.

ПОСЛЕДНЯЯ НОЧЬ КОЛДУНА

●

— Ты не милиционер, — кивнула Настя, — ты гораздо хуже.

— Вот как?

— Именно так. Скажи мне, Морозова, чего тебе неймется?

Глаша прикусила губу и вдруг почувствовала во рту солоноватый привкус. От обиды она укусила себя до крови. Однако незаслуженное презрение Насти придало ей смелости.

— Зачем ты лазила в тумбочку к Муле в день ее смерти? — спросила она напрямик, отбросив дипломатию. Поначалу она планировала начать разговор издалека, то есть заговорить, запутать Настю, заставив ее в конце концов проговориться, но переоценила свои возможности. Настя оказалась слишком уверенной в себе и как-то враз забрала инициативу в свои руки. Глаша решила пойти ва-банк. Она была готова к тому, что вот-вот Настя скажет что-нибудь обидное, а потом повернется и уйдет, бросив Глашу за столиком. Но Настя почему-то медлила. Осторожно посмотрев на нее, Глаша натолкнулась на взгляд, полный заинтересованности и любопытства. И еще... облегчения.

— Вот оно что, — протянула Настя, не отводя от нее глаз. — Ну что ж, давай поговорим, как большие девочки. Девушка, еще два кофе, пожалуйста, — крикнула она официантке. — И пирожные. Какие там у вас посвежее?

— С черешней и взбитыми сливками. Утром только привезли, — откликнулись от прилавка.

— Валяйте со сливками. И еще — по пятьдесят граммов коньяку! Гулять так гулять.

— Надеюсь, ты не хочешь меня споить? — хмуро поинтересовалась Глафира.

— Ничего тебе с пятидесяти граммов не сделается, — заверила ее Настя снисходительно. — Я что-то замерзла, а пить с утра в одиночку — неприлично. Мы же с тобой девушки порядочные, верно?

— Вдвоем с утра тоже неприлично, — брюзгливо заметила Глаша. — Тем более — коньяк.

— Ну, по приличиям ты у нас эксперт. И все же давай забудем о них на время. Разговор у нас будет трудный.

— Откуда ты так хорошо меня знаешь? Мы же практически не общаемся?

— Ну, дорогуша, не только ты подвержена приступам любопытства. Работая в непосредственной близости от Мули, можно было и не такое узнать при желании. У нее на тебя целое досье имелось, ты разве не в курсе? — Тон Насти показался Глаше издевательским. И не без оснований. Посмотрев на нее, девушка содрогнулась от холодного, оценивающего взгляда.

Тем временем принесли кофе и коньяк. Настя залпом осушила свою рюмку и весело сообщила:

— Я знаю всю твою биографию. Тебя это не пугает?

— Нет. В последнее время с моей биографии снят гриф «совершенно секретно». И давно ты в курсе?

— Давно. С тех пор, как твоя Неля мою Мулю просветила на этот счет, так я и в курсе. Удивительно, что ты держала рядом с собой такую скотину, да еще доверяла ей свои секреты.

— Что ж ты не воспользовалась информацией? Могла бы здорово повеселиться.

— А зачем? Какой мне прок позорить тебя перед всеми? Взяток я не беру, а унижение других не доставляет мне морального удовлетворения. К тому же ничего позорного в прошлом твоей мамы я не вижу. Она была в первую очередь гениальной актрисой, между нами, девочками, так что ее моральный облик мало кого волнует. Гениям все позволено. Их ведь так мало. Муля говном изошла от банальной зависти. Заведи она хоть полк любовников — никого это не волновало бы, а романы твоей мамаши моментально попадали на первые полосы газет. А все потому, что мама твоя — суперстар, а Муля —

●

муха навозная. Кому интересна половая жизнь навозной мухи?

— Ты думаешь, она завидовала мне? — Глаша искренне удивилась.

— Разумеется.

— Да чему завидовать-то? — Настя взглянула на нее с сожалением. Потом достала сигарету и закурила. Официантка моментально материализовалась рядом и поставила на стол стеклянную пепельницу. Настя на нее даже не посмотрела.

— Дура ты, Глашка, — без улыбки глядя на девушку, сказала Настя. Глаша почему-то не обиделась. — Таких, как твоя мама, — одна на миллион. Муля по сравнению с ней — ничтожество. И она это прекрасно осознавала. Уж не знаю, кто научил тебя стыдиться своей матери, но нет ему прощения. Мать нужно любить, несмотря ни на что, а ты...

— Но я ее очень любила! И сейчас люблю. Просто тот образ жизни, который она вела, мне непонятен. Я не хотела, чтобы ко мне лезли с вопросами всякие... ну, вот вроде нашей Мули.

— Врешь ты все, — спокойно возразила Настя, небрежно стряхивая пепел. — Ты так боялась своей матери, что категорически не хотела быть хоть отдаленно на нее похожей, а это две большие разницы. Посмотри на себя: красивая молодая девка, а выглядишь, как чмо. Думаешь, если ты навсегда упакуешься в трусы по колено и бабкины гамаши, то все будут воспринимать тебя исключительно как гордую и независимую личность? Черта с два. Мой тебе совет: смени свои говнотопы на шпильки, выкинь из шкафа бабкины душегрейки и купи себе что-нибудь актуальное. Ну, хотя бы кожаные брюки. Дальше само пойдет. Увидишь, что никто тебя в развратницы не запишет, а жить станет намного легче.

От такой тирады щеки Глаши приобрели устойчивый морковный цвет, и она нервно сглотнула.

●

— Ладно, хватит, — сама себя остановила Настя, — вернемся к нашим баранам, а то подумаешь, что я тебе зубы заговариваю. — Она решительно воткнула окурок в пепельницу. — Кажется, ты интересовалась тем, что я делала в отделе у Мули? — Глаша кивнула, недоверчиво вглядываясь в будто окаменевшее лицо собеседницы, не зная, чего от нее ждать в следующую минуту. Настя пожала плечами и проговорила будничным голосом: — В отделе у Мули я пыталась совершить кражу.

Глаша тряхнула головой, боясь, что ослышалась.

— Ты воровала? — переспросила она, как будто плохо расслышала.

— Ну да. Пыталась стащить ключ. У Мули был ключ от черного хода. Разве ты не знала?

— Знала, — призналась девушка.

— Так я и думала. Мне нужно было попасть в магазин, скажем так, в нерабочее время, и я этот ключ свистнула. А Галя меня в этот момент застукала. Это ведь она тебе рассказала, верно?

Глаша молчала и только с ужасом таращилась на Настю. Она никогда не думала, что можно так спокойно признаться в воровстве.

— То есть ты укра... взяла у Мули запасной ключ. Ты хотела попасть в магазин незаметно. На вечеринку прийти ты отказалась... Ты приходила в тот день, да?

— Умница. Я в тебе не ошиблась, — похвалила Настя небрежно, словно потрепала приблудную дворнягу по холке. — Теперь, по законам жанра, ты должна спросить, для чего мне понадобилось возвращаться.

— Зачем ты вернулась? — послушно спросила Глаша.

— Чтобы украсть еще раз, — весело ответила Настя и рассмеялась. — У тебя такое лицо... Ладно, расскажу все по порядку, пока у тебя мозги окончательно не вскипели. Сразу скажу, чтобы ты потом не разочаровывалась: я никого не убивала. Хотя, положа руку на сердце, стоило бы. — Настя на секунду замолкла, как бы прислушиваясь к чему-то внутри себя. — Думаю, я бы смогла ее убить. Она это заслужила. Но, увы, сделал это кто-то другой. Все началось не так давно. У меня больная мать. Она больна давно и очень серьезно. Из-за ее болезни мне пришлось бросить все: мужа, любимую работу, которая, к сожалению, приносила совсем мало денег; друзей у меня не было и времени для общения с ними из-за моей вечной беготни по больницам и аптекам. Я не жалею, потому что для меня мама главнее. На нынешней работе мне платили неплохо, включая процент от выручки, но денег все равно не набралось. Маме нужны очень дорогие лекарства, хорошее питание, постоянные консультации врачей, которые стоят очень дорого. Кое-как мы все же перебивались. До некоторых пор. Маме предложили операцию. Какая-то новая, почти экспериментальная методика. Решать надо было срочно, но, самое главное, на эту операцию нужны были деньги. Не слишком большие, если учесть возможный результат. Из-за того, что методика находилась в стадии разработки, операцию соглашались провести за половину реальной стоимости. Нужной суммы у меня не было. Я пробежалась по знакомым, собрала кое-что, но все равно не хватало и половины. А сроки поджимали, набор контрольной группы больных уже заканчивался. И тогда я решилась на эту аферу со скидками. У меня было три недели, чтоб успеть... — Голос Насти превратился в свистящий шепот, пальцы впились в край стола. — Муля подловила меня совершенно неожиданно. Я была осторожна, но она все-таки изловчилась. Ей удалось вычислить практически все до копейки, уж не знаю каким сверхъестественным способом. Я успела собрать около двух тысяч долларов. По ее мнению, мне следовало отдать их ей, как плату за молчание. В противном случае она обещала устроить грандиозное представление с участием моей хозяйки и всех окружающих. Денег я так и так бы лишилась, заявила она мне, так что торговаться бессмысленно.

ЛАНА СИНЯВСКАЯ

●

— И ты согласилась?

— А что мне еще оставалось? Я отдала ей деньги, зная, что в тот день ожидается грандиозная попойка и Муля не понесет их домой. Ключ я стащила вполне благополучно, оставалось вернуться, когда все дойдут до кондиции, забрать свои деньги и положить ключ на место. Была небольшая вероятность, что Муля хватится ключа раньше, но тут уж оставалось только уповать на везение.

— Тебе все удалось. Ты взяла деньги, даже больше, чем рассчитывала, но ключ не вернула. Что-то произошло?

— Произошло. Мулю грохнули в туалете, — с усмешкой кивнула Настя.

— Подожди. Ты сказала «грохнули». Разве ты не согласна с официальной версией?

— Не согласна. Такие, как Муля, не подыхают своей смертью. — Глаша напряженно наморщила лоб, пытаясь сосредоточиться. Она чувствовала, что сейчас услышит что-то важное. — Мне удалось войти в здание незамеченной, — продолжала Настя. — Это было легко. Все веселились в зале, и коридор, по которому мне нужно было пройти, оказался совершенно пустым. Там даже свет не горел. Мне требовалось всего пять минут. Я специально проследила, куда Муля сунула деньги. Однако, когда я добралась до них, в коридор кто-то вошел. Я услышала шаги. Я успела спрятаться в примерочной до того, как этот человек дошел до Мулиного отдела.

— Шаги были мужские или женские?

— Понятия не имею. Что-то на мягкой подошве. Может быть, кроссовки. Шаги были какие-то осторожные. Как будто человек не хотел привлекать к себе внимания и чего-то боялся. Я сама шла точно так же, поэтому и почувствовала сходство.

— И что было дальше?

— Ничего. Человек прошел мимо — и все. Я вылезла из своего убежища с одним намерением — немедленно

•

смыться. И тут — не поверишь — у меня скрутило живот. Оказывается, я тоже не железная, — проговорила она как будто с удивлением. — Наверное, это нервное. Естественно, я помчалась в туалет, наплевав на конспирацию. Но никого я не встретила, хотя и боялась. Зато туалет оказался занят. Заперто изнутри.

— Там была Муля?

— Да. Но она была не одна.

— Это как это?

— Так это. Она с кем-то разговаривала. Точнее — спорила или ругалась. Орала так, что стены дрожали. Жаль, что остальные этого не слышали.

— Может, она говорила по мобильнику?

— Нет. Один раз ей ответили. Второй человек говорил тихо, и я смогла разобрать только одну фразу, что-то вроде «не трогай!». После этих слов Муля взвизгнула, а потом что-то загрохотало. Я еще тогда подумала, что у них там дело дошло до рукопашной. Живот отпустило, и я бросилась наутек. Встреча с Мулей не входила в мои планы, мне не удалось бы достойно объяснить, как я материализовалась в магазине. Мне снова повезло, до выхода я домчалась мгновенно, и опять мне навстречу никто не попался. Единственное недоразумение — я не сумела возвратить ключ на место. А утром выяснилось, что возвращать его больше некому.

— Второй голос в туалете принадлежал женщине?

— Это был скорее рык. А рычат мужчины и женщины одинаково, можешь мне поверить. Я сама пыталась понять, кому мог принадлежать этот голос, понятно же, что это был убийца. Но мне ничего не удалось.

Глаша едва скрыла разочарование.

— Ладно, это не страшно, — старательно улыбнулась она. — Я рада, что моя главная догадка подтвердилась.

— Это какая же?

— Я считала, что в тот вечер на Мулю покушалось два человека, никак между собой не связанные. Видно,

●

такой уж несчастливый день для нее выдался. Первый появился, скорее всего, в течение дня, а вот второй проник на вечеринку тайком, никем не замеченный.

— Думаю, этот человек просто воспользовался открытой дверью. Входя, я не стала ее запирать, чтобы в момент отступления не терять времени на возню с замком.

— Это возможно. Но вряд ли он рассчитывал только на удачу. Ведь без ключа, если бы не ты, он не смог бы попасть в здание. У него тоже должен был быть ключ.

— Слишком много ключей, — задумчиво произнесла Настя. — Хотя изготовить дубликат несложно. Муля тому яркий пример.

Глаша минуту просидела в задумчивости, машинально взбалтывая ложечкой осевшую на дне чашки кофейную гущу.

— Итак, второй убийца существует, это факт. Про него ничего не известно, кроме того, что Муля ему доверяла. Не стала бы она запираться в туалете с незнакомым. Значит, кто-то свой. А вот тот, кто подсыпал мышьяк, полностью окутан тайной. Скажи, Настя, а больше ты ничего подозрительного не заметила?

— Днем, ты имеешь в виду? Про вечер я тебе все рассказала.

— Конечно. Я знаю, что Муля пила чай ежедневно как минимум утром и в обед. То, что она осталась к вечеру живой и здоровой, доказывает, что в первой половине дня мышьяка в сахарнице не было. Кто заходил к ней в оставшееся время?

Настя честно попыталась восстановить в памяти события того дня.

— За точность не поручусь, — проговорила она задумчиво, — народу в тот день было много. На твое счастье, я очень внимательно наблюдала за отделом Мули, поджидала удобное время, чтобы взять ключ. Покупателей было человек пять-шесть. Три продажи. Двое так ничего и не подобрали. В этот момент Муля, естественно, была на месте, не отходила от них ни на шаг. Так что этих можно смело исключать, я уверена, возможности что-то подбросить у них не было. Кажется, сестра ее заходила.

— Стоп! Какая еще сестра?

— Ну, может, не сестра, но что-то вроде этого. Они там лобызались, ворковали. Для Мули такое поведение — редкость.

— А как она выглядела, эта женщина?

— Ну, маленькая такая, вертлявая, под призывника стриженная. Да она вообще-то часто приходит. Я ее сто раз видела. Зовут ее... Элиза или что-то в этом роде.

— Элла ее зовут, — подсказала Глаша. — Она не сестра. Муля при ней вроде приживалки. Эллочка с некоторых пор разбогатела. А зачем она приходила?

— Да хрен ее знает. Я на нее не смотрела. Пока они вертелись в отделе, у меня самой шансов не было, так что я и не напрягалась. Тем более что эта Эллочка какая-то летящая, со странностями. Она как-то ко мне с горшками прицепилась. Веришь, чуть с ума не свела, такую пургу гнать принялась!

— Что за горшки? — улыбнулась Глаша.

— А чтобы замуж быстрее выйти, — презрительно усмехнувшись, пояснила Настя. — Узнала, что я не замужем, и давай агитировать. Велела купить глиняный горшок с узким горлышком, повязать его розовой ленточкой и просить послать мне мужа. Это горшок-то! Если я буду следовать таким советам, то супруга придется искать в психушке. Вот поэтому в тот раз, едва завидев эту мамзель на горизонте, я попыталась слиться с пейзажем и не отсвечивать. Дамочка гоняла Мулю до седьмого пота, требовала подобрать ей вечерний костюм.

— И как?

— Вроде купила что-то. Муля после ее ухода была похожа на взмыленную лошадь. Пот с нее ручьем лил.

●

Она сразу куда-то слиняла, наверное, в туалет помчалась, морду в порядок приводить. В это время я и забралась к ней в отдел.

— А кто-нибудь еще приходил? — спросила Глаша с надеждой, так как пока что не видела ни единой подходящей кандидатуры на роль отравителя.

— Мужик был. Тоже ее знакомый. Сальный весь какой-то, плюгавенький. Они с ним долго разговаривали, но так тихо, что я ни единого слова не уловила. Она его называла доктором. Я еще подумала, что Муля заболела.

— А по имени она его не называла?

— Может, и называла, но я не слышала. Все доктор да доктор. Кстати, он в отделе один оставался. Мулю вроде к телефону позвали, в администрацию.

— Странно, у нее же мобильник имеется. Кто мог звонить ей на городской?

— Понятия не имею, она мне не докладывала.

— Ладно, это теперь не узнаешь, если только в администрации расспросить... — вслух подумала Глаша. — И чего он делал, пока один был?

— Да не следила я за ним, на что он мне сдался? Муля вообще-то быстро вернулась, через пару минут, но яду подсыпать, — если ты это имеешь в виду, — он вполне мог успеть. Тем более если и вправду доктор. Ему отраву достать легче легкого.

Глаша удивилась, что раньше она даже не думала о враче. Действительно, такую отраву, как мышьяк, просто так в аптеке не купишь.

— Вспомнила! — воскликнула Настя громко. — Еще Нелька твоя заходила. Они с Мулей поцапались, как две дворняжки. Орала-то в основном Муля, а Неля больше скулила и подвывала. Менты, как я слышала, мышьяк на нее повесить хотят, им так удобнее, но я, честно говоря, в это не верю.

— Почему?

— Да уж больно она квелая. Кисель прямо, а не баба.

260

ПОСЛЕДНЯЯ НОЧЬ КОЛДУНА

•

— Ну, со мной она поступила весьма решительно.

— Да это потому, что ты сама такая. С Нелькой и ей подобными церемониться нельзя. Говорю же — кисель. Ему форма нужна. Пока он в чашке — принимает форму чашки, а убери ее — одна лужа останется. Муля для нее была вроде той самой чашки, только Нелька ей быстро надоела. От нее ж проку, как от козла молока, продавец она в самом деле поганый. — Глаша ничего не ответила. С отрешенным видом она глазела в окно, пытаясь взять себя в руки. Упоминание о бывшей подруге все еще доставляло ей боль. — Ну, кажется, я тебе всех посетителей перечислила, — заявила Настя и вдруг воскликнула: — Погоди-ка, еще ведь один заходил. Даже странно, что я про него забыла.

— Почему странно?

— Да парень уж больно фактурный, прям как с картинки. И лицо знакомое. Я его раньше видела. Он за Каринкой заезжал на джипе. Ну помнишь, в тот день, когда мы с тобой на улице разговаривали?

— Господи, да это ж Райский! — тихо ахнула Глаша.

— Райский? Забавная фамилия. А ты что, его знаешь?

— Встречались, — кисло кивнула Глафира.

Настя взглянула на нее с веселым любопытством.

— Хм... — протянула она с проницательным видом. — Против Каринки ты, конечно, не потянешь. И вообще, с такими красавчиками связываться — себе дороже, это я тебе по своему опыту говорю.

— Спасибо тебе, Настя, ты мне очень помогла, — неловко попыталась Глаша свернуть тему. — Мне пора.

— Ну конечно. Ты меня сразу закладывать побежишь или до вечера дотерпишь? — вроде бы безразлично поинтересовалась Настя.

— Я? Что ты говоришь? Я вообще никому ничего не скажу. Не мое это дело, и вмешиваться я не собираюсь.

Почему-то Настя совсем не обрадовалась ее благородному порыву. Она словно враз обессилела.

●

— Ну что ж, делай как знаешь, — произнесла она бесцветным голосом. — Мне уже все равно.

— Почему? Разве ты больше не беспокоишься о своей маме? Ты ей нужна!

— Мама умерла, Глаша, — проговорила Настя, низко опустив голову. — Все было напрасно.

Глаша испуганно моргнула и не смогла найти слов, чтобы выразить сочувствие. Она понимала, все, что она может сказать, будет бессмысленно. Мягко коснувшись рукой опущенного плеча Насти, Глаша оставила ее одну. Это единственное, что она могла для нее сделать.

ГЛАВА 26

К обеду, вопреки ожиданию, торговля пошла неплохо. На улице сильно похолодало, а при смене сезонов всегда наблюдалось оживление торговли, и Глаша это отлично знала. За несколько часов у нее расхватали все свитерочки, причем Глаше даже не пришлось прикладывать для этого никаких усилий. Для Глаши такое положение дел было просто подарком судьбы. Занятая своими мыслями, она была не способна обхаживать клиентов, как обычно. В голове крутился их с Настей разговор. После него у Глаши появилась пища для размышлений. Она перебирала в уме Мулиных посетителей, не в силах остановиться на ком-то конкретно. Самым подозрительным, разумеется, выглядел доктор. Возможность и средства у него явно были, однако с мотивом возникали проблемы. Конечно, Муля, с ее позорным промыслом, вполне могла использовать доктора в качестве объекта для шантажа, но без доказательств эта версия не выдерживала никакой критики. Если доктор был тем самым, которого она встречала в доме Райского, а это казалось весьма вероятным, то это усугубляло дело. Он присутствовал на том ужине, когда отравилась Эллочка.

ПОСЛЕДНЯЯ НОЧЬ КОЛДУНА

•

Два отравления в присутствии одного человека, это более чем подозрительно. Но почему он взъелся на обеих женщин? Ладно, Муля, она могла его шантажировать. Но Эллочка-то при чем? Она хоть и противная особа, но, на взгляд Глаши, — совершенно безвредная. Единственный, кому она всерьез насолила, да и то не по своей воле, это Райский. Кстати, в тот день без него тоже не обошлось, хотя ничего подозрительного в его поведении Настя не приметила. Логичнее предположить, что Райский мог попытаться избавиться от Эллочки как от незаконной наследницы его имущества, но на хрена ему сдалась Муля? И потом, представить Райского в роли отравителя очень сложно. Больно уж способ... не мужской. Райский же — мужик на сто процентов, в этом ему не откажешь. К концу дня она была полностью уверена, что ей одна дорога — на кладбище. В том смысле, что было бы неплохо навестить могилу своего новообретенного дедушки. Ей вдруг нестерпимо захотелось это сделать, причем немедленно. Она прекрасно понимала, что дедушка не восстанет из мертвых, чтобы дать ей дельный совет, но она все же надеялась, что сила, которой он был наделен при жизни, как-то поможет ей и после его смерти. Она чувствовала, что в событиях последних дней присутствует нечто таинственное, а раз так, то и совета просить нужно у того, кто в этом разбирался. Вдруг у нее просветлеет в голове и появится дельная мысль?

На кладбище было безлюдно. Погода совершенно испортилась. Грозовые тучи заполняли теперь все небо, и казалось, что уже наступил вечер, хотя на часах не было еще и четырех часов дня. Моросил мелкий дождь. У ворот кладбища — ни души. Даже старушки с бумажными венками куда-то подевались. Глаша купила остро пахнущих хризантем в цветочном ларьке и, прижимая их к груди, двинулась к воротам. Осторожными шагами девушка пробиралась по скользкой от дождя тропинке.

ЛАНА СИНЯВСКАЯ

●

Дождевые капли с высокой, пожухлой травы капали ей на кроссовки. В тишине даже шелест дождя казался ей оглушительным. Или это шумело в ушах от волнения? Теперь затея уже не казалась ей такой замечательной, а когда она совсем некстати припомнила случай на шоссе возле Медведкова, то и вовсе сочла ее глупой. Самое время было повернуть назад, поехать домой, напиться горячего чая с малиной и лечь спать, предварительно выбросив из головы всякие глупости. Но она этого не сделала. Продолжая размышлять о заманившем ее в ловушку призраке, она медленно брела по дорожке. В призрака она верить отказывалась, опасаясь за свой рассудок. Пытаясь объяснить все с помощью логики, она придумала для себя, что стала жертвой галлюциногенов, которые ей могли подсыпать за ужином. Старухи в черном, накрывавшие на стол, еще тогда показались ей зловещими и подозрительными. Одинаково мрачные и молчаливые, они шныряли по дому деда, появляясь то здесь, то там. И Глашино появление не вызывало у них ничего, кроме неприязни. Она была чужая, пришлая, возникшая из какой-то совсем иной, непонятной им жизни и собиралась лишить их привычного дома по праву наследования. Да, старухи вполне подходили на роль злодеек, тем более что это давало возможность доверять деду по-прежнему. Он оберегал ее много лет, являясь во сне, и ни разу не подвел ее. Сейчас, когда он исчез из ее снов, она очень по нему скучала. Ей не хватало его советов, и она шла к нему на поклон, теша себя нелепой надеждой на помощь. Где-то в глубине души ее теплилась еще одна надежда. Ведь именно здесь она нашла свою собаку. Вдруг Тайсон вернулся сюда и они встретятся снова?

Громкий шорох донесся откуда-то слева, почти возле самой дедушкиной могилы. Глаша застыла как вкопанная и прислушалась. Шорох раздался снова, за густыми зарослями какого-то кустарника. Теперь Глаша ясно различила человеческие шаги и насторожилась еще

264

•

больше. Там, за кустами, могила деда Федора. Кого занесло туда? Может быть, рабочие кладбища? Но что им делать на свежей могиле? Или мародеры? Последнее предположение слишком сильно походило на правду, и Глаша испугалась. Ей достаточно было сделать несколько шагов, и она смогла бы воочию убедиться в правильности своих предположений. Но сделать эти шаги было практически невозможно. С трудом заставляя озябшее тело повиноваться, она привстала на цыпочки и попыталась заглянуть на ту сторону поверх кустов, но у нее ничего не вышло, кусты оказались слишком высокими и густыми. Она неловко переступила на месте, и у нее под ногой предательски хрустнула ветка. С той стороны все мгновенно замерло. Вдруг какая-то тень метнулась за широким стволом старого клена, она услышала быстрый топот бегущего со всех ног человека. Не раздумывая, Глаша рванула из своего убежища следом, как будто ею внезапно овладел охотничий инстинкт. Более древний, он подавил инстинкт самосохранения. Возле дедовой могилы она едва не упала, споткнувшись об отброшенный в сторону свежий венок. Чертыхнувшись, она притормозила и оглянулась на могилу. Земляной холмик был полностью расчищен. Венки аккуратной горкой лежали чуть поодаль. Тот, о который она споткнулась, — последний, неизвестный бросил, догадавшись о ее присутствии. Возле остро пахнущего сырой землей холмика валялась лопата. Глаша растерянно завертела головой, отыскивая беглеца. Деревья мешали видеть, и она обнаружила его не сразу. Бросив цветы на холмик, Глаша побежала в ту сторону, где только что мелькнула куртка беглеца. Она хорошо бегала, но тот, кого она пыталась догнать, явно был проворнее. Она неслась вперед, то и дело оскальзываясь на мокрых листьях, но расстояние между ними почти не сокращалось. Девушка перепрыгнула через поваленный ствол дерева и, приземлившись, почувствовала, как земля ушла у нее из-под ног. Растопырив руки, Глаша с отчаянным криком скатилась куда-то вниз, больно ударившись головой и едва не потеряв сознание. Она испуганно озиралась по сторонам. Ее занесло в глубокую канаву, которую она не заметила. Эта канава играла на кладбище роль помойки, куда сваливали отслужившие свое венки и прочий кладбищенский мусор. Неподалеку от того места, куда она приземлилась, торчала толстенная доска, ощетинившаяся огромными ржавыми гвоздями. Глаша поежилась и попыталась отползти в сторону. Что-то мокрое и скользкое прилипло к щеке. Борясь с внезапно подступившей тошнотой, девушка с отвращением стряхнула маленький темный листик, воняющий тленом. Мысли о беглеце на время вылетели у нее из головы. Вспомнив об этом снова, она поднялась на ноги. Когда Глаша выбралась из ямы, беглеца, разумеется, и след простыл. Ужасаясь собственному плачевному виду, Глаша потихоньку заковыляла в сторону выхода. Попутно она размышляла о собственной невезучести, но углубиться в этот вопрос полностью ей помешал громкий, отчаянный крик, раздавшийся совсем рядом. Вслед за этим визг тормозов резанул уши. До ворот оставалось всего ничего, и Глаша, превозмогая себя, побежала. Шоссе пролегало в непосредственной близости от кладбищенской ограды. Глаша выскочила с разгону на дорогу и вскрикнула, увидев почти у своих ног распростертое на асфальте тело. Широко раскинутые ноги, разбросанные в стороны, сморщенные, как будто пустые рукава красной спортивной куртки, вздернутый до самой шеи свитер, обнажающий щуплую спину, испачканную чем-то темным и мокрым. В двух шагах от Глаши, перегородив проезжую часть, застыла старенькая зеленая «шестерка» с разбитым лобовым стеклом. Из распахнутой дверцы медленно выползал водитель с вытаращенными от ужаса глазами и редкими волосами, вставшими дыбом.

— Он как там, живой? — донесся до Глаши сиплый

•

голос водителя. Бледный как полотно, он наконец-то вывалился наружу, глянул на окровавленное тело, позеленел и потерял сознание.

— Эй, вы чего это? — всполошилась Глафира. — Не смейте! Вы зачем упали, дяденька? — Она подбежала к водителю, неподвижно лежавшему возле машины. Под ногами противно похрустывало битое стекло, и от этого звука к горлу неудержимо подкатывала тошнота. Дрожа всем телом, девушка заставила себя присесть на корточки возле отключившегося мужика и с опаской протянула к нему руку. Скрип тормозов за спиной заставил ее отпрянуть. Не удержавшись, она плюхнулась задом прямо в кучу битого стекла. Обтянутую брючками попу что-то больно кольнуло, и Глаша тихо пискнула. Захлопали дверцы, из машины вышли люди. Один из голосов показался ей знакомым, но обернуться и посмотреть она почему-то боялась. От страха из глаз девушки брызнули слезы. В голове затуманилось, реальность расслоилась, поплыла, и она никак не могла сообразить, что происходит.

— «Скорую» вызывай. Срочно! — крикнул кто-то.

— Да бесполезно уже, — откликнулся другой.

«О ком это они?» — подумала Глаша вяло, удивляясь, что еще может думать.

— С пацаном все ясно, а водитель дышит. В обмороке он. Да еще девушка. Эй, девушка, вы меня слышите? С вами все в порядке? — Глашу подхватили под мышки сильные руки и заставили встать на ноги. Она честно попыталась стоять, но ее сильно мотало, асфальт то приближался к самым глазам, то вдруг отдалялся. Кто-то — она не могла разобрать кто — заглянул ей в лицо и протянул насмешливо:

— Вот так встреча! И почему я не удивлен?

Глаша растерянно захлопала мокрыми от слез ресницами и попыталась сфокусировать взгляд на говорящем. Физиономия Райского в непосредственной близости от собственного лица отнюдь не добавила ей оптимизма. Очумелый вид Глаши раздражал Райского. Он не желал признаваться себе, что, увидев ее посреди дороги рядом с трупом и разбитой машиной, здорово испугался. Он узнал ее моментально. Ее нелепая фигура, облаченная, по обыкновению, в какие-то старушечьи тряпки, перепачканные, с налипшими прелыми листьями, на первый взгляд показалась ему совершенно безжизненной, а мокрые разводы он поначалу принял за кровь. В этот момент сердце его странно съежилось, заболело и забилось почему-то в ушах и горле. Потом оказалось, что она жива, цела и, кажется, здорова, если не считать легкого шока и глупого выражения лица. Он сразу же разозлился и все никак не мог взять себя в руки. Ему так захотелось перекинуть девицу через колено и отшлепать, что нестерпимо зачесались ладони. Чтобы избежать рукоприкладства, он поспешно отошел в сторону и даже отвернулся для верности.

— Ты видела, что здесь произошло? — участливо спросил Восковец, без которого Райского и представить было невозможно. Он покрепче перехватил Глашину руку и заставил ее отойти на обочину, поближе к хозяину, который даже головы в ее сторону не повернул. От широкой, шершавой Сашиной ладони исходило тепло, которое ощущалось даже сквозь толстый рукав куртки. Глаша вдруг почувствовала, как от этого тепла к ней потихоньку возвращается уверенность, как будто Саша поделился с ней своей силой. Глаша сглотнула противный комок и с трудом произнесла:

— Этот парень пытался разорить могилу деда Федора. Я застала его. Он испугался и побежал. Я хотела его догнать, но свалилась в какую-то яму. Пока выбиралась — он убежал и, видимо, выскочил на дорогу, прямо под колеса. — Глаша замолкла, удрученно разглядывая свою испачканную одежду, и даже попыталась свободной рукой оттереть особенно мерзкое пятно на самом видном месте. Пятно еще больше размазалось. Глаша всхлипнула и длинно, безнадежно вздохнула.

— А бегать за ним было обязательно? — обернулся к ней Райский. Тон его был угрюмым, на Глашу он по-прежнему не смотрел. Восковец выпустил ее руку, и Глаша сразу же почувствовала себя хуже. Райский все так же стоял поодаль от нее, подойти ближе не хотел, наверное, боялся испачкаться. Внезапно ей стало так обидно, что из глаз закапали слезы. Она задрожала от озноба и обхватила себя руками за плечи, как будто это могло ей помочь. Все, что она видела, кружилось перед ней и почему-то смазывалось, как на нечетком фотоснимке. — Эй, Глаша, что с тобой? — встревоженно позвал ее из далекого далека Павел. А затем Глаше показалось, что она спит, потому что он вдруг оказался совсем близко и — что совсем уж невероятно — обнял ее и прижал к себе. Ей стало так уютно, тепло и спокойно, как никогда раньше не было. Она даже глаза закрыла от удовольствия. Все равно это сон, и просыпаться ей не хотелось. — Не трогай там ничего! — грянуло над самым ее ухом. Она встрепенулась, опомнилась. Сна больше не было, но Райский все еще обнимал ее. И это было наяву, хотя лучше бы во сне, потому что поверить в реальность происходящего было трудно, практически невозможно. От этой невозможности болела голова, и ломило в висках, и было стыдно и тошно, как будто ее застали за каким-то непристойным занятием. Почувствовав ее дрожь, Райский не отстранился, а зачем-то погладил ее по мокрым растрепанным волосам широкой ладонью, от которой пахло дорогим табаком и чуть-чуть хвойным мылом. Он гладил ее осторожно, словно с опаской, как дикую кошку, не понимая, что кошка давно уже стала ручной и от этого — особенно беззащитной.

— Кому сказано, отойди! — закричал Восковец со стороны дороги.

Глаша повернула голову и увидела возле трупа тонкую девичью фигуру, обтянутую узким черным пальтецом. Девушка, до этого склонявшаяся над асфальтом, испуганно распрямилась и обернулась к Саше с виноватым лицом. Лицо принадлежало Карине. Наваждение прошло. Все встало на свои места, и Глаша попыталась освободиться от объятий Райского, чтобы избавить его и себя от неловкости. Райский, повинуясь ее желанию, разжал руки.

Прижимая к себе огромный букет белых лилий, Карина виновато улыбнулась Райскому, словно прося прощения. Ее тонкие пальчики трогательно стискивали тугие, в завитушках узких листьев стебли, щеки были белее восковых лепестков, а из бездонных глаз катились слезы. Глаша поймала себя на мысли, что у Карины, заливающейся горючими слезами сострадания, почему-то совсем не покраснел нос. У самой Глаши нос от рева всегда розовел и становился похожим на недозрелую клубнику. Очевидно, красавицы устроены как-то по-другому, не так, как простые смертные.

— Почему вы ничего не делаете, Павел Аркадьевич? — спросила Карина дрожащим голосом. — Несчастному нужно помочь, он истекает кровью!

— Уже истек, — сообщил Свеча невозмутимо. Карина передернула плечами, потому что ожидала ответа на свой вопрос вовсе не от него, но Павел молчал, и ей пришлось посмотреть на его телохранителя. — Мы ничем уже ему не поможем, — сказал Восковец, подходя ближе. — А «Скорую» я уже вызвал. И ментов, кстати сказать. Лучше бы они поторопились, пока вместо одного трупа не стало два. Водитель мне что-то совсем не нравится. — Последние его слова были обращены к хозяину. Райский кивнул, выражая свое согласие с мнением телохранителя. А Карина вдруг заревела во весь голос, чем удивила не только обоих мужчин, но и Глашу.

— Саш, убери ты ее отсюда, — попросил Райский,

тоскливо сморщившись. — Отведи в машину, дай успокоительное. У тебя в аптечке есть успокоительное?

— Есть. И валерьянка, и этот, как его, пустырник.

— Вот-вот! Валерьянка — самое то. Дай ей две таб-
летки. Или сколько там надо? Короче, побольше дай.
А потом, пока ты будешь ждать ментов, я отведу ее на
могилу матери.

— Нет уж, лучше я сам свожу ее на кладбище, а с мен-
тами ты как-нибудь разберешься, у тебя это лучше получается. — Глаша недоуменно взглянула на Восковца, не
понимая такого рвения, и он вдруг заговорщицки подмигнул ей, так, что ни Карина, ни Райский не заметили. — Долго вас не задержат, так как вы ничего не видели, — продолжал Саша как ни в чем не бывало, — а после этого ты сможешь Глашу домой отвезти.

— А я как же? — напомнила о себе Карина.

— А у нас, деточка, дела. Вот навестим мамину могилку и тоже домой отправимся. Мотор поймать не проблема.

Карина выглядела разочарованной, но возражать не
посмела и потому понуро поплелась вслед за Сашей к
машине пить успокоительное. С милицией и вправду
проблем не возникло. Водителя откачали, привели в
чувство, он самостоятельно поведал об аварии, вины
своей не отрицал, а посему Райский с Глафирой оказались не нужны и были отпущены на все четыре стороны. Всю дорогу Глаша была задумчива. Когда прибыл
наряд милиции и молоденький милиционер, сопя от
волнения, перевернул тело, Глаша едва удержалась, чтобы не вскрикнуть. Разбитое в кровь лицо парня показалось ей знакомым. Вглядевшись, она поняла, что это
один из тех, кто совсем недавно преследовал и мучил
ее. Почему он снова оказался у нее на пути? Думать об
этом было страшно, но не думать она не могла. Что делал этот тип на могиле деда Федора? Какая связь между
нею и этим парнем со странной кличкой Чика? И поче-

271

му Райский не подал вида, что тоже узнал его?! Не мог не узнать. Тогда — она хорошо это помнила — он сам назвал эту самую кличку! Исподтишка Глаша разглядывала профиль своего спутника, надеясь, что тот все же заговорит о погибшем, развеяв ее сомнения, но он молчал, не отводя напряженного взгляда от дороги. Не спрашивая разрешения, Райский вслед за Глашей поднялся в ее квартиру.

— Приведи себя в божеский вид, и мы съездим куда-нибудь поужинать, — сообщил он в приказном порядке. Против обыкновения Глаша даже не спросила зачем. Она устала сопротивляться и хотела только одного — тупо плыть по течению. Иногда это самый лучший выход. Райский помолчал немного, ожидая возражений с ее стороны, но, когда их не последовало, сам прояснил ситуацию: — Пришло время для серьезного разговора. Откладывать больше нельзя. Я понимаю, что ты устала и испугана, но сделать ничего не могу. После разговора ты поймешь — почему. — Глаша только пожала плечами и отправилась в комнату переодеваться. Разговор так разговор. Ей безразлично. Она устала от разговоров, которые множили вопросы, роившиеся у нее в голове, как осы, но не давали ответов. Единственным, во что можно было переодеться, оказался подарок Райского. В последнее время она перепортила кучу одежды, а у нее и без того был скудный гардероб. Натянув на себя джинсы, футболку и курточку, она взглянула в зеркало и тут же со вздохом отвернулась. Все правильно, краше она не стала, хотя одежда приятно облегала тело, придавая ей уверенности.

Глаша и предположить не могла, что Райский потащит ее в такой дорогой ресторан. До сих пор она считала, что живущий в богатстве и роскоши Павел презирает ее и немного стесняется, но он подъехал к сияющему огнями заведению, решительно толкнул дубовую входную дверь и втолкнул Глашу внутрь, когда она немного

•

замешкалась на пороге. Никогда прежде Глаша не бывала в подобных местах. Понимая, что это ее первый и последний шанс, она вертела головой, стараясь запомнить как можно больше, чтобы рассказать потом Вале и Дине и самой вспомнить при случае, как красиво все было. Глаша подозревала, что заведение было доступно далеко не всем, даже имеющим деньги. Райский вошел сюда, как к себе домой, значит, был здесь частым гостем. Глаша отметила этот факт, но зависти он у нее не вызвал. Глупо завидовать тому, чего у тебя в принципе быть не может. Остается пользоваться случаем и просто получать удовольствие. Райский усадил ее за столик, накрытый белоснежной, хрустящей от крахмала скатертью.

Пока официанты носили подносы с едой, Глаша пыталась унять нервную дрожь. Ей снова показалось, что она видит волшебный сон. Только сидящий напротив мужчина немного портил впечатление. В нем решительно не было никакого романтизма. Он просто ел, аккуратно и быстро, как обыкновенный голодный мужчина, не обращая никакого внимания на окружающее его волшебство. Глядя на него, Глаша почувствовала себя уязвленной. Ей хотелось наслаждаться каждой минутой, каждым кусочком искусно приготовленных блюд, но в присутствии этого неандертальца, банально набивающего брюхо омарами и паровой стерлядью, настроиться на нужную волну никак не удавалось.

Внезапно Глаша вспомнила о матери. Вот она-то наверняка часто бывала в подобных местах. В душе шевельнулась обида. Почему мама не подготовила ее, не рассказала, как это бывает, не научила правильно себя вести? И тут же на смену обиде пришел стыд. Разве не сама она, наученная бабушкой, с пеной у рта отрицала возможность подобного существования, считая его мещанским и пошлым? Глаша не желала становиться светской львицей, хотя мама не раз предлагала ей попробовать. Любя дочь, она не настаивала, позволяя Глаше самой выбрать ту жизнь, которая ей нравится. Почему же теперь ей вдруг кажется, что она фатально ошиблась с выбором?

— Ты наелась? — спросил ее Райский, о котором она ненадолго забыла.

— Да, — соврала Глаша, которая не успела попробовать и половины блюд.

— Тогда давай поговорим.

— О чем?

— О свитке.

— О каком свитке? — спросила она растерянно.

— О свитке твоего дедушки, который он передал тебе перед смертью.

— А зачем о нем говорить? Я выполнила указание деда Федора и сунула ящичек со свитком в гроб. — Глаша нервно поерзала на стуле, который вдруг показался ей неудобным.

— А я совершенно уверен, что свитка в могиле нет, — жестко сказал Райский.

— Вы считаете, что я вас обманываю?!

— Нет. Но свиток кто-то забрал. И тот, кто забрал его, почему-то мечтает отправить тебя вслед за дедушкой, — произнес Павел без тени сочувствия. Глаша похолодела. Спина под тонкой футболкой взмокла, рука дрогнула, вилка звякнула о фаянс, и Глаша торопливо положила ее на край тарелки.

— Вы шутите? За что меня убивать?

— Вот это я и хочу выяснить.

— Для чего?

— Чтобы защитить тебя, идиотка.

— А зачем вы меня все время защищаете? — возмутилась девушка.

— Защищать ТЕБЯ — не главная задача, — холодно проговорил Райский. У Глаши отвисла челюсть.

— А какая же тогда главная? — пробормотала она ошарашенно.

ПОСЛЕДНЯЯ НОЧЬ КОЛДУНА

●

— Вернуть свиток или уничтожить его.

— А я тогда при чем? У меня же его нету, — развела она руками.

— Как ты не понимаешь? Обладатель свитка явно охотится за тобой.

— Почему вы решили, что именно он за мной охотится?

— А тебя в истории с озверевшими листьями ничего не смущает?

— Этого не может быть.

— Может. Поверить трудно, но ты постарайся. Тот, у кого в руках дедов свиток, способен и не на такое.

— Он что, правда волшебный? — Райский неохотно кивнул, но Глаша продолжала смотреть недоверчиво.

— Вычислив твоего врага, я выйду на вора, укравшего реликвию.

— А зачем вам это?

— Обычный человек не имеет права владеть свитком.

— Почему?

— Крышу сносит от вседозволенности, — просто ответил Райский. — Не доросли пока человеки до такой власти. Таких дел могут натворить, чертям жарко станет.

— Значит, я — почти труп? — уточнила Глаша, стараясь казаться спокойной.

— Почти — не считается. Твой враг очень осторожен. Он действует осмотрительно и наверняка не хочет рисковать. Но когда-нибудь он подойдет совсем близко... — Райский осекся, натолкнувшись на испуганный Глашин взгляд. — Черт, я, кажется, переборщил...

— Я это заметила.

— Но я вовсе не имел в виду...

— Не стоит оправдываться. Я не маленькая девочка, и утешать меня не надо. Вы сказали именно то, что имели в виду. Я ведь наживка, да? Этакий червячок, на которого должна клюнуть крупная рыба, на которую вы охо-

•

титесь? Глупый червячок пойдет на корм вашей рыбе, но кого это волнует, верно?

— Погоди, Глаша, ты все не так поняла! — Но она больше не желала слушать.

— Спасибо за ужин, господин Райский. Червячок теперь выглядит гораздо более откормленным, — зло процедила девушка, вставая с места.

— Подожди, мы не договорили.

— Ошибаетесь. Я свою задачу полностью уяснила. Я приношу пользу, пока жива, ничего сверхъестественного от меня не требуется. Ловите спокойно своего похитителя! Флаг вам в руки и барабан на шею.

Держа спину очень прямо, она промаршировала к двери. Райский, чертыхаясь, достал из бумажника несколько крупных купюр, швырнул деньги на стол и бросился за девушкой. Он догнал ее уже на улице, схватил за руку и резко развернул к себе.

— В чем дело, Глаша? Что ты себе напридумывала? Неужели ты могла подумать, что я позволю хоть волосу упасть с твоей головы?

Глаша уперлась рукой ему в грудь, отталкивая.

— Пусти меня сейчас же, или я закричу! — пригрозила она.

— Что ж, ты на это вполне способна, — кивнул он, медленно разжимая пальцы и отступая на шаг назад.

— Еще как способна! — заорала она. — И больше не смей меня трогать! — Она пронзила его убийственным взглядом горящих глаз, в которых плавились слезы.

— Тсс! Тихо, тихо. — Он приложил указательный палец к ее дрожащим губам, как будто утешая маленькую, некстати раскапризничавшуюся девочку. Она все же заговорила, наплевав на запрет, борясь с искушением вцепиться в палец зубами:

— Оставь меня в покое! Я сама разберусь во всем! Мне никто не нужен. Слышишь ты, супермен хренов? Никто! — На этот раз он не испугался ее воплей. Пристально глядя на нее, словно гипнотизируя, он дерзко погладил ее по щеке. Она вздрогнула, ощутив мягкое, ласковое прикосновение к своей коже. Его пальцы оказались шершавыми, твердыми, явно знакомыми с тяжелой работой. Такие руки не вязались с его холеным, ухоженным обликом, умопомрачительным автомобилем, домом-дворцом и роскошными ресторанами. Глаша растерянно заморгала, застигнутая врасплох. Она слишком долго медлила для того, чтобы выразить свое справедливое возмущение, а теперь возмущаться было уже поздно.

— Если в этом городе и есть девица, которую надо спасать, то она сейчас передо мной, — произнес он тихо.

— Тоже мне рыцарь на белой кобыле! — фыркнула Глаша.

— Ты что-то имеешь против рыцарей? — деловито осведомился он.

— Нет. Против коней. Особенно — белых.

ГЛАВА 27

Глаша рассказала Павлу все. Она и сама не понимала, как это получилось, что все копившееся в ней выплеснулось наружу. Он слушал внимательно, не перебивая, но чем дольше она говорила, тем яснее понимала, что, по большому счету, ничего не добилась. Свет в конце тоннеля так и не забрезжил. В какой-то момент она вдруг почувствовала страх, что ее рассказ покажется ему глупым и бессмысленным, хотя до сих пор она казалась самой себе умной и находчивой. Они проговорили несколько часов. Райский больше не пытался дотронуться до нее, и ее это почему-то обижало. Она так хотела, чтобы он дотронулся, что только об этом и думала. От этого мысли путались, язык заплетался, а щеки алели как-то особенно ярко, предательски. Расстались они уже под утро. После его ухода у нее в голове созрело решение. Когда она вытряхнула из шкафа весь свой гардероб и плотно утрамбовала его в большие пакеты, за окном стало совсем светло. Пыхтя и отдуваясь, она оттащила пакеты на помойку, все до единого. Никакого сожаления она не испытывала. Наоборот. Ей стало легко и весело, как когда-то в школе, когда неожиданно выдавалась возможность прогулять уроки. В восемь она стала собираться на работу. Обычно этот процесс занимал у нее минут двадцать от силы, включая умывание, завтрак и чистку зубов. Сегодня она едва уложилась в полтора часа. Она взглянула на себя в зеркало и тихо ахнула, с трудом узнавая себя в чувственно-элегантной стройной девушке с распущенными по плечам рыжими густыми волосами. Глаша никогда не испытывала особой любви к своему телу, которое вечно прятала, а тут вдруг, против воли, залюбовалась, глазея в зеркало, как в подсвеченную огнями витрину дорогого магазина. Она заново узнавала свое лицо, разглядев и тайную печаль в уголках... сексуального рта, и большие глаза, очень взрослые и немного усталые, и роскошную гриву волос редкого, медного оттенка, который так удачно подчеркивал облегающий бирюзовый кашемировый джемпер из ее новой коллекции. Кожа в глубоком декольте будто светилась. Глаша и не знала, что у нее такая... светящаяся кожа. В новой одежде она чувствовала себя немного неловко, как в чужом бюстгальтере, но Глаша уже понимала, что назад пути нет, что теперь она — настоящая: яркая, броская, уверенная. Хорошо, что она успела вовремя, пока старость не отобрала у нее последнюю возможность побыть собой, окончательно и бесповоротно поглотив тело, мысли и душу. Она больше никогда не будет стыдиться быть красивой, потому что отныне ей безразлично, одобряют ее окружающие или нет.

ПОСЛЕДНЯЯ НОЧЬ КОЛДУНА

●

* * *

Славика Глаша заметила издалека и удивленно взглянула на часы. Без двадцати десять. Интересно, каким ветром его занесло к магазину за двадцать минут до открытия? Славик топтался у входа и нервно курил, зажав под мышкой стандартный букет из трех роз в кружевной целлофановой обертке. У Глаши мелькнула мысль, что он ждет вовсе не ее. И эта мысль ее обрадовала. Оказывается, за последние дни она совсем забыла о существовании мужа. Славик заметил девушку. Вначале он лишь мельком скользнул по ней взглядом, не узнавая в новом облике, потом дернулся, заморгал и уже уставился, не отрываясь. Он отбросил сигарету в лужу, туда же уронил букет, позабыв про то, что он у него под мышкой — он никогда не дарил ей цветов, — поднял букет, разбрызгивая мутную воду, встряхнул им, словно веником, а затем для чего-то спрятал многострадальный букет за спину.

— Привет, — сухо поздоровалась Глаша, еще надеясь проскользнуть мимо.

— Здравствуй, — просиял он. — Шикарно выглядишь.

Еще недавно она бы смутилась, зарделась и принялась бы неловко оправдываться. Но сегодня она была готова к комплиментам и приняла их как должное. Поэтому в ответ на его слова она ограничилась коротким кивком и спросила, впрочем, без особого интереса:

— Цветочки кому? Мне?

— Тебе, конечно! — Славик суетливо сунул ей в руки букет. На хрустящей пленке от воды появились неопрятные разводы, и Глаша взяла букет с опаской, боясь запачкаться.

— Ты чего пришел-то, Славик?

— Как это чего? Соскучился. — Глаша нутром чувствовала, что он врет, но спорить было лень. — Послушай,

Глашенька, я тут подумал... — начал Славик, преданно глядя ей в глаза. Он не готовился к разговору, уверенный, что уговорит ее без труда, и теперь растерялся, потому, что перед ним была не привычная Глаша — покорная, робкая, смотрящая ему в рот, — а кто-то новый, совершенно чужой и даже опасный. Он понятия не имел, как с ней разговаривать, и чувствовал, что ей — страшно сказать! — с ним скучно.

— Так о чем ты подумал? — напомнила новая Глаша нетерпеливо. Он пробормотал что-то невразумительное, разглядывая ее ноги в стильных замшевых сапогах. Эти сапоги он прекрасно помнил. Его мать — отчаянная модница — заказала их в Париже, но они оказались ей малы. Деньги были уплачены, девать сапоги было решительно некуда, не отправлять же обратно в Париж, в самом деле? И тогда сапоги решили презентовать Глафире, у которой была маленькая нога и очень кстати намечался день рождения. Глашка подарок приняла с благодарностью, но ясно было, что сапоги она никогда носить не будет. И вот теперь она постукивает изящным каблучком по мерзлой земле и чувствует себя в модной обуви вполне уверенно. А он-то полагал, что она и шагу на каблучищах ступить не сможет.

— Глаш, я пришел, чтобы попросить у тебя прощения, — выдавил Славик.

— За что? — искренне удивилась Глафира. Он взглянул на нее удивленно.

— Ну, за все. Я вел себя как свинья, я тебя обидел, даже предал. Но теперь я все понял, осознал и раскаялся.

— Почему?

— Что? — Вопрос сбил его с мысли, и он досадливо поморщился.

— Почему раскаялся? С чего вдруг? — терпеливо разъяснила Глаша.

— Ну как же? Я понял, что ты мне нужна. Только ты. Ты такая заботливая, ласковая, верная, хозяйственная...

ПОСЛЕДНЯЯ НОЧЬ КОЛДУНА

●

— Твоя новая подруга что, плохо готовит? Или отказывается стирать твои трусы? — перебила Глаша перечисление своих достоинств.

— При чем тут... трусы? — Он понизил голос, произнося последнее слово, и Глаша усмехнулась.

— Да ни при чем, конечно, — пожала она плечами. Он собрался с мыслями и сумел наконец сказать речь, не забывая при этом контролировать выражение ее лица. Вот сейчас оно привычно размякнет, с него исчезнет жесткость. Вот сейчас, еще совсем немного. На нее подействует. На нее всегда действовало. Глаша слушала его излияния равнодушно, просто оттого, что не могла найти достойный предлог, чтобы их остановить. Наконец терпение ее иссякло.

— Вячеслав, не надрывайся ты так, все это лишнее. — Оттого, что она назвала его так официально, он поперхнулся, а она продолжала с обидной жалостью в голосе: — В самом деле, ты же сам предложил нам расстаться. Так действительно лучше. Я это поняла.

— Для кого лучше? — немедленно разозлился он, в основном потому, что она его перебила, не дослушав до конца. Раньше она никогда не перебивала. — Для кого? Для тебя? Ну конечно! Ты же теперь надеешься на более выгодную партию.

— О чем ты говоришь?

— Не притворяйся! — взвизгнул он, совсем потеряв самообладание. — Ты прекрасно знаешь, о чем. Ты круто взлетела, уважаю! Только подбери губу: даже с новыми тряпками ты не сумеешь его удержать. Не твоего полета голубок, совсем не твоего, моя ласточка.

— Ты что, следил за мной? — догадалась вдруг Глаша.

— А что такого? Ты все еще моя жена, и тайком крутить романы я тебе не позволю!

— Нет никаких романов! — брезгливо сморщилась Глаша.

— Не притворяйся! — Славик подскочил к ней, брыз-

●

гая слюной, и цепко ухватил ее за плечо. — Опомнись, Глафира! Подумай, куда ты катишься!

— Опомнись, Славик! Что ты несешь? — вскрикнула она, вырываясь. — Мы уже разошлись! Ты сам прогнал меня, помнишь?

— Я тебя проверял! А ты сразу ударилась в разврат! Шлюха! Содержанка! Вот они, материнские гены!

— Заткнись! Не трогай мою мать.

— А кто мне запретит? Ты, что ли? Даже не думай, — издевательски сощурился он. — Я тебе не Райский, которому ты продалась, как уличная девка. Он хоть заплатил тебе или ты прыгнула к нему в койку добровольно, так сказать, из любви к искусству?

— Я не прыгала к нему в койку. И вообще, оставь его в покое.

— Тоже мне, защитница выискалась. Связалась с подонком, так и молчи, нечего глаза на правду закрывать.

— Ты-то откуда знаешь, что он подонок? Вы вроде незнакомы.

Он тихо, злорадно рассмеялся.

— Молодец, поставила меня на место. И где только научилась? Мы действительно незнакомы, но уши у меня есть, а слухами земля полнится. Я тут справочки навел, чтобы иметь представление, с кем спит моя благоверная. Узнал много занимательного. Но тебе, я вижу, неинтересно. — Он сделал вид, что собирается уйти, и она попалась на уловку, воскликнула встревоженно:

— Погоди, Славик! Что ты узнал?

— Думаешь, тебя это заинтересует?

— Посмотрим, — ответила она, стараясь казаться спокойной, хотя внутри у нее все дрожало и обрывалось. Славик медленно, словно нехотя, развернулся и подошел к ней вплотную, сунув руки в карманы длинного плаща.

— Твой Райский — уголовник. Он сидел в тюрьме, — проговорил он, нагнувшись прямо к ее уху.

282

•

Глаша едва сдержала вздох облегчения.

— Об этом писали все газеты, — отмахнулась она.

— Это не все. Он довел до самоубийства свою жену. Об этом газеты не писали. Хочешь повторить ее судьбу?

— Я тебе не верю. Его жена умерла в больнице, в окружении лучших врачей, которые просто оказались бессильны перед ее болезнью. Райский сделал все, чтобы поставить ее на ноги.

— Очень трогательно. А ты не задавалась вопросом, почему благодарная супруга составила завещание в пользу сестры, а вовсе не заботливого мужа?

Глаша не нашлась с ответом.

— Откуда тебе известно о завещании? — спросила она подавленно.

— Тебе-то какая разница? Информация проверенная, не сомневайся. Кстати, это еще не все. Райский и деда твоего пытался вогнать в могилу.

— Ну, это уже полный бред! — воскликнула она с возмущением.

— Отнюдь нет. Он наведывался к дедуле с дурными намерениями и крепкой охраной. Рассказывают, они чуть не поубивали друг друга. В конце концов твой дед спустил твоего хахаля с лестницы, как уличного попрошайку и пообещал напоследок стереть его в порошок.

— Ты врешь. Скажи, что ты врешь, Славик! — взмолилась Глаша отчаянно.

— Даже и не думаю. Могу свидетелей представить, если на то пошло.

— Но что было нужно Райскому в доме моего дедушки? Зачем ему угрожать?

— Вот об этом история умалчивает. Спроси у своего любовника, может, он покается. Впрочем, ходят слухи, что дед владел каким-то заклинанием, которое исполняет желания, как золотая рыбка, а Райский хотел его заполучить. Только не вышло. Старик проклял его и пообещал, что тот никогда ничего не добьется. Неужели старик не рассказал тебе перед смертью? Ты ведь его наследница...

Глафира неопределенно мотнула головой. Она знала, что не умеет врать, и она ни в чем не была уверена.

— Ладно, Славик, — торопливо проговорила она, заслышав, как отпирается входная дверь магазина, — поговорим потом, мне пора.

— Подожди! Как это потом? Когда? — встревожился Славик.

— Я позвоню тебе. Мне нужно все обдумать, — крикнула она, вбегая внутрь магазина, как в бомбоубежище. Почему-то она была уверена, что туда Славик за ней не последует. Так и случилось. Она оглянулась. Славик смотрел ей вслед. Лицо его было растерянным.

* * *

— Прекрати смотреть в одну точку, — потребовала Валя. — Не смей жалеть этого своего придурка. Сам виноват. Ты-то чего с ума сходишь?

— Я вовсе не жалею Славика. Я о нем вообще не думаю, — покачала головой Глаша.

— Да? А о ком тогда ты печалишься, как Ярославна на заборе? О Святом, что ли?

— Валя, отвяжись. И без тебя тошно.

— Спасибо на добром слове. Впрочем, у битого — всегда небитый виноват, это нам известно.

— Не обижайся. Просто ты мне все равно сейчас не поможешь, так что хотя бы не мешай.

— Дин, ты слышала? Она у нас теперь самостоятельная, даром, что запуталась в двух мужиках как в трех соснах.

— Валь, мне сейчас вообще не до мужиков. Честно.

— А до кого тогда?

— Валь, отстань от нее, — предупредила Дина строго.

ПОСЛЕДНЯЯ НОЧЬ КОЛДУНА

●

— Не отстану, — заупрямилась Валя и добавила жалобно: — Мне же любопытно...

— Ну, хорошо! Меня беспокоит свиток моего деда, — сдалась Глаша, потеряв терпение. — Думаю, что это и есть то самое заклинание, о котором говорил Славик. Святой вчера всю ночь убеждал меня в необходимости найти свиток. — Валя и Дина многозначительно переглянулись.

— Вот так прям и всю ночь? — с ехидным любопытством поинтересовалась Валя.

— Ну да, — ответила Глаша, не замечая подвоха.

— Вам что, ночью больше заняться было нечем? Или ЭТО теперь так называется?

— Прекрати!

— А я что? Я ничего, — пожала полными плечами Валя. — Так что там у нас со свитком? — Глаша подозрительно взглянула на подругу, но натолкнулась лишь на ясный взгляд, чистый, как слеза ребенка. Девушка усмехнулась.

— В общем, так: свиток — то самое заклинание. Может быть, я ошибаюсь, но это — единственное логичное предположение. Если Славик не соврал, то Райский желает заполучить его во что бы то ни стало.

— Подожди-ка, ты же рассказывала, что сунула его в гроб, а гроб, как я понимаю, давно закопали.

— Ну, а кто-то раскопал. Райский говорил про большую угрозу, которую представляет собой свиток, — задумчиво проговорила Глаша.

— Кому угрозу?

— Всем. Мне — в первую очередь.

— Ты-то тут каким боком? — встревожилась Дина.

— Понятия не имею. Дед запретил мне читать свиток, я не могла его ослушаться, так что судить о том, что он собой представляет на самом деле, не могу.

— Воо-оот! — назидательно изрекла Валя, подняв кверху указательный палец. Глаша и Дина воззрились на нее в полном недоумении. — Настал момент истины! — провозгласила Валя и предусмотрительно потребовала: — Только, Глаша, пообещай сначала, что не будешь обзываться словами всякими нехорошими.

— Ну, обещаю. Говори.

— В общем, так, девочки. В отличие от нашей Глаши, я никому ничего не обещала. Так что в свиток этот легендарный я заглянула, — покаянно выложила она и тут же поспешно добавила: — Всего одним глазком!

— Ну, Валька, ну ты и...

— Глаш, погоди ругаться. Может быть, в кои-то веки Валино любопытство принесет хоть какую-то пользу? — вступилась за подругу Дина.

— Очень на это надеюсь, — кивнула Глаша сердито.

— Рассказывай, Валь, что ты там прочитала, — попросила Дина.

— Ладно, уговорили, я сегодня добрая, — расплылась в улыбке Валя. — Вообще-то поняла я из прочитанного немного. В комнате было темно, Глашка дрыхла, и свет зажигать я боялась. Кроме того, что половина букв попросту стерлась от времени, они, буквы то есть, еще и старославянские, что сильно затрудняло задачу.

— Как же ты вообще смогла разобрать хоть что-то? — изумилась Дина.

— Я не весь век за прилавком торчала. По образованию я — историк, — напомнила Валя грустно. — Карьера, сами понимаете, не сложилась, но знания кое-какие еще не растеряла. Так что текст я прочла, там, где он уцелел, конечно. Написан он примерно тысячу лет назад. Естественно — раритет, каких мало. Сам текст больше напоминает бред сумасшедшего, и в том, что он способен творить чудеса, я сильно сомневаюсь. Не обижайся, Глашка. Судите сами. Начинался текст словами: «Господь мне сии знания передал. У кого этот святой лист будет, с тем Господь во всех его делах во веки веков пребудет...» Я текст потом по памяти на бумаге записала. Как чувствовала, что пригодится. — Она достала сумочку, произвела в ней необходимые изыскания и извлекла мятый листок в клеточку, исписанный неровным почерком. — На подоконнике писала, поэтому и криво, — пояснила она, оправдываясь. Девушки дружно склонились над разложенным на столе листком и принялись по складам разбирать Валины каракули.

— Вот тут вот интересно: «умирающий на десять лет дольше проживет»... — прочла Дина.

— И здесь еще: «...любая рана заживет», — подхватила Глаша недоверчивым тоном. — Валька, ну что у тебя за почерк? — посетовала она с досадой.

— Опять недовольны?

— Так непонятно же! Вот здесь: «Пророк в белом одеянии»...

— Ах, это... Здесь, девочки, начинается самое захватывающее. Далее из текста следует, что тот, кто тайное слово со святого листа прочитает и, все слова прочитав, что-нибудь пожелает, то любое его желание исполнится.

— А где же тут тайное слово? — спросила Глафира, внимательно вчитываясь в неровные строчки. — Или ты не все переписала?

— Все я переписала, что на бумаге осталось, — ответила Валя с обидой. — А про тайное слово — это тебе у деда нужно было спрашивать. Думаю, он эту бумажку наизусть знал, да так, что от зубов отскакивало.

— Все равно не верится, что это на самом деле, — пожала плечами Дина. — Наверное, это какой-нибудь фольклор. Мы же современные люди, как можно в такое поверить?

— Как современный человек, могу с уверенностью сказать одно: свиток — раритет. Любой музей отвалит за него кучу денег, а владелец проснется наутро знаменитым, — заявила Валя. — Коллекционеры за такую штуковину вообще озолотить могут. Вот твой Райский, например. Он случайно не коллекционер?

—

— Нет, Валь, дело не в исторической ценности. Этот свиток действительно работает так, как там написано, — сообщила Глаша мрачно. — Я его работу на своей шкуре испытала, когда в лесу листья превратились в остро отточенные лезвия и набросились на меня, как будто по чьему-то приказу. — Все трое молча переглянулись, отчетливо чувствуя страх друг друга.

— Так что же получается, — начала Валя, зачем-то понизив голос до шепота, — тот, у кого свиток теперь, может пожелать все, что захочет? Все-все-все?

— Надеюсь, что нет, — сказала Глаша без особой уверенности.

— Мама дорогая... — жалобно пискнула Дина.

ГЛАВА 28

Глаша пыталась убедить себя, что все не так паршиво, как кажется, но ей потребовались многочисленные доводы, чтобы поверить в это. Когда она уже решила, что поверила, к ней явился Павел Аркадьевич Райский и сообщил, что доктор, Альберт Натанович Чекулаев, которого Глаша объявила подозреваемым номер один, испарился в неизвестном направлении.

— А домой ты ему звонил?

— Естественно. Начиная со вчерашнего вечера.

— А на работу?

— За кого ты меня принимаешь?

Глаша благоразумно промолчала.

Тем временем Райский, разглядывая преобразившуюся Глашу, пытался взять себя в руки. Она совершенно сбивала его с толку. Еще вчера она выглядела очаровательной замарашкой, понятной, простой и непритязательной. Такой она ему даже нравилась, так как отличалась от привычных карамельно-ягодных Барби, одинаковых, как пластмассовые бусины. Стоящая перед ним красавица смутно напоминала кого-то из известных актрис, с упругой грацией тигрицы в движениях и совершенным телом. Она не просто поменяла одежду, она как будто изменилась внутренне, и он оказался не готов к подобным изменениям. Хорошо хоть выражение похорошевшего лица осталось прежним — немного неуверенным и грустным. Внезапно это лицо просияло:

— Мобильник! Мы забыли про мобильный телефон!

— МЫ — не забыли, — поправил Райский мягко. — Абонент не отвечает или временно недоступен.

— Но тогда... Тогда получается, что он сбежал, да? — спросила Глаша растерянно.

— К сожалению, это один из возможных вариантов.

Глаша тратила все свои силы на то, чтобы скрыть панику. Доктор исчез. Почему? Потому, что действительно виновен, или потому, что от него поспешили избавиться? И то и другое, как сказал Райский, возможные варианты. Но зачем от него избавляться, если никто не знал, что она его подозревает? Впрочем, Райский как раз знал. В душе ее снова зашевелились подозрения. Слова Вали и обвинения, брошенные бывшим мужем, завертелись в ее голове с бешеной скоростью. Можно ли доверять Райскому после таких обвинений? Если нет, то это ужасно, потому что одной ей не справиться. Невидимый и жестокий враг сметет ее со своего пути, как хлебную крошку со стола. Она подняла голову и посмотрела прямо в глаза Павлу.

— Ты можешь хотя бы предположить, какой мотив был у доктора? — Голос ее сорвался, выдавая мучительную тревогу. От его ответа зависело очень многое. Если Райский сам подстроил своевременное исчезновение доктора, то сейчас будет озвучена заранее заготовленная версия событий, максимально правдоподобная и гладкая, как полированный стол.

— Я думал над этим всю ночь, — он говорил медлен-

●

но, тщательно обдумывая каждое слово, — но так и не пришел к определенному выводу. Альберта Натановича я знаю очень и очень давно. Несмотря на неказистую внешность, он благородный и честный человек. Прекрасный врач с безупречной репутацией. Уверен, что он вообще не способен лишить жизни другого человека.

— Но он мог достать мышьяк именно в силу своей профессии. И он был в магазине в тот день. Тому есть свидетели.

— Все это правильно. Как и то, что в тот день, когда отравили Эллу, он также присутствовал на ужине. Но я все равно не могу поверить, что он виноват. — Райский нагнул голову и потер пальцами виски с такой силой, что побелела кожа.

— А во что ты веришь?

— Не знаю. Вначале я думал, что Эллочку пыталась отравить ее подруга, Амалия. В последнее время они только делали вид, что дружат, а на самом деле тихо ненавидели друг друга. Но пока я пытался найти доказательства вины твоей Мули, она сама отправилась к праотцам, причем по чистой случайности ее убил не мышьяк.

— А что теперь? У тебя появилась новая версия?

— Нет! Не появилась, — вспылил вдруг Райский. — Но я докажу, что мой врач ни при чем. Он не убивал эту стерву.

— Ты просто плохо знаешь Мулю. Она и святого может вывести из себя. Ой! — пискнула Глаша, сообразив, что сказала двусмысленность.

— У нас есть только один способ что-то выяснить, — сказал Райский без улыбки. — Найти доктора. Попытаемся что-нибудь выяснить в больнице, где он работал. Рабочий день еще не закончился, и мы еще успеем застать кого-нибудь из его коллег.

— Едем, — кивнула Глаша, не раздумывая.

ПОСЛЕДНЯЯ НОЧЬ КОЛДУНА

•

* * *

Альберт Натанович работал в городском центре травматологии — огромном сером здании в три этажа на окраине города. Вахтерша при входе выдала Райскому и его спутнице по паре шуршащих бахил в белую и зеленую полоску и заставила надеть их поверх уличной обуви. За эту процедуру с них еще слупили по пять рублей. Шагать в пакетах было неудобно и странно. Глаша то и дело спотыкалась. Ремонт в больнице не проводился, вероятно, со дня основания, то есть где-то с середины пятидесятых годов прошлого века. По воняющим хлоркой коридорам сновали люди. Потолок в глубоких трещинах грозил в любую минуту обрушиться на голову. Обувь цеплялась за драный линолеум с вытертым добела незамысловатым рисунком. В лифте тоже воняло.

— Зачем он здесь работал? — спросила Глафира в недоумении. — Это просто ад какой-то. Разве ты недостаточно ему платил?

— Я уже говорил, что он — врач. По призванию, а не только по диплому. Он видел свой долг в том, чтобы помогать людям. Не только тем, кто способен щедро оплатить его услуги. Здесь в его помощи остро нуждались сотни, тысячи больных.

— Похоже, ты его очень уважаешь, так почему же тогда...

— Я оказывал спонсорскую помощь больнице, если ты об этом, — перебил ее Павел. — Но даже моих денег недостаточно, чтобы привести ее в божеский вид. Я помог с оборудованием, медикаментами. На капремонт нужны десятки миллионов...

— Извини. Я не должна была... — Глаша чувствовала себя виноватой. И зачем только она полезла к нему со своим глупым сарказмом!

Райский за руку втянул ее в какой-то кабинет. Глаша не успела прочесть висящую на двери табличку и теперь

291

беспокойно оглядывалась. Помещение напоминало склад, так много здесь было обшарпанных столов и старых стульев. Однако горы картонных папок, разбросанных повсюду, означали, что здесь, среди хлама, люди работают. Обзор от двери заслоняла чья-то внушительная, обтянутая белым халатом спина, склонившаяся над одним из столов, стоявших ближе всего к двери. Дородная женщина — видимо, медсестра, — с грохотом выдвигала из стола ящики, сгребала в кучу их содержимое и швыряла его в большую картонную коробку. Глаша тихо кашлянула, чтобы привлечь ее внимание.

— Ну что там еще? — раздраженно обернулась женщина. — Что вам надо?

— Мы к Альберту Натановичу, — вежливо сообщил Райский. — Как нам его найти, не подскажете?

Женщина почему-то помрачнела еще больше.

— Ходят тут всякие, — сказала она с неприязнью.

— Вы о чем, уважаемая? Альберт Натанович на месте?

— Разумеется, нет.

— Но ведь сегодня его смена, не так ли?

Медсестра явно собиралась сказать что-то резкое, но сдержалась.

— Смена действительно его, молодые люди. Только рассчитывать вам не на что. Не будет его сегодня. И вообще больше не будет.

— Почему? — встряла Глаша.

— Уволился он.

— Когда?

— Вчера.

— Вот так вот сразу?

— А я о чем? Нехорошо это, непорядочно. У него очередь из больных на месяц вперед, а он даже не предупредил, как положено. Заявление и то по телефону сделал. И за вещами не пришел. И...

— Простите, а он как-то объяснил причину своего поспешного увольнения? — перебил поток ее возмущения Райский.

ПОСЛЕДНЯЯ НОЧЬ КОЛДУНА

•

— Не знаю я ничего. Он же не мне заявление делал, а главному. Вот его и спрашивайте, если вам любопытно. — Она помолчала немного, потом добавила: — Говорят, что по семейным обстоятельствам.

— Но у него нет семьи.

— А то я не знаю. Только кому это интересно. Не хочет человек работать — его и не заставишь, а причина может быть — какая душе угодно. Людей вот жалко. Ждут его, надеются.

— Действительно, жаль. Извините, — смущенно проговорила Глаша, пятясь к выходу.

— Да мне-то что, — устало отмахнулась медсестра и вздохнула. Глаша вдруг поняла, что эта грубоватая тетка действительно жалеет больных, которым теперь не суждено попасть на прием к хорошему доктору. Ей стало ясно, что медики — особая каста людей, у них все по-другому. Смысл слов Райского дошел до нее лишь теперь, и она усомнилась в своих подозрениях. — Эй, ребятки, — окликнула их медсестра, — а вы ему случайно не родственники?

— Нет, — откликнулся Райский, — но мы его хорошие знакомые.

— Тогда, может, заберете вот это все? — она показала рукой на заполненную доверху коробку. — Завезете ему домой? Или вы не на машине?

— На машине, — подтвердил Райский.

— Тогда не откажите, избавьте меня от этого хлама. Куда мне его девать? Придет новый врач, а его и посадить-то некуда, столов не хватает. Ох, господи, беда-то какая...

* * *

Неожиданно полученные бумаги пропавшего доктора решено было отвезти домой к Глаше. Райский не хотел, чтобы кто-нибудь из его домочадцев был в курсе его разыскной деятельности.

●

— Их нужно тщательно просмотреть, — пояснил он Глаше, ставя на ковер в комнате коробку.

— Да что в них интересного? Было бы что-то важное, он бы это забрал. Вот, пожалуйста, здесь вообще все по-латыни. Ты не это искал? И почерк ужасный. — Не обращая внимания на ее ворчание, Райский стал тщательно просматривать каждую бумажку, аккуратно перекладывая их из одной кучки в другую.

Глаша поначалу пыталась принять в процессе посильное участие, но быстро заскучала и убралась на кухню под предлогом организации чаепития. Через полчаса она вернулась, повеселевшая после горячего чая с бутербродами — Райский от предложенного полдника отказался, — и снова уселась на ковер, скрестив по-турецки ноги. Кучки по обе стороны ее гостя почти сравнялись, а выражение его лица из озабоченного превратилось в смертельно усталое. Но он продолжал упорно продираться сквозь бумажные дебри, и Глафире стало стыдно. Она ухватила толстый журнал из неразобранной кипы и решительно раскрыла. Из журнала на пол спланировал густо исписанный листок. Глаша подобрала его и взглянула из любопытства.

— Смотри-ка, про вашу Эллочку написано! — воскликнула девушка изумленно. — У нее ведь фамилия Флоринская?

— Покажи! — Он выхватил у нее листок.

— Да пожалуйста, — обиделась Глаша. — А что там? — спросила она спустя некоторое время.

— Это результаты анализов. Пятнадцатое сентября, на следующий день после ее отравления.

— Разве ей делали анализы?

— Нет. Альберт взял для исследования содержимое ее желудка, — пояснил Райский, не отрывая глаз от бумаги. — Извини, Глаша, мне срочно нужно уходить.

— А это куда девать? — Она повела рукой вокруг, указывая на громоздящиеся бумажные завалы.

ПОСЛЕДНЯЯ НОЧЬ КОЛДУНА

●

— Можешь сложить все обратно. Они нам больше не понадобятся.

— Хм! Я это сразу говорила. Только время зря потеряли.

— Ты была права.

«Конечно, я была права», — думала Глаша, собираясь укладывать архив обратно в коробку после ухода Райского, — только ее мнение, как обычно, не приняли во внимание. Она наткнулась на тот самый журнал и опять открыла его, желая еще раз взглянуть на листок. По крайней мере, он имел хоть какое-то отношение ко всему этому делу, ведь в нем говорилось об Элле, непосредственной участнице печальных событий. Пролистав журнал, она недоуменно отложила его в сторону, немного подумала, а затем принялась — совсем как Павел недавно — методично проглядывать каждую бумажку. Когда она закончила, лицо ее стало совсем мрачным. Листок, который она обнаружила в журнале, бесследно исчез.

* * *

В последнее время он вообще погано спал, а сегодня даже глаза закрыть не смог себя заставить. Ему казалось, что, как только его одолеет сон, старый хрыч моментально появится в комнате. Он уже знал, что это означает, и таращил глаза в темноту, изо всех сил пытаясь оттянуть ужасный момент. Спать хотелось невыносимо. Не помогали ни кофе, ни сигареты. Он держался из последних сил, с ужасом косясь на часы. Стрелка неумолимо приближалась к полуночи. Его все-таки сморил сон. Во сне он услышал нежную мелодию и в испуге распахнул слезящиеся глаза. Звуки старинного вальса звучали прямо в комнате. Он увидел светящийся зеленый глаз дорогого проигрывателя и тихонько заскулил. Он точно знал, что ничего подобного в его коллекции дисков не было и быть не могло в принципе. Кто включил аппаратуру, пока он спал? Кто засунул внутрь диск с подобной заунывной дрянью? Подтянув колени к животу и зарывшись по горло в одеяло, он смотрел на мигающую зеленую точку, не отрываясь, он просто боялся посмотреть в сторону. Туда, где боковым зрением уже видел смутное движение. От страха по щекам текли злые слезы. Таинственные тени приблизились, музыка не смолкала, и ему пришлось посмотреть на них. Он пытался не гасить свет, ложась спать. Мягкий свет ночника успокаивал. Однако быстро выяснилось, что такие предосторожности бесполезны — перед визитом старика свет всегда гас, а потом, уже после всего, зажигался снова. Сейчас в комнате было темно. Только зеленый индикатор слабо светился и издевательски подмигивал. Звать на помощь было бессмысленно. Сидеть с закрытыми глазами — тоже не выход. Старик все равно добьется своего. Он знает. Он уже все перепробовал. Нежная мелодия вальса настойчиво билась в барабанные перепонки, навевая тоску. Призрак кружил в центре комнаты. Он танцевал. Его одежда уже частично истлела, длинные волосы и борода сбились в колтуны. Двигаясь по кругу, расплывчатый силуэт покойника колыхался. Когда он повернулся в очередной раз, стало понятно, что танцует он не один, к его груди приникла хрупкая девичья фигурка в коротенькой ночной сорочке. Глаза девушки были плотно закрыты, лицо искажала мучительная гримаса, будто она спала и видела ночной кошмар. Головка с развевающимися от сквозняка волосами безвольно склонялась на плечо трупа, тонкие руки обнимали его за шею. Он не мог не узнать ее. Он давно знал про себя, что он — полное дерьмо, но к этой девушке он испытывал сильные чувства.

— Она — следующая. Погляди на нее напоследок. — Призрак скривил губы в сатанинской усмешке и, не мигая, уставился на него.

— Не надо ее! Пожалуйста! — Позабыв обо всем, он

•

рванулся вперед, протягивая скрюченные от ненависти пальцы к призраку, но лишь боднул головой воздух и обрушился на холодный пол с ужасающим грохотом.

Призрак исчез вместе со своей жертвой. Это могло означать только одно: приговор вынесен.

ГЛАВА 29

Поразмыслив и все взвесив, Глаша окончательно уверилась в виновности доктора, но сказать, что она его осуждала, было нельзя. Слишком уж хорошо она была знакома с характером Мули, способной ввести во грех кого угодно. И в конце концов, несчастный доктор ведь никого не убил...

Единственное, о чем сожалела девушка, это то, что она рассказала все Райскому. Вот кто казался ей сейчас подозрительным, несмотря на то что в ее душе зарождалась симпатия к этому человеку. Жаль, что она подробнее не ознакомилась с тем документом, который свистнул ее «напарник».

За окном совсем стемнело. Сидя на ковре, Глаша лениво подумала, что надо бы задернуть занавески. Шел дождь. Большие дождевые капли скатывались по стеклу, оставляя за собой извилистые дорожки.

За входной дверью раздалась какая-то возня. Глаша насторожилась. Она подумала, что вернулся домой сосед, который иногда выпивал лишнего, после чего вел себя не совсем адекватно. Она ожидала услышать скрежет ключа в замке соседской двери, но уловила только шорох, похожий на царапанье.

Девушка вскочила на ноги, быстро прошла в прихожую, ступая на цыпочках, и замерла, прислушиваясь, под самой дверью, стараясь дышать как можно тише.

Возня и шорох по ту сторону тонкой деревянной преграды скоро возобновились. «Что происходит»? —

подумала девушка. Она переступила ногами, и половица предательски скрипнула. Испугавшись, что выдала себя, Глаша перестала дышать и шевелиться вовсе. Она затаилась, пытаясь сообразить, что за звуки доносятся из коридора? Ей показалось, что она слышит чье-то тяжелое дыхание.

Прежде чем она успела испугаться по-настоящему, из-за двери отчетливо раздалось жалобное поскуливание. Ахнув, девушка, не раздумывая, отперла замок и распахнула дверь настежь. Предчувствие ее не обмануло: за дверью был черный ротвейлер.

— Тайсон!

Глаша бухнулась на колени и протянула обе руки к собаке. Слезы радости хлынули из глаз, мешая заметить изменения, которые произошли с ее собакой.

Ротвейлер стоял, низко опустив крупную голову, и тяжело дышал, вывалив язык.

Тайсон снова заскулил. Глаша крепко обняла его за шею, наглаживая грязную шерсть и часто смаргивая с глаз слезы. Случайно ее взгляд упал на собственную ладонь.

— О боже, кровь! Тайсон, миленький, ты ранен?

Она быстро ощупала шею и грудь собаки, обнаружив, что кожа под обрывком грубой веревки, болтавшейся на шее пса наподобие удавки, содрана до мяса, а глубокая рана уже начала гноиться.

Глаша попыталась втащить собаку в прихожую, но Тайсон вдруг уперся, глядя на нее слезящимися, полными муки глазами.

— Ты что, дорогой? Что за капризы? Расслабься, теперь я с тобой и помогу тебе. Ну, пошли, пошли, не упрямься!

Она все-таки втянула его в квартиру, заперла дверь и встревоженно вгляделась в Тайсона. Пес дышал с большим трудом, в груди у него клокотало и хрипело. Он привалился к стене впалым боком, так как по-другому

ПОСЛЕДНЯЯ НОЧЬ КОЛДУНА

•

стоять уже не мог. Тайсон посмотрел на нее виновато, заскулил тоненько, как щенок, и Глаша заплакала, теперь уже от жалости и собственной беспомощности. Она всем сердцем желала помочь своему любимцу, но не знала — как.

— Ты, наверное, пить хочешь, бедняга? — спросила она растерянно. И тут же засуетилась: — Сейчас, сейчас, я тебя напою!

Она унеслась в кухню, схватила там первую попавшуюся тарелку, уронила ее, чертыхнувшись, схватила миску. Налив воды из-под крана, она вдруг подумала, что больной собаке нужна кипяченая вода. Выплеснула содержимое миски в раковину и налила в нее воду из чайника. Держа наполненную до краев миску с водой обеими руками, она развернулась, чтобы бежать к Тайсону, и едва не споткнулась о него самого. Он приполз за ней в кухню, словно боясь расстаться с хозяйкой даже на миг. Ротвейлер лежал на полу боком, вытянув лапы, и, напрягая шею, силился приподнять голову, чтобы посмотреть на Глашу. В его помутневших от боли глазах было столько любви и преданности, что девушка зарыдала в голос. Она вдруг отчетливо поняла, что собака умирает.

— Да что же это такое, Тайсон? Кто посмел так поступить? Что они с тобой сделали, — размазывая по щекам слезы, всхлипывала она. — Подожди, пожалуйста, не умирай! Я сейчас что-нибудь придумаю! Ну конечно!! Я вызову врачей, Тайсон! Они тебе помогут!

Она боялась оставить его одного, чтобы отойти к телефону. Она гладила собаку, тыкала ей в морду миску, расплескивая воду. Тайсон отворачивался и скулил, и лизал ей руки горячим, как будто воспаленным языком.

Понимая, что медлить нельзя, она все же побежала за телефонной книгой. Тайсон еще дышал, но слабел с каждой минутой. Тело его начала сотрясать крупная дрожь, лапы дергались и скребли когтями по полу.

Глаша нашла справочник, набрала номер. Она задыхалась, голос ее прерывался. Пришлось повторить раза три, прежде чем девушка-диспетчер на том конце провода ее поняла.

Они сказали, что выезжают.

Швырнув трубку на рычаг, она собралась бежать в кухню, но, спохватившись, снова вцепилась в телефон. Дрожащие от волнения пальцы плохо попадали в нужные кнопки. Несколько раз она сбивалась и начинала все заново.

Наконец ей ответили. Она прокричала, что ее собака умирает, и взмолилась о помощи. У нее не было времени, чтобы дослушать ответ. Трубка упала, не попав на рычаг, а Глафира бросилась обратно в кухню, к Тайсону, который затих, не подавая признаков жизни.

Глаша подбежала к распростертому на полу телу, вглядываясь в него с замирающим от страха сердцем. Глаза собаки были закрыты, он не двигался, но бока, как ей показалось, слегка приподнимались от редких вздохов.

— Тайсон, держись! Они уже едут, — прошептала она и тут же вскричала: — Господи, ну почему так долго?! Быстрее, пожалуйста... поторопитесь!..

Ее вдруг испугала мысль, что врачи-ветеринары могут перепутать подъезд и потеряют на поиски несколько минут драгоценного времени.

«Нужно встретить их внизу!» — подумала она.

Она еще раз взглянула на неподвижную собаку, всхлипнула, бросилась в прихожую, рванула с вешалки свою куртку, машинально отметив, что, кажется, там что-то треснуло.

Она долго искала ключи, не нашла, плюнув, оставила дверь нараспашку и помчалась вниз по лестнице.

На улице шел проливной дождь. Одежда на Глаше моментально вымокла и стала тяжелой. «Скорее! Скорее!» — молила она, вглядываясь в мутную от дождя темень.

ПОСЛЕДНЯЯ НОЧЬ КОЛДУНА

•

Наконец во двор въехала машина. Разбрызгивая лужи, Глафира побежала навстречу, едва не угодив под колеса. Это были врачи. Мужчина и женщина выбрались наружу и, снисходительно поглядывая на трясущуюся девушку, последовали за ней.

— Не волнуйтесь вы так, все будет в порядке с вашей собачкой, — бубнил дородный неторопливый врач. Его спутница молчала, явно выражая неодобрение. Она работала в ветклинике недавно и, как она полагала — временно. Ей было непонятно, как можно потерять голову из-за животного. Всех пациентов ветлечебницы она так и называла — животные, будь то овчарка или хомячок.

В квартире почему-то стоял очень тяжелый запах. Женщина-врач демонстративно поморщилась и прикрыла нос рукой. Глаша, не снимая уличной обуви, бросилась прямиком на кухню, врачи не отставали, хотя врачиха бормотала под нос что-то неодобрительное.

На самом пороге кухни врач придержал Глашу, отодвинул ее с дороги и вошел первым. Он склонился над собакой, но почти тут же отпрянул и взглянул на хозяйку с недоумением.

— Как же вам не стыдно, девушка? — пробормотал он укоризненно, подхватил саквояж с инструментами и тяжело потопал в сторону выхода.

— Куда же вы?! Стойте! — крикнула Глаша.

— Нам здесь делать нечего. Все кончено, — ответил врач, не оборачиваясь.

Глаша глубоко, судорожно вздохнула, закашлявшись от жуткой вони, и бросилась за врачом.

— Почему кончено? Он что, умер? Вы уверены? Вы же его даже не осматривали!

— А чего его осматривать? Что я, дохлую собаку от живой не отличу, что ли?

— Но как же так? Он только что был жив! Он дышал, когда я вам звонила! — скороговоркой выпалила ничего не понимающая Глаша.

Врач посмотрел на нее с опаской и заговорил, осторожно подбирая слова, как будто боялся, что она на него набросится:

— Не мог он дышать четверть часа назад, девушка. Это исключено, поверьте моему опыту.

— Но он дышал! — воскликнула Глаша отчаянно.

— Да что вы такое несете, уважаемая! — перебила ее женщина. — Вы что, не в своем уме? Ваше животное издохло неделю назад как минимум! Он же разлагается! Вы что, не видите?

В глазах у Глаши потемнело. С тихим стоном она сползла вниз по стене.

— Эй, девушка, не отключайтесь! — забеспокоилась врачиха.

— Да оставь ты ее.

— А кто нам за вызов заплатит? — Женщина присела перед Глашей на корточки и несколько раз шлепнула ее по щекам.

— Оставь, говорю. Видишь, плохо ей! Ей бы самой «Скорая» не помешала.

— Скорее уж психиатрическая перевозка, — презрительно скривилась женщина. — Она что, неделю жила рядом с трупом и даже не поняла этого?

Из коридора донесся звук торопливых шагов. Две массивные мужские фигуры в мокрых от дождя куртках перегородили проход. Врачи испуганно поежились.

— Что происходит? — рявкнул Восковец раздраженно, сурово глядя на людей в халатах. Райский, заметив полулежащую у стены Глашу, бросился к ней.

После кратких объяснений Саша выпроводил ветеринаров из квартиры, посоветовав им навсегда забыть о том, что они когда-либо посещали эту квартиру. Щедро оплаченный совет был принят. Врачи поклялись, что будут молчать, и от полноты чувств даже предложили забрать труп собаки для захоронения.

ПОСЛЕДНЯЯ НОЧЬ КОЛДУНА

•

— Собачку не троньте и ступайте с богом, — велел Саша.

Врачи немедленно испарились.

Когда Восковец, похоронив труп Тайсона, вернулся в квартиру Глаши, она все еще была без сознания.

— Как думаешь, она сможет все это пережить? — встревоженно спросил его Райский.

— Опасаешься, что девочка тронется умом? — уточнил телохранитель мрачно. — Думаю, что не тронется, но оставлять ее одну я бы не советовал.

— Я и не собирался ее оставлять. Глаз с нее больше не спущу.

— Вот и ладненько. А то в следующий раз вместо трупа ее собаки вполне можешь обнаружить ее собственный.

Вдвоем они осторожно перенесли бесчувственную девушку в машину и доставили в дом Райского. Саша пошутил, что у Глаши стало традицией прибывать в гости к Павлу без сознания, но Райский шутку не оценил, предложив другу заткнуться.

Пока они спорили о том, стоит ли вызывать «Скорую», Глаша пришла в себя и надобность в этом отпала. Глядя вокруг мутными, покрасневшими от слез глазами, девушка не выразила удивления относительно собственного чудесного перемещения, скорее всего, просто потому, что не поняла, где и с кем она находится. Заметив Райского, она пристально взглянула на него и спросила неестественно спокойным голосом:

— Тайсон действительно умер?

Райский кивнул, отводя глаза. Саша крякнул.

— Твоя собака действительно умерла, Глаша, — сказал он тихо. Глаша немедленно отыскала глазами Сашино лицо и попыталась на нем сосредоточиться. Она не плакала, только нервно кусала бледные до синевы губы так, что на них показалась кровь. Она пыталась спросить что-то еще, но звуки никак не складывались в слова. Мужчины терпеливо ждали, скрывая жалость за суровостью.

— Врач сказал правду — Тайсон умер не сегодня?

— Врач ошибся, — быстро соврал Райский. — Пес был тяжело ранен и долго добирался до тебя, а добравшись — умер, так как сил больше не осталось.

— Но врач сказал...

— Он ошибся, — твердо произнес Павел. — Врачи тоже иногда ошибаются.

Он чувствовал, что его слова не убедили ее, но как будто принесли ей облегчение. Восковец неодобрительно качал головой, но делал это так, чтобы Глаша не заметила. Саша был профессионалом, прошедшим хорошую школу, и как никто другой понимал, что обманом делу не поможешь. Спасти девушку можно только правдой, которую она должна принять, чтобы быть готовой к обороне.

Прежде чем засыпать землей труп ротвейлера, Восковец тщательно осмотрел его и понял, что собака была убита несколько дней назад, как раз тогда, когда пропала в лесу. Ее, очевидно, убили сразу, как только изловили, не хотели рисковать. Осмотр показал, что животное с такой раной категорически не могло передвигаться самостоятельно. Начавшееся разложение мягких тканей только подтвердило его догадку. Саша был реалистом, он привык смотреть фактам в лицо и никогда не впадал в панику. В данном случае к фактам можно было отнести появление собаки в доме девушки. Мертвой собаки! Он не верил, что Глаша действительно сошла с ума и говорила неправду о том, что собака пришла сама. Получалось, что пришел труп, который кто-то заставил двигаться, как заводную игрушку. Осознать это было невероятно трудно, но необходимо. К тому же появление собаки окончательно подтверждало слова Райского о том, что в деле замешана черная магия, хотя Саша до последнего относился к его словам скептически. Выходит — зря. Выходит, что никакие это не бабушкины сказки, а вполне объективная реальность. Всей кожей Саша чувствовал, насколько опасен этот... кукловод, превращающий трупы собак в зомби, и намеревался остановить его во что бы то ни стало. Он многое повидал и многое умел, так что надеялся, что сил у него хватит. И все же ему было страшно...

Из пузатой бутылки он плеснул в тонкий бокал темной жидкости и вложил бокал в Глашину руку:

— Выпей.

Девушка глотнула, даже не спросив, что ей предложили. Восковец изумленно приподнял брови, обнаружив, что лицо ее не дрогнуло. Крепкий коньяк должен был обжечь ей внутренности.

— Круто, — с уважением произнес он.

Глаша слабо улыбнулась.

— Что ты ей подсунул? — ревниво спросил Святой.

— Коньяк, что же еще? — пожал Восковец могучими плечами.

Глаша усиленно размышляла. Напиток согрел ее — будто разморозил застывшую кровь. Глаза из растерянных и жалких сделались темными и злыми. Ее мозг боролся со страхом и паникой. Инстинкт самосохранения сделал ее смелой. Словно собираясь с духом, она на секунду смежила веки и спросила:

— Как вы считаете, я сумасшедшая?

— Нет, конечно же нет! — поспешил заверить ее Райский.

Она почему-то не поверила ему и требовательно взглянула на Сашу.

— Ты вовсе не чокнутая, детка, — пробасил он.

Павлу показалось, что она вздохнула с облегчением.

Следующие сутки Глаша провела в постели, тупо рассматривая потолок и не делая попытки подняться. Она отказывалась от еды и пила только воду. Было заметно, что она все время о чем-то думает. Лицо ее выглядело отрешенным. Райскому казалось, что ей вообще все равно: где она, с кем, что будет дальше, жива она или мертва.

— Шок, — коротко прокомментировал Саша ее состояние. — Я видел такое... — Он не стал уточнять где, а Райский предпочел не спрашивать.

— Меня беспокоит то чувство обреченности, которое читается в ее глазах, — поделился Павел своими опасениями.

— А что ты хотел? За короткий срок на нее свалилось столько всякой дряни, а она — всего лишь женщина. Странно, что она вообще еще держится. И не плачет совсем.

— Лучше бы плакала.

— Оставь ты ее в покое, хотя бы на время. Она отойдет, головой тебе ручаюсь. Лучше подумай об этом козле... или козе, в чьих лапах находится чертов свиток. Нужно брать его за жабры, я так думаю.

Фантастическое существо в виде козы с лапами и жабрами, созданное Сашей, вдруг нарисовалось перед внутренним взором Райского, и он усмехнулся.

— Тебе удалось хоть что-нибудь выяснить? — спросил Восковец, не разделяя его веселья.

— Почти ничего. Парень, которого сбила машина, мне знаком. Это Чика. Так, мелкий пакостник. Он был среди тех, кто напал на нее во время нашей первой встречи. Не думаю, что это совпадение, но для такого серьезного дела, как похищение святого листа, он мелковат. Кроме того, свитка при нем не было, ты сам проверял. Я послал человека к нему на квартиру, но он ничего не нашел, что только подтверждает мою версию.

— Но ведь он крутился возле могилы?

— Крутился. Но для чего — остается неясным. Он поснимал все венки, очевидно, собираясь разрыть могилу, но если свиток уже украден, то зачем было напрягаться?

ПОСЛЕДНЯЯ НОЧЬ КОЛДУНА

●

— Обычный мародер? — предположил Саша.

— Возможно. Но такие редко работают вслепую. Они наблюдают за похоронами и прикидывают заранее, есть ли чем поживиться у покойника. Взять у старика было нечего.

— А что с дружками этого Чики? У них ведь большая компания?

Райский кивнул.

— Кодла внушительная. Однако все того же поля ягоды — мелкие отморозки, годные лишь на то, чтобы грабить рыночные палатки, чем они и промышляли без особого успеха. Единственный из них, кто достоин внимания в нашем случае, — это Баклан. Птица другого полета.

— И что он?

— Исчез. Причем совсем недавно.

— Значит, он может быть причастен. Им стоит заняться.

— Для этого его еще надо найти. Пока это не удается. Кроме того, я не уверен, что Баклан имеет отношение к делу. Откуда он мог знать про деда Федора и его завещание? Я был в доме старика накануне его смерти и вплоть до самых похорон. Могу ручаться — Бакланом там даже не пахло.

— Ладно, все это мы выясним. Но лучше бы нам поторопиться. У меня такое ощущение, что новый хозяин свитка имеет на Глашу зуб и играет с ней, как кот с мышью. Или как ребенок, который отрывает у мухи лапки одну за другой, наблюдая, как она корчится.

— Только ребенка нам не хватает, — покачал головой Райский.

В холле громко хлопнула дверь, послышались шаги, и в гостиную ввалилась Карина.

— Что это с тобой, детка? — спросил Восковец, изумленно ее разглядывая.

— Где ты так набралась? — возмутился Райский.

Карина икнула, сделала к ним неуверенный шаг, потом другой и томно повела вокруг мутными очами. Хихикнув, она нашла наконец опору, привалившись к стене.

— Карина, ты же пьяная в стельку! — упрекнул ее Павел.

— В сосиску! — поправила его девица и неуклюже дернула плечами. — А угадайте, где я провела эту ночь?

— Лучше нам об этом не знать, — вздохнул Саша, морщась.

— Почему же? Я все скажу! — пообещала Карина. Она шатнулась вперед, уперлась животом в кресло, в котором сидел Павел, и тяжело перевесилась через его спинку. Ее лицо оказалось так близко от его лица, что он мог разглядеть ее лоб, покрытый капельками пота. — Меня... как это говорится?.. Загребли в ментовку! — произнесла Карина торжественно, гордясь, что смогла подобрать нужное слово. И вдруг ни с того ни с сего зашлась в рыданиях.

— Господи, да что же это с ней?! Карина, что ты несешь? Какая ментовка? Почему ты не позвонила? — рассердился Райский уже всерьез.

— Я звонила! — обиженно выкрикнула девушка. — Звонила, и не один раз! Но вас не было никого! А мне было так плохо! У меня такое случилось! Беда! Горе горькое! А вы...

— Что произошло?

— Гоша погиб. Мой парень. Его завалило камнями прямо у меня на глазах, — прошептала Карина с ужасом, как будто вновь вспоминая пережитое.

— Ужасно. Но при чем тут милиция? И откуда взялись камни?

Размазывая тушь по щекам, Карина пояснила:

— Меня взяли как свидетеля и все время расспрашивали. И говорили со мной так, словно это я во всем виновата!

— Саша, выясни ради бога, что там произошло! — быстро распорядился Райский.

•

— Будет сделано. Только скажи мне, детка, где это произошло и в каком отделении тебя держали?

Оказалось, что прошлым вечером она отправилась на свидание с Гошей — своим бойфрендом, который предложил ей прогуляться по ночным улицам. Когда они проходили мимо аварийного дома, на них вдруг обрушилась стена. Обвал случился так неожиданно, что парень не успел отскочить. Девушка спаслась только чудом.

— Это я должна была погибнуть! — бормотала Карина, словно в бреду. — Это на меня стала падать проклятая стена. Гоша был впереди. Когда я закричала, он обернулся, бросился ко мне и оттолкнул далеко в сторону, а сам...

Девушка прижала к груди обе руки, всхлипнула как-то особенно жалобно, потом задрожала сильно-сильно, глаза ее закатились, и она плашмя рухнула на ковер без сознания.

ГЛАВА 30

Услышав стук в дверь своей комнаты, Глаша приподнялась на локтях и крикнула хрипло:

— Входите.

Дверь распахнулась, и она увидела Павла Райского.

— Не спишь? — спросил он немного скованно.

— Как видишь, — довольно сухо ответила Глаша.

Она сообразила, что он явился не просто так, и вела себя настороженно.

— Извини за беспокойство, — отвел взгляд Павел, — но у нас, кажется, проблемы.

— У вас или у меня тоже? — уточнила она.

— У всех.

— В чем дело?

— Карина. Она явилась только что, пьяная в хлам. Ее приятеля накануне завалило стеной обрушившегося дома. Насмерть. Ее саму забрали как свидетельницу и несколько часов продержали в милиции.

— Разве это законно?

— Нет. Но кого это волнует? Когда девчонка оказалась на улице, то после пережитого у нее, очевидно, снесло башню, и она не придумала ничего лучшего, как залить горе водкой.

— Разве у нее был приятель? — спросила Глаша, почему-то не испытывая к девушке сочувствия.

— Судя по ее словам — да. Хотя я о нем раньше не слышал.

— Еще бы, — хмыкнула Глаша. Райский удивленно взглянул на нее, но Глаша успела предупредить его вопрос своим: — Расстраиваешься, что она не поставила тебя в известность?

— Не так сильно, как тебе кажется.

— Ей плохо?

— Хуже не бывает. И поэтому я здесь. Девчонка мается с перепоя, а в доме, как назло, ни одной женщины. Ни Эллочки, ни Натальи Алексеевны.

— Куда все подевались?

— Я не в курсе. Последнее время в доме вообще творится бардак. Впрочем, у кухарки, насколько я помню, сегодня выходной, а Эллочка вроде бы собиралась навестить подругу.

— И что же требуется от меня?

— Самая малость. Ты не могла бы взглянуть на эту алкоголичку? Карина действительно плоха, но нас с Сашей к себе не подпускает — сразу ревет как белуга.

— Вообще-то я тоже не в лучшей форме...

— Конечно. Извини, что попросил.

После его слов, сказанных смиренным тоном, Глафира немедленно почувствовала себя гаденькой девчонкой, прекрасно зная истинную причину своего отказа. Смущение заставило ее пересилить себя и подняться с постели.

ПОСЛЕДНЯЯ НОЧЬ КОЛДУНА

•

Карина, как была, в верхней одежде, постанывая, валялась на кровати. Ее щеки покрывали красные неровные пятна, глаза были закрыты. Услышав, что кто-то вошел, она с явным усилием повернула голову и разлепила тяжелые веки. Комната покачнулась и поплыла перед глазами.

— Привет, Карина. Ты жива? — спросила Глаша дружелюбно.

— Наверное. Но, как в том анекдоте: лучше бы я умерла вчера.

Глаша подошла к постели, нагнулась и дотронулась до лба девушки. Он был мокрым от пота и холодным, как собачий нос.

— Все ясно, — констатировала Глаша, критически оглядывая беспомощную девицу. — Какого черта ты так напилась? — В голосе Глафиры звучало сочувствие.

— Я не нарочно. Я вообще-то мало пью, но тут... просто...

Губы Карины задрожали, и она заплакала.

— Мне Гошку жалко!

— А кто это?

— Мой парень.

— Неужели?

— А что вас удивляет?

— Да ничего.

— Вы считаете, что на меня никто не может позариться?

— Глупости. Ты сама знаешь, что хороша, как картинка. Не сейчас, конечно, но в принципе. От ухажеров небось отбою нет, верно?

— Да. За мной многие ухаживают, — скромно потупилась девушка.

— Я так и думала. — Глаша кивнула.

— Мне так плохо, — всхлипнула Карина. — Я, наверное, умираю.

— Это вряд ли, — скептически заметила Глаша.

ЛАНА СИНЯВСКАЯ

●

Карина вдруг вытаращила глаза в дикой панике и зажала рот руками. Глаша мгновенно оценила ситуацию, подхватила несчастную под мышки и поволокла в ванную. Там Карину вывернуло наизнанку. Сидя на полу возле унитаза, она разрыдалась от стыда.

— Девочки, я вам нужен? — озабоченно просунул голову в дверь Райский.

Карина спрятала лицо в ладонях и застонала. Глаша хладнокровно скомандовала:

— Нам нужен лед. У вас есть?

— Не знаю. Наверное. Черт, как назло, кухарка выходная.

— Лед обычно бывает в морозилке, в специальных ванночках. Морозилка, естественно, в кухне, — терпеливо пояснила Глаша, придерживая за плечи Карину.

Райский ушел. Глаша подтащила Карину к раковине, пустила холодную воду и сунула голову девушки под кран. Та завизжала и стала брыкаться, пытаясь освободиться, но Глаша держала крепко.

— Ну-ну, полегче, — приговаривала она время от времени, уворачиваясь от молотящих воздух Карининых кулачков.

Когда Глаша сочла, что девушка уже пришла в себя, она извлекла ее из-под ледяной струи и тщательно вытерла полотенцем, висящим тут же, на вешалке. Карина больше не дергалась, только стучала зубами и мелко дрожала.

В спальне Глафира временно свалила свою подопечную в кресло, разобрала постель, попутно обнаружив под подушкой скомканную ночнушку из тончайшего шелка, стянула с Карины мокрую одежду и заставила переодеться. Когда девушку благополучно перевели в горизонтальное положение и накрыли до подбородка одеялом, Глаша вздохнула с облегчением, почувствовав, что устала, как портовый грузчик.

Глаша и сама бы не отказалась от душа и ледяного

•

питья, зато голова очистилась от тоскливых мыслей, стресс практически прошел.

— Мне очень плохо, — проскулила Карина жалобно.

— Потерпи, скоро полегчает.

Райский вернулся, отыскав наконец лед. Карину он застал в слезах и сразу накинулся на Глашу:

— Почему она плачет?

— От жалости к себе самой, наверное, — пожала та плечами. — Или ты заподозрил, что в твое отсутствие я била ее батогами?

Обернув лед льняной салфеткой, Глаша положила его Карине на лоб и только после этого взглянула на Райского с укоризной.

— Ничего я такого не думаю, — смутился он.

— Это хорошо. Хотя, если честно, батоги твоей протеже не помешали бы.

— Вы говорите серьезно? — испуганно спросила Карина, высунув из-под одеяла нос.

— Вполне. Нельзя нажираться до такой степени, особенно в твоем возрасте. Так и до беды недалеко. И не надо на меня так смотреть, — сказала она, обращаясь к Райскому. — Я все поняла про ее душевную травму и трагическую гибель возлюбленного, но это все же не повод скончаться от алкогольного отравления во цвете лет.

Карина застонала еще громче. Ее зазнобило. Глаша сняла промокшую салфетку с растаявшим льдом, поискала глазами и пристроила ее в чистую пепельницу.

Карина, стуча зубами, тихо всхлипывала. Ее блуждающий взгляд шарил по комнате.

— Я... мне сейчас опять будет плохо, — сообщила она.

— Кто бы сомневался, — тяжело вздохнула Глаша.

После нового похода в ванную тащить Карину в спальню пришлось уже вдвоем. Сама она передвигаться не могла, а Глаша совсем выдохлась.

— Теперь она скоро заснет, — пообещала Глаша ошалевшему Райскому, наблюдая за тем, как Карина с измо-

•

жденным лицом, постанывая, откинулась на подушку. — Я могу побыть с ней этой ночью, если ты, конечно, не возьмешь эту благородную миссию на себя, — добавила она довольно сухо.

— Ни в коем случае! — всерьез испугался Райский.

— Я так и предполагала, — спокойно кивнула она.

— Нет-нет, я не отказываюсь. Просто у тебя все так хорошо получается, словно ты работала когда-то сиделкой.

— Моя мама иногда позволяла себе выпить лишнего на приеме, так что у меня есть некоторый опыт.

— Значит, ты справишься с Кариной! Я вам буду только мешать.

Несколько следующих часов Карина спала, нафаршированная активированным углем, как индейка орешками. Прикорнувшая в кресле Глаша не слышала, как в дом вернулся озабоченный Саша Восковец.

— Что удалось узнать? — спросил его Райский.

— Кроме того, что сказала Карина, выяснить удалось немного. Из-за того, что дом обрушился, поднялся страшный шум. Дело взяли на контроль, и менты молчат как рыбы.

— То есть ничего конкретного?

— Ну почему же? У парня в кармане обнаружилось целое состояние — десять тысяч зелеными. Довольно крупная сумма.

— А как насчет версии о покушении?

— Исключено. Дом рухнул без чьей-либо помощи, если только...

— Договаривай. Думаешь, дело опять в свитке?

— Доказательств — никаких. Да и с какого боку тут Карина? Если верить ей, под обвал должна была попасть именно она.

— Она дочь Амалии, которую недавно отправили на тот свет.

— Да помню я, — Восковец поморщился. — Но как

314

●

ты себе представляешь сам процесс? Что они там, стену вручную раскачивали, что ли?

Павел не нашелся что ответить. Но смерть Карининого кавалера именно сейчас не казалась ему случайным совпадением.

* * *

Карина спала. От неудобной позы у Глаши затекло все тело. Она встала и, чтобы немного размяться, прошлась по комнате. Очень хотелось спать. Чтобы отвлечься, она тщательно изучила висящую под потолком причудливую люстру, состоящую из белых завитков, на которых застыли крупные цветные бабочки, выполненные в весьма реалистичной манере. После этого она отправилась бродить по спальне. Чтобы не шуметь, она оставила тапки возле кресла и передвигалась на цыпочках.

Пройдя вдоль стены, Глафира задержалась возле изящного антикварного бюро, а потом полностью сосредоточилась на книжных полках. Подборка книг в комнате Карины показалась ей неожиданной. Глаше было известно о Карине совсем немного. Она знала, что та училась в каком-то институте и ничем особенным себя не проявляла, кроме того, что исправно помогала матери. Полки с книгами заставили Глафиру задуматься.

Вполне возможно, это были вовсе не ее книги. Карина жила здесь временно и совсем недавно, так что выводы делать было рано. Книжки были зачитанными, большей частью — в недорогих бумажных обложках. Их объединяла только тематика. Все они были посвящены театральному мастерству...

Карина завозилась в постели, и Глаша оглянулась на нее. Девушка перевернулась на бок и по-детски засунула под щеку ладонь. Дышала она глубоко и ровно. Глаша вернулась к книжным полкам.

Одна из книг сразу же привлекла ее внимание. Кроме того, что она не имела на корешке никаких надписей, ее переплет явно был выполнен из тонкой дорогой кожи. Стараясь не шуметь, Глаша вытащила книгу с полки и выяснила, что перед ней — ежедневник. Не похоже было, что такая вещица могла принадлежать Карине.

Испытывая неловкость, Глаша все же решилась открыть первую страницу и обнаружила сделанную красивым, округлым почерком надпись: Бэлла Райская.

— Пожалуйста, не говорите Павлу Аркадьевичу, что нашли это у меня, — виновато прошелестел за спиной Глаши Каринин голос.

Обернувшись, Глаша наткнулась на ее полный раскаяния взгляд.

— Откуда он у тебя? — спросила она удивленно.

— Я не крала его. Правда. Я нашла его совсем недавно, когда разбирала мамины вещи. Как он попал к ней — не знаю. Раньше я его не видела. — Приподнявшись, Карина села в постели, низко опустив голову и нервно кусая губы. Сейчас трудно было поверить, что совсем недавно девушка страдала от жестокого похмелья. Молодой организм справился с неприятностью в рекордно короткие сроки, и девушка была хороша, как никогда. Только вот лицо, почти полностью занавешенное волосами, было очень грустным. В глазах стояли слезы. Глаша чувствовала себя виноватой. В конце концов, она тоже поступила некрасиво, роясь в чужих вещах, а эта дурочка еще и оправдывается.

— Прости, я не должна была трогать твои вещи. Разумеется, я никому не скажу про дневник. — Глаша потянулась, чтобы положить ежедневник на место, но Карина остановила ее:

— Это вовсе мне не принадлежит, — запротестовала она. — Нужно было вернуть Павлу Аркадьевичу дневник его жены сразу, как только я его обнаружила, но я... Я не знала, как это сделать, чтобы он не подумал обо мне плохо. Ведь он мог подумать, что это я украла его, верно?

ПОСЛЕДНЯЯ НОЧЬ КОЛДУНА

•

Сначала я собиралась вообще выкинуть его, но у меня не хватило духу, — пожаловалась девушка.

— Ты читала его?

— Да, — прошептала она убитым голосом. — Трудно было удержаться. Но вы знаете, там нет ничего особенно интересного...

— А что ты рассчитывала там обнаружить?

Карина прикусила губу почти до крови и нервно оглянулась, словно боялась, что их подслушивают.

— Я думала, что смогу узнать что-то о Павле... Аркадьевиче. Он мне очень, просто ужасно нравится! — выпалив это, девушка взглянула на Глашу с отчаянной храбростью. Та усмехнулась.

— Это заметно невооруженным глазом. Только непонятно, если тебе нравится Павел Аркадьевич, тем более ужасно, то с какого боку здесь Гоша?

— Ну, это совсем другая история, — протянула девушка снисходительно.

— Вы с ним были как брат и сестра? — не удержавшись от сарказма, подсказала Глафира.

— Да. То есть — нет. Не совсем так. Гоша был влюблен в меня еще со школы. Мы выросли в одном дворе. Он даже предлагал мне выйти за него замуж, когда мы стали... взрослыми. Но мне он уже давно не нравился. Я люблю Павла Аркадьевича, мне с ним интересно.

— Ну, естественно. Он ведь не только богат, но и весьма недурен собой. Где уж с ним тягаться мальчику Гоше.

Карина взглянула на Глашу с подозрением, пытаясь понять, не издевается ли над ней эта странная тетка. Глаша, конечно, издевалась, но умела это хорошо скрывать. К ее вежливой улыбке невозможно было придраться — сказывались материнские актерские гены, — хотя в душе она слегка презирала легкомысленную девчонку, польстившуюся вовсе не на широту души Райского, а элементарно на крутые бабки, как сейчас говорят такие, как она.

●

— Давай вернемся к дневнику, — предложила Глафира, чтобы сменить тему.

— Нет. Я хотела бы закончить. Мне кажется, что вы считаете, будто я обманываю Павла Аркадьевича...

Глаша именно так и думала, но промолчала.

— Так вот, — продолжала Карина, нервно теребя кружева на сорочке длинными пальцами, — вы ошибаетесь. Вчера мы встречались с Гошей только для того, чтобы выяснить все раз и навсегда. Я объяснила ему — в который раз! — что между нами ничего не может быть, что я люблю другого и хочу выйти за него замуж.

«Вот до чего дошло», — подумала Глаша с ужасом.

— Это было жестоко, говорить такое Гоше в лицо, но я думала, что так будет лучше. Если бы я знала, чем все закончится!

Карина снова заплакала, но на этот раз Глаша не испытывала к ней сочувствия. Жестокая девчонка в первую очередь думала о себе. Сейчас ей тяжело от мысли, что ее верный поклонник погиб, выслушав ее отказ, но, если бы ситуация повторилась, она бы сделала это снова. Тем не менее Глаша присела на край кровати и погладила Карину по голове.

— Не плачь. Все у тебя наладится. Вот увидишь.

Карина отчаянно замотала головой. Слезы лились по ее щекам, но она даже не пыталась их вытереть.

Неожиданно она воскликнула:

— Прочитайте дневник. Сами убедитесь, что в дневнике нет ничего интересного. Одни деловые записи — и все.

Глаше хотелось сохранить лицо, сказав, что читать чужие дневники некрасиво, но она не смогла удержаться от соблазна и прижала к груди тетрадь. С этой минуты обе они как бы превратились в заговорщиц, которых объединяла общая тайна, и от этой мысли Глаша почувствовала себя неуютно.

— Хорошо, я взгляну, — пообещала она, краснея, — а

потом попытаюсь найти способ вернуть дневник Павлу Аркадьевичу. Собственно, это не так уж и трудно — ведь я живу в комнате его бывшей жены. Просто положу дневник в книжный шкаф — и все дела.

— И вы ничего про меня не скажете? — спросила Карина, вытирая мокрые щеки руками.

— Не скажу. К тому же это ведь не ты стащила дневник.

— Спасибо, Глаша. Вы добрая. Я всегда это знала, хотя мама и говорила про вас... всякое.

Глаша предпочла не развивать тему. Она поправила одеяло на кровати и встала.

— Спи. Уже очень поздно.

— Хорошо, — ответила Карина послушно. — Вы идите к себе. Вам тоже нужно отдохнуть. Со мной больше ничего плохого не случится.

— Ты так думаешь?

— Я уверена.

— Ну, хорошо. Тогда я действительно, пожалуй, пойду.

Пожелав Карине спокойной ночи, Глаша вышла из ее спальни, аккуратно прикрыв за собой дверь. Карина проводила ее взглядом, и в этом взгляде читалось явное облегчение.

* * *

Все оказалось в точности так, как говорила Карина. Глаша изучила дневник от корки до корки и пришла к выводу, что он скорее напоминает деловой ежедневник, чем книгу личных откровений. Записи были короткими и четкими, изобиловали цифрами и фамилиями самых разных людей, среди которых попадались весьма известные личности в мире бизнеса. К большому разочарованию Глаши, уже успевшей примерить на себя роль сыщицы, все это были лишь деловые партнеры. Складывалось впечатление, что дневник вела не женщина, а робот. Райский часто упоминался, но если бы Глаша не знала, что он — Бэллин муж, то и его причислила бы к деловым партнерам. Похоже, семейная жизнь этих людей не была слишком счастливой, а уж о любви и романтике речи вообще не шло.

Перевернув последнюю страницу, Глаша задумалась. Что-то было не так. Странно. Она могла бы понять сдержанное выражение эмоций со стороны мужчины, но женщинам, насколько она знала, это несвойственно. Она давно догадывалась, что Райский женился на своей заместительнице больше из благодарности за проявленную верность, чем по большой любви, но ей-то зачем это было надо? Деньги? Райский вернулся из заключения практически нищим. Вероятность того, что он снова поднимется, конечно, существовала, но рассчитывать на это было, по меньшей мере, неосмотрительно.

Выходит, Бэлла все-таки любила своего будущего мужа. Как иначе объяснить ее отчаянные попытки сохранить хотя бы остатки его бизнеса? Но почему ее чувства никак не отражаются в записях?

Ответа на этот вопрос Глаша так и не нашла, но сам вопрос не давал ей покоя. Отложив дневник в сторону, она перекатилась на спину и задумчиво уставилась в потолок. Последняя запись в дневнике была сделана двадцать пятого августа, незадолго до смерти Бэллы. Глаша запомнила ее: «Срочно зайти на Сеченова, 10». Что это за адрес? Запись была жирно подчеркнута, причем другой пастой, в противном случае Глаша не обратила бы на нее внимания. Она отметила, что в остальном тексте никаких выделенных мест не наблюдалось. Следовательно, эта запись была особенно важной. Куда торопилась смертельно больная женщина? Может, в больницу? Или на прием к какому-нибудь целителю? Последнее предположение не казалось таким уж надуманным. Бэлла производила впечатление человека сугубо рационального, чуждого всяческим суевериям, и в то же время Глаша знала, что человек, стоящий одной ногой в могиле, с легкостью изменяет своим принципам, цепляясь за любую возможность остаться в живых.

И все же, откуда взялась мысль о целителях? Глаша попыталась сосредоточиться и вдруг вспомнила: улица Сеченова состояла почти целиком из покосившихся деревянных домов времен царя Гороха. Что могло понадобиться в таком месте Бэлле — богатой даме из верхних слоев общества?

Единственный способ выяснить это — отправиться самой по указанному адресу. Возможно, все ее измышления гроша ломаного не стоят, а Бэлла просто решила навестить старую подругу в последний раз, зато Глаша убедится в своей ошибке воочию и не будет больше мучиться неизвестностью.

Время давно перевалило за полночь, Глафиру клонило в сон, и она, решив вздремнуть до рассвета, потянулась, чтобы выключить ночник у изголовья. В этот момент раздался шорох. «Неужели у них водятся мыши?» — подумала Глаша, прислушиваясь. За стеной раздались осторожные шаги. Здешние мыши топали слишком уж громко и были, вероятно, размером со слона.

Глафире стало не по себе. Она с опозданием вспомнила, что за портьерой, на противоположной стене, имеется дверь, которую она обнаружила раньше, но постеснялась открыть из вежливости. Куда ведет эта дверь — Глаша не знала.

Послышался тихий щелчок и тонкий скрип петель. Штора заколыхалась. Вытканные на ней павлины ожили и зашевелились. Глаша не могла видеть происходящее за шторой и таращилась на нее с ужасом, чувствуя, как спина становится влажной от пота.

Зажмурившись на всякий случай, девушка попыталась зарыться в одеяло. Ее колотил озноб, руки и ноги плохо повиновались.

ЛАНА СИНЯВСКАЯ

●

— Глаша, ты спишь? — Толстое одеяло искажало голос, но Глаша узнала бы его из тысячи.

— Ты?! Какого черта?! Что ты тут... как ты тут?.. — вскинулась она.

— Почему ты... Ах да, ты же не знаешь... Моя комната — рядом с твоей, это же спальня моей жены. Или ты забыла? Между комнатами — дверь. Я просто открыл ее и вошел. Никакого криминала, — нетерпеливо пояснил Павел. — Почему ты так испугалась, Глаша?

Охваченная приступом справедливого негодования, Глаша села в постели, совершенно позабыв, что по причине ночного времени одета лишь в кружевное нижнее белье. Черные трусики и лифчик, конечно, были весьма изящны, но для глаз Райского уж точно не предназначались. Девушка гневно уставилась на непрошеного гостя, который растерянно хлопал глазами, уставившись на ее полуобнаженное — да что там! — практически голое тело. В комнате горел только ночник, и в полумраке ему показалось, что ее кожа светится.

— Какого черта ты вламываешься ко мне среди ночи? — рявкнула Глаша яростно, натягивая на себя одеяло и сооружая из него кокон.

— Вообще-то я стучал.

— Врешь. Я ничего не слышала.

— Не надо злиться, — попросил он примирительно. — Вот. Это тебе.

Глаша в недоумении уставилась на плоскую бархатную коробочку и пробормотала:

— Что за сюрпризы среди ночи?

— Возьми. — Он протянул ей коробочку на раскрытой ладони.

— Что это?

— Подарок. Ты так переживала из-за своей собаки, что я захотел хоть немного утешить тебя.

Он неловко сунул коробочку ей в руку, она кивнула и, словно завороженная, раскрыла ее. Брызнувший в глаза свет заставил ее зажмуриться.

ПОСЛЕДНЯЯ НОЧЬ КОЛДУНА

•

— Бриллианты — лучшие друзья девушек, — хрипло констатировала она. — Райский, ты что — спятил?

— Почему это?

— Я не могу это принять.

— Это всего лишь крестик на цепочке.

— Не придуривайся. Этот крестик стоит очень дорого. Я кое-что смыслю в драгоценностях. Матушка обучила, царствие ей небесное. Это старинная работа, начало девятнадцатого века приблизительно.

— Восемнадцатый, — растерянно поправил он. — Самый конец.

— Еще не легче. Забирай свой раритет.

— И не подумаю. Я принес его тебе, и ты примешь его во что бы то ни стало.

— Щас! Не дождешься.

Глаша демонстративно положила коробочку на краешек подушки и спрыгнула на пол, волоча за собой одеяло, между ними теперь была кровать. Райский неожиданно разозлился. Сграбастав коробочку, он открыл ее, выдернул из гнезда украшение, в один прыжок перепрыгнул через кровать и стал приближаться к девушке, не обращая внимания на ее протестующие вопли. Глаша поняла, что сама загнала себя в ловушку. Бежать было некуда: она оказалась зажатой между кроватью и стеной.

Взбрыкнув ногами, как сайгак, она попыталась вскарабкаться обратно на кровать, но Райский успел ухватить ее за одеяло, дернул на себя, и она свалилась навзничь. Райский навалился на нее сверху, ее кожа вспыхнула под его пальцами, когда благородный металл скользнул по ее шее.

— Можешь перестать жмуриться, — насмешливо сообщил Павел. — Тебе идет. Сама убедишься, если взглянешь в зеркало. И не трясись так, я не собираюсь до тебя больше дотрагиваться.

Его уверения не убедили ее, но глаза она все же приоткрыла. Павел сидел у нее в ногах. Он по-прежнему

•

был слишком близко. Он не шевелился, но в его горящих глазах она прочла нечто такое, что заставило ее вновь спасаться бегством. Сноровисто перебирая конечностями, она крабом переползла через кровать и опять вскочила на ноги.

— Павел, пожалуйста, уйди. Оставь меня одну.

— В чем дело, Глаша? — изобразил он удивление. — Ты же все равно не спишь. Давай поболтаем.

— Я буду спать, — пообещала она. — Уходи. И забери с собой это.

Она закинула руку за шею, судорожно пытаясь нащупать застежку и напрочь позабыв об одеяле. Оно немедленно предательски скользнуло вниз, а Райский вероломно подхватил его и дернул на себя.

— По-моему, так ты гораздо лучше выглядишь, — нагло прокомментировал он.

— Да чтоб ты провалился! — завопила Глаша во весь голос.

Райский немедленно настиг ее, схватил за плечи и сильно встряхнул.

— Прекрати! — прикрикнул он. — Хватит ломать комедию. Я же вижу, как ты ко мне относишься!

— Я тебя ненавижу!

— Врешь! Ты влюблена в меня как кошка!

— Самодовольный болван! На фиг ты мне сдался?! Отправляйся лучше к Карине. Самая тебе пара!

— Какая еще Карина? При чем здесь она?

— При том, что из нее выйдет отличная жена олигарха. Я на эту роль не гожусь.

— А я тебя замуж и не звал! — выпалил он. Глаша вспыхнула. — Но и Карину мне сватать не смей. Она мне не нужна.

— Вот оно что... — протянула Глаша, прищурившись. — Не нужна? Давно ли? Не с тех ли самых пор, как успела удовлетворить твою похоть?

— Циничная хамка!

ПОСЛЕДНЯЯ НОЧЬ КОЛДУНА

●

— Старый развратник. Совратитель малолетних!

— Ты меня достала!

Глаша уже приготовила достойный ответ, но Райский опередил ее, перейдя от слов к действиям. Одной рукой он притянул ее к себе и крепко прижал, другой обхватил ее голову, и прежде чем она успела опомниться, впился ртом в ее губы. В этом поцелуе нежностью и не пахло. Это было почти насилие, желание подчинить ее себе во что бы то ни стало.

Глашу словно парализовало. Ее собственное тело оказалось расплющенным о его мускулистый торс, она ощущала его всей поверхностью кожи, которая покрылась мурашками, но не от возбуждения, от страха.

Когда Павел, тяжело дыша, оторвался от ее губ, она чувствовала себя изнасилованной. Ей больше не хотелось ни ругаться, ни бороться с ним. От унижения из-под ее плотно сомкнутых ресниц градом лились слезы.

— Пожалуйста... не надо... прошу... — дрожа всем телом, повторяла она, словно в бреду. Ей даже не было стыдно просить его о пощаде. — Пустите меня... не надо!..

Райский разжал руки и немедленно отступил.

— Что с тобой, Глаша? Ты что? — встревоженно спросил он, пораженный ее состоянием.

Глаша вдруг с особой остротой осознала, что стоит перед ним почти голая. Надо прикрыться! Спрятаться! Господи, стыд-то какой!

Спотыкаясь, она рванула к креслу, где была сложена ее верхняя одежда. Ноги у нее дрожали. Она часто моргала, ничего не видя из-за слез. Почти добравшись до кресла, она споткнулась о стул, ударилась и чуть не упала. Райский успел подхватить ее, но она забилась в его руках, охваченная паникой.

— Нет!.. нет...

— Я только хотел... — пробормотал он, немедленно выпуская ее.

Глаша, всхлипывая, схватила свой джемпер, натянула на себя, тут же утерев рукавом слезы.

— Глаша, прости меня... — убитым голосом проговорил Павел. — Я не хотел... Это получилось... случайно, в общем, получилось. А ты что здесь делаешь?! — вдруг заорал он свирепо.

Глаша, вздрогнув, посмотрела в сторону и увидела испуганную донельзя Карину. Сжавшись в комок, она стояла у порога и хлопала глазами.

— Простите! Я не знала, что вы... Что Глафира... — залепетала она бессвязно, прижимая ладони к пунцовым щекам.

— Брысь отсюда! Марш в свою комнату! Спать, я сказал! Немедленно!!! — прорычал Райский, сверкая глазами.

Жалобно пискнув, Карина испарилась.

— Еще раз прошу прощения, — обернувшись к Глафире, мягко сказал Павел.

— Конечно. Только сейчас, пожалуйста, уходи.

— Уже ушел. Обещаю, что больше не попытаюсь приблизиться к тебе, если ты сама не захочешь. Только не сбегай никуда! Обещаешь?

Глаша молчала, низко опустив голову.

— Ну что, обещаешь? — спросил он настойчиво.

— Я постараюсь, — выдавила она.

— Спасибо.

Павел вышел, плотно прикрыв за собой дверь. В полной тишине щелкнул повернувшийся в замке ключ. Глаша со стоном повалилась на кровать. О бриллиантовом крестике никто из них даже не вспомнил.

ГЛАВА 31

Ранним утром Глафира выскользнула из дома Райского. Осенний дождь — седая завеса брызг и тумана — встретил ее за порогом.

ПОСЛЕДНЯЯ НОЧЬ КОЛДУНА

•

Глаша любила осень.

Она наслаждалась осенью, как пьянящим вином — светло-золотистым, отдающим запахом яблок, лесной прелой травы и палых дубовых листьев.

Струйка холодного воздуха скользнула ей за воротник и словно принесла очищение от прошедшей ночи. Глаша вздохнула наконец полной грудью.

Улица Сеченова встретила ее тишиной. По щербатому асфальту не ездили машины, навстречу редко попадались прохожие. Глаша неторопливо шла вперед, внимательно вглядываясь в номера домов и все больше удивляясь, что Бэлле понадобилось в таком глухом месте.

Когда она добралась до строения номер десять, вопросов только прибавилось. Нет, это был не покосившийся дом, каких на тихой улочке хватало. Перед ней высился двухэтажный, свежеотремонтированный особнячок, сверкающий новыми стеклопакетами. Под солидной вывеской на мраморном крыльце сиротливо жалась мокрая дворняга. Нотариальная контора, вот что прочла Глаша на вывеске.

Капли дождя стучали по зонту, но Глаша не торопилась подняться по ступенькам. Бэлла перед смертью посещала нотариуса. Неужели это казалось ей настолько важным? Почему? Догадывалась ли несчастная женщина, что ей не суждено покинуть стены больницы, по крайней мере — живой? У Глаши сложилось о Бэлле впечатление как о трезвомыслящей, расчетливой женщине, практически лишенной эмоций. Она не могла не знать, что от такой болезни не выздоравливают. Хотя вот ее сестра утверждала, что смогла полностью излечиться, благодаря своей вере в чудодейственную силу фэн-шуй. Глаша усмехнулась: благодаря ВЕРЕ! Фэн-шуй тут, скорее всего, ни при чем. У Бэллы вера оказалась слабее, она проиграла битву за жизнь или же добровольно выбрала смерть, но перед этим завещала сестре то, что ей самой не принадлежало.

ЛАНА СИНЯВСКАЯ

●

Холл нотариальной конторы по дизайну больше напоминал туристическое бюро, чем серьезное юридическое учреждение. В интерьере главенствовали тона белого песка и лазури, напоминающие скорее о морских пляжах, чем о скучной бумажной волоките. Искусно спрятанная подсветка создавала впечатление, что офис буквально залит солнцем. Очевидно, контора только что приступила к работе, и посетители еще не подтянулись. Симпатичная шатенка за офисным столом безмятёжно заканчивала наводить красоту, глядя в маленькое круглое зеркальце. При виде Глаши она быстро сунула зеркальце в стол и профессионально-дружелюбно улыбнулась.

— Добрый день, — пропела она мелодично. — Чем могу служить?

— Мне требуется ваша помощь, — улыбнулась в ответ Глаша.

— Всегда к вашим услугам. В чем вопрос?

— Понимаете, мне требуется информация об одной из ваших клиенток. Бэлла Райская. Она обращалась к вам больше года назад.

Секретарша поскучнела.

— К сожалению, мы не даем подобной информации, — сообщила она официальным тоном, лишь слегка приправленным вежливостью.

— Понимаю. Но клиентке это повредить не может. Она давно мертва. Скончалась в результате болезни, — продолжала Глаша настаивать.

— Вот как? Как, говорите, ее фамилия? Я подумаю, что можно сделать.

— Райская, — с готовностью подсказала Глаша. Девушка кивнула и защелкала клавишами компьютера.

— Вам лучше всего обратиться к Олегу Анатольевичу, — сообщила она, тщательно изучив открывшуюся на экране страничку. Глаша остро пожалела, что не может, в свою очередь, взглянуть на нее. — Пройдите прямо по коридору. Второй кабинет, — сообщила секретарь. — Олег Анатольевич вас примет.

Чувствуя, что от нее попросту избавились, Глаша послушно отправилась в указанном направлении. Бэлла здесь была — это уже обнадеживало. Глаша не переставала надеяться, что с этим визитом связано нечто важное.

За дверью с цифрой «2» Глашу встретил высокий молодой парень. Он ожидал ее, это не вызывало сомнений. Очевидно, секретарь успела предупредить его по внутренней связи.

Парень был в темно-сером костюме-тройке, который придавал ему солидности, и делал вид, что просматривает бумаги в пластиковой папке, но, как только Глаша шагнула в кабинет, уставился на нее с любопытством.

— Вы — Олег Анатольевич, нотариус? — сочла нужным уточнить Глаша, которую сбивала с толку его молодость.

— Вас что-то не устраивает? — спросил парень весело.

— Да нет, просто вы...

— Слишком молодо выгляжу?

— Вроде того.

— Сам знаю. Это всех сбивает с толку, — вздохнул он и доверительно сообщил: — Я даже бороду пытался отрастить для солидности. Но борода получилась какая-то некрасивая, и ее пришлось сбрить.

Глаша улыбнулась.

— Садитесь! — спохватился юрист. Глаша опустилась в высокое кожаное кресло. — Вы хотели поговорить о Бэлле Райской?

— Вы хорошо информированы.

— Секретарша предупредила, — не стал скрывать парень.

— Я действительно хотела бы кое-что выяснить об этой женщине.

— Могу ли я узнать, кто вы и почему интересуетесь моей клиенткой?

— Я... — Глаша замялась, — друг семьи. Вернее — знакомая ее мужа. Мне стало известно, что Бэлла посетила вас незадолго до своей смерти, двадцать пятого августа прошлого года, и меня очень интересует цель ее визита.

— Вообще-то я не разглашаю дела своих клиентов, — Олег потер рукой подбородок, скептически поглядывая на Глашу. Она истолковала его взгляд правильно, и на стол легла хрустящая купюра.

— Вообще-то, Бэлла уже мертва... — задумчиво продолжал юрист, все еще размышляя. К первой купюре добавилась еще одна, и Олег заметно подобрел: — Так и быть, кое на какие вопросы я готов ответить.

— Зачем она приходила? — сразу взяла быка за рога Глафира.

— По поводу своего завещания.

— Значит, оно было написано перед ее госпитализацией?

— Ничего это не значит, — возразил юрист. — Мадам Райская приходила не для того, чтобы составить завещание, а затем, чтобы отменить его. — Олег откинулся на спинку кресла, откровенно наслаждаясь произведенным эффектом.

— Как это? — удивилась Глаша.

— А вот так. Она отменила свое последнее завещание, составленное больше года назад, и, таким образом, в силу вступило предыдущее.

— То есть у нее было два завещания?

— Завещаний не может быть два — оно всегда одно. Все они фиксируются, но в случае пропажи последнего действует то, что было составлено раньше.

— А можно узнать, в чем состояло их различие?

— Можно, в виде исключения.

Еще несколько дензнаков крупного достоинства легли на стол, и Глаша была введена в курс дела.

ПОСЛЕДНЯЯ НОЧЬ КОЛДУНА

●

— Согласно последнему завещанию, наследником Бэллы Райской в случае ее смерти становился ее супруг — Павел Райский. А вот в предыдущем завещании наследницей объявлена ее сестра — Элла.

— В каком году оно было составлено?

— Я могу уточнить.

Подозревая, что уточнение потребует новых денежных вливаний, Глаша благоразумно отказалась, полагая, что точная дата не имеет принципиального значения.

— Подождите! — спохватилась вдруг она. — Это ведь было, когда Райский еще сидел в тюрьме. То есть он и Бэлла еще не были расписаны?

— Разумеется.

— Так что же она завещала сестре?

— Половину квартиры, в которой они на тот момент проживали.

«Ничего себе, — подумала Глаша. — В одном случае «все» — это какие-то полквартиры, в другом — за этим словом скрывается целое состояние».

— Странно, что Бэлла оставила старое завещание вместо того, чтобы составить еще одно. Она не вносила никаких изменений?

— Нет. Ничего не менялось.

— Ничего не понимаю.

— Не вы одна.

— Кто-то еще интересовался этим вопросом?

— А как вы думаете?

— Да никак я не думаю. Говорите яснее.

Олег вздохнул и терпеливо пояснил:

— Разумеется, завещание интересовало того, к кому имело непосредственное отношение.

— Ее сестру?

— Ее мужа, которого, простите за выражение, оставили с носом.

— И что же он сделал?

— Устроил скандал, разумеется. Он усомнился в том,

•

что завещание подлинное, а когда подлинность его была установлена, попытался его опротестовать на основании того, что мы с Эллой вступили в сговор. Честно говоря, мы попали в трудное положение. Бэлла была мертва и не могла подтвердить свою волю, а ее муж разбушевался не на шутку.

— Сочувствую, — проговорила Глафира, хорошо представляя себе, что может натворить Райский в гневе. А она-то полагала, что он воспринял казус с завещанием философски. Хотя в такой ситуации трудно оставаться философом: он во второй раз лишился всего своего имущества. Понятно, почему он так ненавидел Эллочку.

— Павел Аркадьевич попытался перекрыть нам кислород, — продолжал тем временем Олег. — С помощью своих связей он распустил слух о нашей неблагонадежности, а в нашем деле репутация — главное. Лишившись ее, мы лишились большинства крупных клиентов.

— Однако ваш офис не производит впечатления бедствующего, — осторожно заметила Глаша.

— За это следует благодарить Эллочку — нашего доброго ангела.

— Сестра Бэллы стала вашим спонсором?

— Вот именно. Таким образом она чтит память о своей сестре. В конце концов, именно благодаря ее решению Элла из золушки превратилась в настоящую королеву. Даже сейчас Элла продолжает нас поддерживать.

— Деньгами?

— Уже нет. У нее масса знакомых, которые готовы воспользоваться нашими услугами по ее рекомендации.

— Еще один вопрос! — торопливо вставила Глаша, заметив, как юрист покосился на свои часы.

— Я весь внимание, — интеллигентно соврал Олег Анатольевич.

— Скажите, почему все-таки Райский заподозрил вас в подлоге? Разве его жена не могла, по его мнению, со-

●

вершить подобный поступок? Она ведь могла поступить так в отместку, чисто по-женски обидевшись на него за что-то.

— Насчет их отношений я совершенно не в курсе. Он и не говорил об этом. Он просто утверждал, что его жена никоим образом не могла посетить нас двадцать пятого августа прошлого года.

— Почему?

— Потому, что лежала в это время в стационаре, при смерти.

— То есть к вам приходила не Бэлла?

— Да нет же! Именно Бэлла! Тому есть несколько свидетелей, не считая меня самого, а у меня, знаете ли, прекрасное зрение.

* * *

Больница, в которой Бэлла Райская провела свои последние дни, отличалась от места работы беглого доктора Альберта Натановича, как Тадж-Махал от сарая. Адрес больницы Глаше подсказала Наталья Алексеевна. Кухарка так обрадовалась Глашиному звонку — в доме ее исчезновение посеяло настоящую панику, — что сообщила девушке все интересующие ее подробности, потребовав взамен обещания, что Глаша вернется домой к ужину.

Глаша топталась в огромном, утопающем в тропической зелени холле, сверкающем стерильной чистотой. К регистратуре страшно было подступиться — так солидно все здесь выглядело. Преодолев робость, Глаша все же приблизилась к стойке и, вытянув шею, заглянула за прозрачное, почти невидимое стекло. Она увидела женщину в белом накрахмаленном халате, склонившуюся над журналом, в котором она что-то быстро записывала, поглядывая на светящийся жидкокристаллический экран компьютера.

ЛАНА СИНЯВСКАЯ

●

Девушка уныло вздохнула, понимая, что здесь она ничего не узнает. Всех ее сбережений не хватит, чтобы разговорить кого-нибудь из вышколенного персонала, наверняка дорожащего работой в таком престижном месте.

Услышав ее сопение, женщина подняла голову, заранее улыбаясь:

— Добрый день, — произнесла она, и в ту же секунду лицо ее просияло вполне искренне. — Глашка! Привет!

— Маша? С ума сойти. Вот так встреча! — воскликнула Глафира, не веря в свою удачу.

— А ты чего к нам? Заболела? Или кого из родственников положить хочешь? Только учти, цены у нас бешеные, — предупредила Маша вполголоса.

— Не волнуйся, лечиться я пока не собираюсь. Мне бы поговорить с тобой.

— Это запросто. Как раз через пять минут моя смена заканчивается. Девчонки, отпустите пораньше? — обернулась она к коллегам.

— Иди, — откликнулись те. — Только домой не уходи, пока смену не сдашь, а то Ленка придет — разводится.

— Ладно. Спасибо, — кивнула Маша и потянула подругу за собой.

Они поднялись по главной лестнице, миновали широкий светлый коридор, слабо пахнущий дезинфекцией, и вошли в просторную комнату с высоким потолком и мягким освещением.

— Присаживайся, — показала Маша на диван у стены. — Это наша комната отдыха. До конца смены сюда никто не придет, не волнуйся. Чаю хочешь?

Глаша кивнула.

— Правильно. Что-то сегодня очень холодно, а батареи в полную силу топят только в палатах.

Глафира испытывала чувство приятного удивления, разглядывая Машу. Когда-то они учились в одном клас-

●

се, даже дружили. После школы судьба Маши сложилась непросто. Она рано вышла замуж, родила, и с этого момента начались ее мытарства. У сынишки диагностировали ДЦП, хотя и не в самой тяжелой форме. Муж, конечно же, немедленно сбежал — всего месяц и продержался, — Маша осталась одна, с больным ребенком на руках. Врачи не прогнозировали ничего хорошего, вяло рекомендовали массаж и тренажеры. Однако очередь на массаж растягивалась на много месяцев, а нужных тренажеров в их городке вообще не существовало. Денег у Маши не было тоже. Помогать ей никто не собирался.

Чтобы прокормиться и не оставлять беспомощного сынишку одного, Маша освоила компьютер, не пользуясь никакими курсами, которые тоже были платными. Освоила, да так, что через пару лет уже администрировала, не выходя из квартиры, с добрый десяток баз данных.

Теперь денег хватало не только на квартплату и питание, но и на целую армию врачей, массажистов и логопедов. Сама Машка занималась с сыном по пять-шесть часов ежедневно, проявляя чудеса терпения и любви. В общем, все нормализовалось, только спать было решительно некогда.

В те времена Глаша принимала активное участие в жизни подруги, помогала по хозяйству и не переставала удивляться ее мужеству.

В три года Мишутка пошел, в три с половиной — заговорил. Ходил он, конечно, не слишком бойко, вперевалочку, а говорил вполне разборчиво, но медленно, тем не менее это был колоссальный прогресс. То, что сделала Маша, Глаша искренне считала чудом. В семь лет ее мальчик смог поступить в обычную школу. Чего это стоило Маше, Глафира могла только догадываться. Подруга никогда не говорила с ней на эту тему...

Глаша осторожно поинтересовалась:

— Как твой Мишутка?

— Отлично! — весело откликнулась Маша, подтаскивая к столику на пластмассовом подносике чайные принадлежности и плетенку с овсяным печеньем. Она деловито разлила чай по кружкам и уселась напротив Глаши, обхватив тонкими пальцами горячую кружку с чаем.

— У тебя действительно все хорошо? — спросила она, внимательно оглядывая Глашу.

— Конечно, — ответила Глаша бодро. — А что?

— Вид у тебя больной. Это я тебе как медик говорю, не обижайся.

Заметив удивление в Глашиных глазах, Мария негромко рассмеялась.

— Удивлена? Долго же мы не виделись. Я успела окончить медицинский институт. Диплом этим летом получила. Здесь я на стажировке, а потом попробую создать собственную практику.

— Рада за тебя! Значит, ты здесь недавно?

Маша уловила нотки разочарования в ее голосе и спросила:

— Для тебя это имеет значение?

— Вообще-то имеет, — не стала скрывать Глаша.

— Тогда могу тебя порадовать: я здесь давно. Когда училась — подрабатывала в этой клинике. Ночной сиделкой, уборщицей, нянечкой — кем придется. Мишаню с собой брала. Ему даже нравилось. Так в чем все-таки дело? Что ты хотела узнать?

Глаша подумала и выложила все начистоту.

— Здесь оперировалась одна моя знакомая. К сожалению, неудачно — она скончалась вскоре после операции. Не волнуйся, это давняя история. Ни у кого никаких претензий.

— Кто такая? — Тон Маши сменился с дружеского на деловой.

— Бэлла Райская, жена одного крупного бизнесмена.

— Канцелярского магната, что ли? Помню такую.

— Помнишь? — Глаша обрадовалась.

ПОСЛЕДНЯЯ НОЧЬ КОЛДУНА

●

— Я тогда сиделкой работала. В реанимации. В ее случае никаких нарушений не было, если ты об этом. По правде говоря, операция была бессмысленной. Слишком запущенный случай, никаких перспектив. Однако ее муж настаивал, требовал, чтобы врачи сделали все возможное. Возможное они сделали, но невозможное не в их власти. Они же не боги. Кстати, впоследствии случилась еще одна некрасивая история.

— Он был чем-то недоволен?

— Да нет. У нас такие специалисты работают — ого-го! Мировые светила, скажу без преувеличения. Аппаратура самая современная, методики передовые. Оттого и дорого.

— Так в чем конфликт?

— Да ерунда. Он на обслугу накатил и на меня, в частности. Заявил, что мы плохо следили за его женой, что она без присмотра шаталась по городу, а это могло сказаться на результатах операции.

— А ты как считаешь, это возможно?

Маша взглянула на Глафиру с неподдельным изумлением.

— Да нет, конечно. Это полная чушь.

— Ты уверена?

— Да на все сто! Конечно, я не сидела возле нее круглосуточно — у меня она была не одна, но могу поручиться, что больницу она не покидала. Разве что просочилась в форточку...

— А может, и правда в окно?

Маша усмехнулась, давая понять, что оценила шутку. Она подняла к губам чашку и очень осторожно сделала глоток, держа свободную руку под донышком лодочкой — боялась запачкать халат.

— Я ухаживала за этой женщиной и до и после операции, — медленно начала она. — Заноза была та еще. Вредная тетка. Шпыняла нас все время, жаловалась врачам, обзывалась. Что ни сделай, как ни старайся — все не по ней. Однажды вызвала главврача и заявила, что я пытаюсь ее отравить. Представляешь себе?

— Как же ты все это вынесла?

— А куда деваться? Это моя работа. Больные в большинстве своем очень капризные, хотя, конечно, случаются приятные исключения. И неприятные в виде этой Бэллы — тоже. Я не об этом хотела сказать. После операции состояние женщины резко ухудшилось. Она приходила в сознание всего дважды, но не то что в окошко сигать, даже говорить совсем не могла.

— А не могла она... притворяться? — с робкой надеждой спросила Глаша.

На этот раз Маша молчала довольно долго, тщательно все взвешивая.

— Стопроцентной гарантии не дам, хотя лично я уверена, что никакого притворства не было, но человек, знаешь ли, способен на многое...

Глаша кивнула, хорошо понимая, что более исчерпывающего ответа она не услышит.

ГЛАВА 32

Возвращаясь вечером в дом Райского, Глаша твердо решила поговорить с ним начистоту. То, что она узнала в больнице и у нотариуса, привело ее в замешательство. Ей не давал покоя вопрос, как Бэлла могла решиться на такой отчаянный шаг, стоя на краю могилы. За что хотела наказать Райского, ограбив его столь изощренным способом?

Лукавить сама с собой она больше не пыталась, ясно осознавая, что влюблена в этого несносного типа как кошка. Он нисколько не соответствовал ее идеалу мужчины, у него имелась куча недостатков и сомнительное прошлое, но для нее он был самым привлекательным мужчиной на свете.

ПОСЛЕДНЯЯ НОЧЬ КОЛДУНА

●

Когда он набросился на нее с необузданной страстью прямо в спальне своей жены, она испугалась, потому что не почувствовала в нем ни капли любви, одну только похоть.

Павел привык одерживать верх над людьми и судьбой, но она не собиралась ему подыграть. Ему требовалась женщина, которая спала бы с ним, поддерживала бы его, принимала гостей и вела хозяйство. И не наводила бы на него тоску. Наверное, он считал Глашу подходящей кандидатурой, полагая, что она сможет развлечь его. С ней ему было не до скуки, что правда, то правда. Но он не любил ее, она вынуждена была это признать, хотя сердце разрывалось от боли. Она всю жизнь считала, что ей вообще не нужна любовь, и вот теперь готова волком выть из-за ее отсутствия. Выходит, она, как и мать, всю жизнь искала свою, одну-единственную любовь, только другими способами. Жаль, что им обеим не повезло...

Вчера, когда в Павле взыграло его оскорбленное самолюбие, безобразная сцена зачеркнула для Глаши саму надежду на любовь, и она не собиралась больше бороться. Для нее самой любовь означала бескорыстие. Ее мама внушала ей, что любить человека — значит радоваться, когда у него все хорошо, радоваться даже тогда, когда твое собственное сердце истекает кровью.

* * *

В холле Глаша столкнулась с Кариной, которая почему-то топталась в верхней одежде возле сваленных в кучу на полу сумок.

— Карина, ты куда это собралась? — удивленно спросила Глаша у девушки.

— Разве не понятно? — вздернула та брови. — Я уезжаю.

Карина нервно скомкала шейный платок и запихнула его в карман куртки.

●

— Но почему?

Карина взглянула прямо в глаза девушки и спросила:

— А для чего мне здесь оставаться?

Глаша опустила голову.

— Если это из-за вчерашнего, то зря.

— Ты действительно так думаешь? — грустно спросила Карина, перейдя на «ты».

— Конечно! Все это было... недоразумение. Павел Аркадьевич извинился. Так что у тебя больше нет причин для отъезда.

— Ты говоришь слишком спокойно. Разве ты не влюблена в него? — проявила Карина неожиданную проницательность.

— Главное, что он в меня не влюблен, — откликнулась Глаша, полагая, что отпираться бессмысленно.

— Неважно, — решительно заявила Карина. — Все равно это — не мое. Знаешь, я решила начать все с чистого листа. Сейчас, когда не стало мамы. Может быть, даже в другом городе. Мне потребуется время, чтобы все обдумать и осознать свои ошибки. Пора становиться взрослой.

— Кто-нибудь в курсе того, что ты задумала?

Карина испуганно помотала головой.

— Нет! Павел Аркадьевич уехал рано утром. Свеча — вместе с ним, Эллочка все еще где-то гостит, а Наталья Алексеевна никогда ни во что не вмешивается. И я не хочу выслушивать их возражения, поэтому мне нужно поторопиться. Только вот сумки оказались слишком тяжелыми. Ты мне не поможешь? Я рассчитывала, что справлюсь сама, но после прошлой ночи сил у меня осталось до обидного мало.

— Если ты решила всерьез, то я не могу отказать тебе в помощи, — поспешно согласилась Глаша, чувствуя за собой некое подобие вины. — Подожди минуту: я поднимусь наверх и переобуюсь, а то сапоги насквозь мокрые. У меня в комнате есть сухие кроссовки. Я быстро.

ПОСЛЕДНЯЯ НОЧЬ КОЛДУНА

•

— Хорошо. Я буду ждать тебя в машине. Вот эти сумки я перетащу сама, ты, когда будешь выходить, прихвати, пожалуйста, вот эту.

— Договорились.

Через несколько минут, когда Глаша уже тащила тяжелую сумку к выходу, ее окликнула Наталья Алексеевна.

— Бог ты мой! Глафира! Ты куда это опять намылилась? Павел Аркадьевич с меня голову снимет, если не застанет тебя, когда вернется.

— А когда он вернется?

— Часа через два.

— Тогда я успею. Я быстро. Нужно помочь Карине с вещами. Это займет совсем немного времени.

— А как же ужин?

— Вот все вместе и поужинаем.

Совместными усилиями девушки затолкали последнюю сумку в багажник. Глаша уселась на переднее сиденье, Карина — за руль.

Перетаскивание багажа на четвертый этаж заняло не столько много времени, сколько сил. С непривычки у Глафиры гудели ноги, а пальцы на руках не разгибались.

— Устала, да? — озабоченно спросила Карина у пытавшейся отдышаться Глафиры. — Прости ради бога, ты так меня выручила. Одна бы я точно рухнула где-нибудь между этажами. — Это была маленькая ложь: Карина даже не запыхалась, и Глаша невольно позавидовала ее молодости и здоровью.

— Не волнуйся, Карина, со мной все хорошо. Просто физическая форма оставляет желать лучшего.

— Давай я напою тебя кофе? А после отвезу обратно.

Предложение показалось Глаше заманчивым. Она улыбнулась:

— Ну, давай.

Девушка так обрадовалась, что Глаша догадалась: ей просто до смерти не хочется оставаться одной в пустой квартире.

— Если хочешь помыть руки, то вон там — ванная, — подсказала Карина. — Я буду на кухне. Обувь можешь не снимать.

Стандартная однокомнатная хрущевка производила странное впечатление из-за беспорядочного нагромождения самых различных вещей. Свободного пространства оставалось так мало, что в некоторых местах протиснуться можно было только боком. Многие вещи стояли нераспакованными, даже в ванной Глаша обнаружила какие-то запечатанные коробки.

Еще в ванной Глаша учуяла распространившийся по квартире аромат жареной арабики, который заглушил запах нежилого помещения.

Карина успела не только сварить кофе, но и красиво сервировать стол. Полотняная салфетка с петухами смотрелась очень нарядно, а маленькие чашечки, в которые Карина разливала горячий напиток, выглядели как игрушечные.

— Кофе меня научил варить мой бывший приятель — Гоша, — грустно сообщила Карина. — Он в этом здорово разбирался и старался строго следовать всем правилам. Например, никогда не пил кофе без коричневого сахара, причем клал его сразу в джезву. Вот попробуй сама. — Она передала Глаше чашечку. — Это по его рецепту. Вкус — совершенно особенный, ты заметила?

Отхлебнув глоток, Глаша вежливо кивнула. Кофе показался ей слишком крепким, а она не любила излишнюю горечь с детства. Чтобы не обидеть Карину, Глаша мужественно допила напиток до конца.

— Ты не торопишься? — просительно заглянула ей в глаза Карина.

— Вообще-то тороплюсь, но, если хочешь, могу задержаться еще немного.

— Спасибо! Мне нужно немного времени, чтобы привыкнуть. Ведь я не была здесь с того дня, как похоронили маму.

ПОСЛЕДНЯЯ НОЧЬ КОЛДУНА

•

Чтобы скрыть подступившие слезы, Карина быстро отвернулась.

— Я понимаю, — мягко сказала Глаша.

— Ты пока можешь пройти в комнату, а я только сполосну чашки и приду к тебе. Я хотела тебе кое-что показать.

В комнате было еще теснее. Лишь один участок стены напротив окна оказался свободен. Фотографии покрывали выцветшие обои разноцветным ковром. Глаша с интересом принялась разглядывать снимки, пока один из них не заставил ее застыть с открытым ртом. В центре снимка на зеленой лужайке восседала довольная Муля, по обе стороны от нее сидели две женщины, которых толстуха обнимала за плечи. Затаив дыхание, Глафира несколько минут, не веря своим глазам, таращилась на Мулиных подруг. В голове у нее помутилось, к горлу подступила тошнота.

— Узнаешь? — раздался позади нее бодрый голос. — Это сестры Флоринские. Эллочка и Бэллочка. Они дружили с мамой еще в училище.

Вздрогнув, Глаша обернулась. От резкого движения комната вокруг нее покачнулась, и девушке пришлось опереться о стену, чтобы не упасть. Ей показалось, что Карина стала выглядеть совсем иначе, чем пять минут назад. Щенячья неуверенность и робость бесследно исчезли. Глаша увидела холодный злобный блеск в ее глазах и странно побледневшее лицо, превратившееся в застывшую маску ненависти. Держа руки за спиной, она смотрела на свою гостью изучающим взглядом.

Глаша тряхнула головой, пытаясь прогнать наваждение, и спросила, с трудом шевеля губами:

— Разве сестры были близнецами?

— А ты разве не видишь? — Карина уже откровенно ухмылялась. — Они никогда не хотели быть похожими друг на друга. Носили разные прически и одежду. Бэлла была длинноволосой блондинкой, а Эллочка коротко стриглась и красилась в радикально черный цвет. Так что в реальной жизни их сходство не так бросалось в глаза, хотя близкие, естественно, знали.

Внезапная догадка пронзила оцепеневший мозг Глаши.

— Кто сейчас живет в доме Райского? — спросила она тихо.

— Бэллочка и живет.

— Значит, в больнице под ее именем умерла ее сестра Элла?

— Дошло наконец. — Карина довольно хихикнула.

Острые холодные иглы впились в Глашино тело. Борясь с ознобом, она обхватила себя руками и в изнеможении опустилась прямо на пол.

— Тебе плохо?

— Нет-нет, все в порядке.

— Нет-нет? Или да-да? Сколько можно притворяться? Тебя же ноги не держат! И я знаю почему. Я тебя отравила!

— Ты подсыпала что-то в кофе? — спросила Глаша обреченно.

— Ага. Наркотик. Умереть пока ты не умрешь, хотя ощущения, думаю, испытываешь неприятные. Пока ты мне еще нужна, а так ты лишишься излишней, хм, активности. У нас есть немного времени, и мы можем побеседовать, если есть желание.

Глаше беседовать не хотелось, однако она понимала, что только таким способом можно прогнать тяжелую нечеловеческую усталость, от которой клонило в сон. Она боялась, что, уснув, больше не проснется. Она глубоко вздохнула и позволила себе на минуту прикрыть глаза, чтобы собраться с силами. Свет перед ее внутренним взором поблек, она будто витала где-то между сном и явью. Нечеткие туманные образы наполняли ее воображение. В то же самое время какая-то часть ее мозга продолжала мыслить четко и ясно. Даже яснее, чем раньше.

— Павел знает о подмене?

ПОСЛЕДНЯЯ НОЧЬ КОЛДУНА

●

— Нет. Он такой же тупой, как и остальные. Может, даже тупее. Ведь Бэлла была его женой не один год, а он так ничего и не заметил. Бэллочка давно мечтала отомстить своему благоверному, — продолжала Карина, постепенно распаляясь. — Она ведь поначалу безумно любила его, прям как героиня бразильского мыла. Наивная, она надеялась, что он в конце концов оценит ее преданность и ответит взаимностью. Но все мужики одинаковые, а Райский — козел со знаком качества, потому что вовсе бесчувственный. Так я думала, пока не появилась ты — невеста без места. И где он только тебя откопал? По теории вероятности вы никогда не должны были встретиться! Ладно, теперь это уже неважно. Вернемся к нашим сестричкам. У Бэллы и Эллы, как и у всех близнецов, очень много общего. В том числе и болеют они часто одинаково. Догадываешься, о чем я? Различие в том, что Бэлла вовремя взялась за лечение, а безалаберная Эллочка все запустила. Когда Бэлле стало ясно, что сестрица не жилец, у нее созрел план. Она нашла способ отомстить мужу и при этом заполучить все его богатство. Эллочке она наврала, что хочет устроить ее в лучшую клинику, где той обязательно помогут, однако предупредила, что на Райского рассчитывать не стоит, денег на лечение он не даст. Единственный выход — поменяться местами.

— Вот почему Бэлла укоротила волосы!

— Ага. Пришлось подстричься, потому что Эллочка могла не успеть отрастить волосы нужной длины, ей оставалось от силы полгода.

— И все же странно, как Райский не заметил подмену.

— А он на них смотрел? Ему и до жены-то дела не было, а уж ее сестру со дня свадьбы он видел пару раз от силы. Сначала Бэлла симулировала ухудшение болезни, затем, услав куда-то прислугу, перевезла сестру в свой дом. С этой минуты Эллочка должна была играть ее роль. Они долго готовились, и все прошло как по маслу. На всякий случай Бэлла все время была на связи — у обеих имелись мобильники, купленные специально для этой цели. В больнице все стало еще проще. В отделение посетителей не пускали, так что разоблачить заговорщиц было некому.

За день до того, как Эллочка легла на операционный стол, Бэлла заявилась к нотариусу и отменила свое последнее завещание. Теперь единственной наследницей Бэллы Райской становилась ее сестра. Именно ей доставалось записанное на Бэллу имущество Райского. Он был так уверен в преданности своей жены, что записал все на нее, не задумываясь.

После операции сестры Бэлла остригла волосы и выкрасила их в черный цвет. Потом поселилась в ее квартире, ожидая сообщения о смерти Бэллы Райской и приглашения на похороны. Просто, как все гениальное.

— Да, Бэлла действительно задумала дьявольский план. После прочтения дневника у меня не возникает сомнений, что она способна на подобное. Странно, что в дневнике ничего не говорилось о ее болезни. Как бы ни была она цинична, собственное здоровье не могло оставить ее равнодушной.

Короткая речь отняла у Глафиры последние силы. Замолкнув, она откинулась назад, дыша тяжело и прерывисто, как собака. На ее лбу выступила испарина, в висках стучала кровь. Воздух, который она пыталась протолкнуть в легкие, сделался вязким, как кисель. Карина наблюдала за ее мучениями с садистским удовольствием.

— Ох, видел бы тебя сейчас милый Павлик, — протянула она с сожалением. — Смотреть противно. Ловко я тебе подсунула дневник, верно?

— Ты хорошая актриса.

— О, да!

— И зачем ты мне его подсунула?

346

ПОСЛЕДНЯЯ НОЧЬ КОЛДУНА

•

— Как это зачем? Чтобы он попал к Павлуше, разумеется. Он, конечно, недалекий, как и все мужички, но сообразил бы в конце концов то же, что и ты, дорогая. То есть то, что рядом все это время была его собственная жена.

— А если бы я обманула тебя и не стала бы передавать дневник?

— Ты-то? Ты бы передала. Ты же у нас честная-благородная. Хотя я лично на твое благородство не больно-то и рассчитывала. Собиралась дождаться, пока ты уснешь, а потом тихонечко придушила бы тебя подушкой. И нашли бы утречком твой свежий труп, а рядом — дневничок. И прослыла бы ты, милая, воровкой.

— Так вот зачем ты приходила!

— За этим самым. Думала, ты уже видишь десятый сон, а оказалось, что вы там развлекаетесь. Он хоть успел тебя трахнуть, убогая?

— Нет.

— Я так и подумала. Хотя настроение вы мне подпортили своей пасторалью. Павлик вообще все время путался у меня под ногами.

— Как это?

— Элементарно. Встревал все время, спасал тебя, дуру недалекую. Глянь-ка.

Карина отлепилась от стены, подошла к Глаше, склонилась над ней и помахала чем-то перед носом.

— Узнаешь?

Глаша заставила себя сконцентрироваться. Это удалось не сразу, но все же удалось. Она узнала свернутый в рулон лист пергамента, перевязанный ленточкой.

— Святой лист?

— Умница.

— Но откуда он у тебя?! Подожди-ка... Так это все твоих рук дело?!

— Ага! — радостно откликнулась Карина.

347

ЛАНА СИНЯВСКАЯ

●

— Но как же так? Ведь я выполнила приказ деда и положила свиток в гроб, как он просил!

— А я его после достала. Не собственными руками,
разумеется. Тебе действительно интересно?

— Да.

Глаша чувствовала себя все хуже. Она шумно и тяжело дышала и уже не верила в то, что ей удастся выкараб-
каться. Она чувствовала, как яд струится по жилам.

— Так и быть, я расскажу тебе. Очень уж распирает, а
ты все равно ненадолго задержишься на этом свете, —
поделилась Карина с жестокой откровенностью. — Все
началось с адвоката. Он заявился в магазин и разыскивал тебя. Ты, как обычно, где-то шлялась. Пока он рас-
пинался, пытаясь протолкнуть мысль в тупую голову
твоей продавщицы, я уловила суть дела. Получалось, что
тебе светит наследство, причем от родича, о котором
ты слыхом не слыхивала, а он тебя даже в глаза не видел. Я посоветовалась с матушкой, — а та всегда соображала быстро — и мы решили, что твою роль смогу сыграть я. Конечно, в том случае, если удастся завладеть тво-
им паспортом. Решить проблему оказалось просто. Я попросила ребят изъять у тебя сумочку. Не бесплатно, разумеется, но дело того стоило. Тебе повезло, идиот Райский взял тебя под свою защиту. Паспорта в сумке не
оказалось, но зато там были ключи от квартиры — еще
лучше! Ты не стала возвращаться домой и отправилась
ночевать к своей подружке-колхознице. Я заменила тебя и назначила адвокату встречу. Все прошло гладко,
только вот дедушка подкачал. Уж как он почуял под-
вох — мне неведомо, только выгнал он меня взашей прямо с порога и еще пригрозил напоследок, ведьмак трух-
лявый. Я ушла, да не совсем. Покрутилась в доме и около — благо дед был прикован к постели и не мог меня
контролировать — и выяснила, что вся сила деда заклю-
чена в свитке. Он, конечно, и сам был не промах, но главные чудеса творил с помощью какого-то свитка, кото-

рым пользовался лишь в случае крайней необходимости. Свиток дед всегда держал при себе, не расставаясь с ним ни днем ни ночью. Пока он был жив, заполучить реликвию не было никакой возможности. Но дни его были сочтены, и мне оставалось просто подождать удобной возможности. Наконец тебя доставили в его покои. Я была там, хотя ты меня не узнала, и видела, как дед передал тебе раритет.

— Ты была там?

— А как же? Кто, по-твоему, накормил тебя галлюциногеном?

— Но я тебя не видела.

— Повторяю, я все время была рядом, но ты меня не узнала. Плохо смотрела, милая. Ты вообще у нас дурочка. Даром что имя колхозное. Куда, спрашивается, совалась к волкам, коли хвост собачий? Сидела бы себе на печи, семечки лузгала.

Глаше захотелось ее ударить, но ей было не под силу даже просто шевельнуть рукой.

— Я была одной из многочисленных старух в черном, — снизошла до объяснения Карина. Все они из-за одежды на одно лицо, грех было этим не воспользоваться.

— Грех было затевать всю эту мерзость.

— Не тебе судить. Молчала бы лучше, — огрызнулась Карина почти беззлобно. — Сунула я вам с Валькой жрачку с начинкой, а вы и схавали на халяву. Кстати, знай я, что ты с этой кукундой притащишься, я бы ей отдельную порцию стрихнина в тарелку сыпанула. Очень уж достала меня твоя подруженька. Везучая твоя Валька, не тебе, дуре, чета.

Короче, удрыхлась ты. Тогда я вошла в горницу, забрала свиток, да и решила проверить до кучи, как он работает. Дед как раз отошел, и захотелось мне его призрак вызвать, чтобы он с тобой разобрался по-своему. В случае, если бы кто вас заметил, решили бы, что дед свою внучку убил, окончательно свихнувшись перед смертью. Дальше ты знаешь. Павлик, мать его, опять некстати героизм проявил, и ты жива осталась. Пришлось свиток прямо на дороге бросить, чтобы тебя воровкой считали. Думала, Павлуша при виде свитка тебя в порошок сотрет. Они с дедом когда-то неразлейвода были, да и под конец Павлик все время ему в рот смотрел, уважал сильно. Он и с тобой валандался исключительно из уважения к старому колдуну — я потом справки наводила и все выяснила. Не доверял тебе Павлик поначалу, и меня это радовало. Недооценила я тебя, каюсь. Не придушил он тебя, когда на дороге со свитком подобрал, а жалко.

— Пожалел, наверное.

— Может быть. После того случая я снова осталась при своих. Свиток — у тебя, и добраться до него мне не под силу. С этого момента ни Павлик, ни Цербер его с тебя глаз не спускали. Тут Гоша очень пригодился: достал мне после похорон свиток, расстарался. Так ведь не бесплатно же. Любить он меня, конечно, любил, но бабки любил еще крепче. Десять штук я ему отвалила, прикидываешь? Своих у меня, само собой, не было, пришлось матушкину заначку потрошить. Когда она дозналась — визгу было!.. А здорово я с тобой позабавилась? — спросила она без перехода. — Особенно смешно было, когда ты к трупу своей собаки ветеринаров вызвала. Я прямо оборжалась вся. И Гоша со мной вместе.

— Это ты убила Тайсона?

— А то кто же? Вернее, Гоша, я бы рук марать не стала. Но я рядом стояла, видела, как он корчился. Кстати, забавное зрелище.

— Сволочь.

— А то я не знаю. Я, конечно, зверюшек люблю, но уж больно ты меня достала.

— Гошину смерть тоже ты подстроила?

— Вот тут ты ошибаешься. Это стариковых рук дело, — зло огрызнулась Карина. — Гоша рассказывал, что он его достал совсем, требовал вернуть свиток на место. Вообще-то Гоша — парень был отмороженный, несуеверный, но когда братца его — Чику — по шоссе размазало, засомневался и в панику ударился.

— Тот парень на кладбище был его братом?

— А кто ж еще?

— Зачем он пошел на могилу, ведь свиток у тебя был?

— А он его у меня спер к тому времени. То есть не он спер, а Гоша. Привиделось ему что-то, вот он и уговаривал меня вернуть старцу его собственность. Сначала похорошему, а когда не помогло — украл свиток. Чика должен был свиток обратно в могилу закопать, да только ты ему помешала. В его смерти нет никакой мистики. Просто несся, не разбирая дороги, и угодил прямо под колеса. Хорошо еще, что я в тот день собралась к матушке на могилу — как чувствовала. Чику-то я сразу узнала, потому и из машины вылезать не хотела, боялась, что опознает он меня. Да еще ты возле дороги торчишь, как фонарный столб. Потом вижу — мертвый он, и сообразила я к тому времени, что неспроста он на кладбище притащился, не иначе как свиток приволок. И точно! Я специально букет с собой прихватила — пригодился он мне, потому что как только я над Чикой нагнулась, так сразу свиток и увидела. Я его незаметно подобрала, пока вы там с Райским ворковали, и в середину букета спрятала. Когда меня Восковец валерьянкой поил, я его в сумку быстренько перепрятала и спокойно отправилась на мамину могилку.

— Я все равно не верю, что ты настолько жестокая. Я же видела, как ты по Гоше убивалась. На тебе лица не было, вся слезами изошла.

— Ну и снова ты дура, — выпалила Карина сердито. — Не по Гоше я рыдала, а по себе. Гоша мне при встрече наплел, что старик теперь за мной охотится. Даже деньги, за кражу от меня полученные, обратно приволок. Забери, говорит, только давай вернем свиток. Я не согласилась, потому что не верила, а тут как раз стена обрушилась. Вот тогда мне и поплохело. Поняла я, что Гоша правду говорил, да поздно стало. Из-за этого я и напилась в стельку, а потом ревела как белуга. Жить-то хочется.

Глаша сидела, не реагируя, ощущая, как пульсирует в висках кровь, и Карина заволновалась.

— Эй, ты что — заснула?

— Нет. Я просто размышляю.

— Валяй. Что тебе еще остается?

— Я думала о том, что твоя буйная энергия могла бы принести кому-то пользу, если бы ты направила ее в другое русло.

— В какое, например? — фыркнула девушка.

— Логичнее было бы попытаться узнать, кто хотел отравить твою мать. Ведь ее-то ты любила по-настоящему?

— А чего узнавать, если все и так известно? Бэллиных рук это дело. Достала ее моя матушка. Это она умела, как никто другой. Вообще странно, что при таком характере так долго протянула. Бэлла задумала отравить мать, а свалить все решила на доктора. Специально подгадала, когда он к маме зайдет, и подсыпала мышьяк в сахарницу. А перед этим, чтобы снять с себя подозрения, сама слегка траванулась. Причем, заметь, тоже в присутствии доктора.

— Откуда тебе это известно?

— А я ее в тот, первый, раз на кухне застала. Она в грязной посуде рылась.

— Так почему ты ее не разоблачила?

— Так в первый раз я не догадалась, что она в мамулю метит. Думала, из Райского слезу давит, это на нее похоже: любит, когда все вокруг нее вертятся. Опять же —

намек, что Райский ее, бедную, со свету сжить хочет. Лишь после дня рождения я все разложила по полочкам, но матушке мои догадки уже не пригодились.

— Ты из-за этого подставила Бэллу, подсунув мне ее дневник?

— Не только. В маманиной смерти она все же не виновата. Попытка — не пытка, так у нас говорят. Просто эта ненормальная доконала меня своей любовью, сил никаких уже не было. Поначалу я, конечно, терпела, даже забавно было. Тем более что тетка она богатая и не жадная. Но как только я поняла, что представляет собой свиток, ее подачки стали мне не нужны, уж больно дорогой ценой за них было заплачено. Я, знаешь ли, натуралка, и ее ласки были мне противны. Со свитком я смогу стать богаче арабского шейха.

— Так и становись. Меня-то ты зачем изводишь?

— Потому что ненавижу, — ответила Карина просто.

— За что?! Что я тебе такого сделала? Ты моложе, красивее, у тебя еще все впереди.

— Вот именно. Тут ты попала в точку. Только у тебя, старой, некрасивой и плохо одетой, мать — звезда, а у меня — лохушка базарная. Да будь у меня такая мать, я бы главные роли в Голливуде играла, с ее-то связями. А ты побрезговала, даже пытаться не стала. Вот и получается, что то, за что другие готовы глотки рвать, тебе, видите ли, не по нраву. Ты пренебрегла тем, о чем я грезила с детского сада. А напоследок еще и Райского играючи подцепила.

— Он не репей, чтобы его цеплять.

— Какая разница? Все, хватит. Надоела ты мне, и точка. Отче наш знаешь? Читай. Потому что недолго тебе осталось. Одна прогулка — и ты на небесах.

Карина ушла, оставив Глашу сидеть, уставившись в стену, пока рисунок на обоях не стал расплываться у нее перед глазами.

ЛАНА СИНЯВСКАЯ

•

ГЛАВА 33

— Пора, дорогая, проснись!

Бесцеремонный окрик заставил ее очнуться от забытья, резкая боль обожгла щеку. Глаша открыла глаза и с тоской посмотрела на Карину. Девица успела сменить наряд на более практичный. В облегающих черных джинсах и водолазке она выглядела еще более безжалостной и бесстрастной.

— Давай, давай, — пропела Карина, — не ленись. Поднимай задницу, кому сказано. Самое время.

Глаша подчинилась. Она не могла не подчиниться: что-то такое переклинило у нее в голове от выпитого снадобья, отчего она думала и действовала как робот, а Карина просто жала на нужные кнопки.

С трудом поднявшись на ноги, Глафира, покачиваясь, замерла в ожидании дальнейшей команды. У нее начисто пропали собственные желания, и она позабыла, как делаются элементарные вещи, она и ложку до рта не донесла бы без нужного приказа, даже если бы умирала от голода. Комната вокруг ходила ходуном. Глаша попыталась остановить качку, сильно сжав голову руками.

Подгоняемая Кариной, она послушно побрела в прихожую, затем покинула квартиру. На лестнице Глаша чуть не упала, но Карина успела подхватить ее за шиворот.

— Не дури, — предупредила она почти ласково. — Не вздумай свернуть себе шею. Пожалеешь.

— Зачем? — прохрипела Глафира, еле ворочая языком. — Зачем и куда ты меня тащишь?

— Разве тебе не любопытно? — притворно удивилась ее мучительница. — Я думала, ты обрадуешься. Я решила сделать тебе подарок напоследок и показать, как действует свиток. Была бы ты умнее, он принадлежал бы тебе.

Ящичек со свитком Карина держала под мышкой, и в воспаленном мозгу Глаши мелькнула отчаянная мысль

354

попытаться отнять его. С головой у нее в тот момент и в самом деле было не все ладно.

В машине Глаше стало совсем худо. Всю дорогу она бревном провалялась на заднем сиденье. Она попыталась приподняться, да только никак не удавалось разобрать, где у нее руки, а где ноги. Неимоверным усилием она слегка приподняла голову, потом еще чуть-чуть... На короткий миг ей даже показалось, что к ней вернулись силы, но тут они внезапно иссякли и она снова безвольно уткнулась лицом в обивку.

На улице было темно и сыро. Дождь лил еще сильнее, чем утром. Уже не церемонясь, Карина выволокла пленницу из машины и позволила упасть на мокрую траву. Холодные струи окатили Глашино лицо, лились за шиворот, попадали в рот. Но ей слегка полегчало. Она смогла сесть, а потом и встать, огляделась.

— Очухалась, — кивнула Карина, поглядывая на часы. — Все как я и рассчитывала. Ты почти в норме, так что дальше топай ножками.

Замирая от ужаса, Глаша поняла, что они находятся у кладбища. Над головой громыхнуло. Сверкнула молния. Глаша увидела невдалеке кованые ворота. Карина уже подбежала к ним и пыталась открыть их, оглядываясь на нее в нетерпении.

— Что встала? Двигай сюда! — рявкнула она сердито. — Помогай.

Глаша кое-как доковыляла до ворот и привалилась к ним всем телом.

— Эй, ты чего удумала? А ну отойди!

— Остановись, Карина! Не делай этого!

— Да пошла ты.

Никуда Глафира не пошла, и Карина набросилась на нее как разъяренная кошка. Пальцы с длинными ногтями вцепились в волосы, сильно дернули, а потом с размаху ударили Глашину голову о железные прутья ворот. Глаша сопротивлялась, но силы их были неравны. Находясь под воздействием препарата, Глаша существенно проигрывала молодой и здоровой Карине. Той удалось не только открыть ворота, но и втащить — все так же, за волосы, — за собой Глафиру.

Безжалостно и твердо, с застывшим, как маска, лицом, Карина волокла пленницу по дорожке. Глаша то и дело спотыкалась, падала в жидкую грязь, но Карина пинками заставляла ее подняться.

Шли они долго, Глаше показалось, что вечность. Мозг ее был ясным, и тем острее она понимала, что положение ее безвыходно. Карина не позволит ей сбежать. Она сказала правду: эта прогулка станет для Глаши последней. Что толку, что теперь ей известны ответы на все загадки? Кому она успеет о них рассказать?

— Мамочка, мы пришли! — звонко возвестила Карина, точно превратившись в школьницу, вернувшуюся домой после уроков.

Глаша отбросила мокрые волосы с лица, чтобы разглядеть свежую могилу, возле которой они остановились. Памятник еще не поставили, но было и без того ясно, что это — Мулина могила.

На время Карина выпустила Глашу и наклонилась, шаря рукой по земле. Радостно возбужденная, она что-то искала.

Глафира сделала шаг назад. У нее появился крохотный шанс, и она собиралась им воспользоваться. Еще шаг, еще полшага — и она сможет бежать. В темноте легко затеряться.

— Ты куда-то собралась, моя дорогая?

Карина стояла, опираясь одной рукой на лопату, и насмешливо наблюдала за Глашиными потугами. Их разделяли уже несколько шагов, но у Карины имелся веский аргумент в свою пользу: дуло небольшого пистолета смотрело прямо в живот несостоявшейся беглянке.

— Лучше не рыпайся, — посоветовала Карина, сверкнув в темноте глазами. — Ты такая толстая и неуклюжая, что попасть в тебя будет легко.

— Карина, положи оружие и отойди от нее, — раздался повелительный голос. Карина даже не обернулась, только презрительно хмыкнула.

Глаша повернула голову и увидела Райского. Ей стало страшно. Что он задумал? Зачем и, главное, как оказался здесь? Если уж суждено кому-то погибнуть, то она одна заслужила это, проявив непростительную глупость и неосмотрительность. При чем тут Святой? Зачем он сует голову в петлю? Против сумасшедшей Карины не поможет даже то, что он держит ее на мушке. Глаша чувствовала, что от Карины исходит такая невероятная, нечеловеческая сила и ненависть, что оружие бесполезно.

Карина усмехнулась недобро.

— Павел, уходи! — крикнула Глаша отчаянно.

В то же мгновение Карина бросилась к ней и прикрылась ею, как щитом. Одной рукой она сдавила Глашино горло, в другой был пистолет. Его холодное мокрое дуло жестко уперлось ей в висок, в беззащитную голубую жилку, трепещущую под тонкой кожей.

— Здравствуйте, Павел Аркадьевич, — нежно пропела Карина, явно наслаждаясь своей игрой. — Рада вас видеть. Глафира вот тоже рада. Правда, Глафира?

Глафира скосила глаза на свою мучительницу и ощутила, как мурашки поползли по коже. Никогда раньше она не видела такой ненависти на лице человека. Голос Карины звучал ровно и спокойно, но, замолчав, она с такой силой прикусила губу, что по подбородку побежала тонкая струйка крови.

— Пистолетик-то бросьте, Павел Аркадьевич, — укоризненно посоветовала Карина. — Здесь не тир.

— Отпусти ее. — Он слегка качнул дулом, давая понять, что выстрелит в любом случае. Глаше его решительность совсем не понравилась.

— Еще чего, — весело откликнулась Карина. — Мы с вашей подружкой — неразлейвода.

Карина посильнее надавила на Глашино горло. Глаша захрипела, пытаясь заполучить хотя бы глоток воздуха.

— Мне продолжить? — с явной издевкой осведомилась Карина и лениво зевнула, обнажая розовую глотку и ряд безупречных зубов. — Если да, то она, скорее всего, загнется.

У Глаши перед глазами уже носилась стая мельтешащих черных мух. Она цеплялась скрюченными пальцами за руку Карины, подошвы кроссовок скребли по земле.

— Прекрати, — не выдержал Райский. Он поднял пистолет дулом вверх и стал медленно нагибаться, собираясь положить его на землю. Напряженным взглядом он следил за Кариной.

— Надо же, как вы на меня смотрите. Сколько экспрессии. Почти что страсть, — усмехнулась девица. — Кстати, куда подевался ваш гамадрил? Без него вам не фартит.

— Саша на опознании, — Павел ответил просто, но Глаша уловила в его словах скрытый смысл, который должен был быть понятен Карине.

— Кто-то умер? — спросила она с деланым спокойствием.

Позвоночник у Глаши заледенел. Карина задала вопрос так, словно ей была приятна сама мысль, что кто-то умер. Она просто сгорала от нездорового любопытства.

Райский тоже заметил это, но не подал вида.

— Бэлла, — ответил он на ее вопрос.

— Бэлла давно мертва и покоится с миром, — склонив голову набок, доложила Карина разочарованно.

— Похоронена ее сестра. Моя жена была жива до вчерашнего вечера. И тебе это хорошо известно.

— Так вы знали?

ПОСЛЕДНЯЯ НОЧЬ КОЛДУНА

●

— Не так давно, как хотелось бы.

Их беседа напоминала болтовню старых знакомых, и это выглядело особенно ужасно, учитывая то, что один из них находился под прицелом и выстрел мог прозвучать в любой момент.

— Когда же вы догадались?

— Как только ознакомился с результатами анализов, сделанных доктором Чекулаевым. В желудке Бэллы не обнаружили мышьяк, хотя он должен был там находиться! Я и раньше подозревал, что она придуривается, но прозрел, к сожалению, слишком поздно.

— Что есть, то есть. Соображаете вы медленно, господин Райский. Так что же Бэлла? Отчего она умерла?

— Отравилась. На этот раз по-настоящему. Думаю, что это ты заставила ее.

— Может — да, а может, и нет. Вы никогда не узнаете. Она сама приняла яд. Вы наверняка уже установили это. Справедливость восторжествовала. Она хотела убить мою мать, положила под нож сестру, да и вам от нее досталось. Так чем вы недовольны? Все, хватит разговоров. Нам нужно поторопиться — мама ждет.

— Что ты собралась делать?

— Я? Пока — ничего. Мы тут постоим еще немного с Глафирой, а вы возьмете лопату и выкопаете для меня гроб с телом моей мамочки. Эта почетная обязанность предназначалась для вашей возлюбленной, но вы справитесь с этим намного быстрее. И без глупостей, — предупредила она, внимательно следя за тем, как Павел перехватил лопату, — иначе мозги вашей крали будут соскабливать с окрестных могильных плит в отдельную коробочку. У вас есть с собой коробочка?

Райский матернулся сквозь зубы и принялся копать. Когда лопата ударилась о крышку гроба, Карина скомандовала:

— Достаньте его!

Голос ее впервые дрогнул.

Райский повиновался. Домовина, отсыревшая в земле, оказалась тяжелой. Он изорвал одежду об острые углы и перепачкался. Ударившись о землю, крышка гроба отскочила. Глаша вскрикнула, увидев изменившееся до неузнаваемости лицо покойницы. На лбу у нее сидел крупный жук и угрожающе шевелил длинными черными усами, деловито поедая полуразложившуюся человеческую кожу.

— Прогоните его! — завизжала Карина. — Жук! Какая гадость! Уберите с нее эту мерзость!

— Твоя мама — ты и убирай, — равнодушно пожал плечами Райский. — Отпусти Глашу, и мы уйдем. Не хочется мешать вашей семейной встрече.

— Нет! Никуда вы не пойдете. Отойдите в сторону. Дальше. Ну! — Карина нажала на спусковой крючок, грянул выстрел. Пуля взрыхлила землю у самых ног Райского.

Тем временем жук уполз, зарывшись в складки материи савана. Карина с ужасом взирала на труп матери. Губы ее тряслись, но отступать она не собиралась.

— Господи, дай мне силы совершить это, — прошептала она еле слышно. По ее щекам ручьями лились слезы. — Вы, двое! Не вздумайте мне мешать! — воскликнула она с угрозой. — И не надейтесь, что я забуду про пистолет. Я вызубрила текст свитка наизусть, так что ни на секунду не выпущу вас из вида. Вас, Райский, предупреждаю особо: одно движение — и я прострелю ей башку. Понятно?!!

— Да. Но я бы тебе не советовал...

— Насрать мне на твои советы!

— И все же не стоит использовать свиток на кладбище. Мать ты не оживишь, а на свою задницу накличешь неприятностей.

— Ты просто блефуешь, потому что не знаешь, как еще меня можно остановить! — крикнула она торжествующе. — Или ты боишься встретиться с моей мамой?

ПОСЛЕДНЯЯ НОЧЬ КОЛДУНА

●

— Это тебе стоило бы бояться. Мертвецы мститель-
ны, особенно к тем, кто виновен в их смерти.

— Что-о-о?! Да как ты смеешь! Я не убивала ее! Это
был несчастный случай! Она ругала меня за то, что я украла свиток, хотела отобрать его у меня! Она просто
ничего не поняла! Я хотела уйти, оттолкнула ее, а она
поскользнулась и упала на эту железку! Я не хотела! Мамочка, прости меня, я все исправлю! Я больше не хочу...
не могу оставаться одна, без тебя! Мамочка! Ты меня
слышишь? Зря ты сомневалась. Этот свиток может все
исправить! Я проверила!

Пальцы, сжимавшие пистолет возле Глашиного вис-
ка, сильно дрожали. Одно неловкое движение — и пуля
впилась бы в кость. Глаша, понимая это, испытывала животный страх. Смерть была слишком близко. От ее ледяного дыхания капли пота, стекающие по ее вискам, пре-
вращались в колючие льдинки, смешивались с дождевы-
ми каплями и обжигали горящие щеки.

Карина начала монотонно бубнить какие-то слова.
Сколько это продлится? Сколько еще драгоценных секунд беспомощная Глаша сможет дышать, мокнуть под
дождем и даже бояться, но — ЖИТЬ! Сколько еще ей осталось?

Райский готов был завыть от бессилия. Большой,
тренированный, сильный, он ничего не мог поделать с
субтильной девицей с пистолетом в руках, которая за-
унывно, нараспев читала древний старославянский текст.

У Глаши затекла шея из-за постоянных попыток хоть
как-то отстраниться от смертоносного дула. Ясно, что
Карина выстрелит, когда добьется своего. Все это лишь
отсрочка. Так сколько же еще осталось?

Карина кончила читать и замерла в ожидании како-
го-нибудь знака.

Ничего не происходило.

Тело все так же неподвижно лежало в гробу.

Секунды падали в тишине, как редкие дождевые капли.

Взревев, точно раненый зверь, Карина наотмашь ударила Глашу в висок рукояткой пистолета и с отвращением отшвырнула от себя обмякшее тело. Райский метнулся к рухнувшей в грязь девушке, а Карина — к гробу.

— Вставай же, мам, — взвыла она. — Вставай, и мы им еще покажем! Встань сейчас же!!!

Запрокинув голову к небу и сжав кулаки так, что из-под ногтей брызнула кровь, Карина завизжала:

— Я приказываю тебе: ОЖИВИ!!! Немедленно!

Ее била крупная дрожь. Цепляясь за ткань материного платья, она встряхнула труп.

Дождь смывал остатки грима с лица покойницы, обнажая сероватую кожу. Внезапно в мозгу Карины что-то как будто лопнуло, взорвалось, из ее ноздрей обильно закапала кровь. Красные капли быстро расплывались на белой материи савана, превращаясь в диковинно-хищные цветы.

И вдруг Мулин труп дернулся...

— О, мама! — восторженно всхлипнула Карина, судорожно утирая кровь рукой в каком-то экстазе. — Вставай же! Ну!

Труп задрожал, словно сквозь него пропустили высокое напряжение, выгнулся дугой, опираясь на пятки и затылок. Откуда-то изнутри врассыпную бросились сотни потревоженных жуков и моментально разбежались во все стороны.

Лицо покойницы сморщилось, руки сжались в кулаки. В следующее мгновение Павел порадовался, что Глафира находится в глубоком обмороке. Увидев то, что происходит, она вполне могла бы лишиться рассудка. Живому человеку не дано пережить подобное зрелище. Даже у него самого на голове от страха зашевелились волосы.

ПОСЛЕДНЯЯ НОЧЬ КОЛДУНА

•

Веки трупа распахнулись. Из глазниц на Карину уставились глаза цвета гашеной извести. Губы покойницы кривились и дергались. Рот разинулся так, что стали видны ватные тампоны, засунутые туда для того, чтобы запавшие щеки мертвеца казались полнее.

Рыдая от ужаса, Карина закрыла глаза руками, но остановить процесс ей уже было не под силу. Ее словно подхватил мутный поток черной реки, который несся вперед помимо ее воли.

Точно ища опоры, руки трупа беспорядочно молотили по воздуху.

— Не пугай меня, мамочка! Вернись ко мне! — тоненьким голосом просила Карина. — Ну пожалуйста, вернись ко мне!

— Она мертва! — раздался у нее над головой громоподобный мрачный голос.

— Кто здесь? — встрепенулась Карина, озираясь. — Райский, это ваши шуточки?

Не дождавшись ответа, Карина завертелась на месте как волчок. В тот же миг труп, успевший подняться из гроба, хлопнулся навзничь, лязгнув зубами.

Карина увидела стремительно приближающийся зеленый шар. Он плыл по воздуху, источая зеленоватый фосфоресцирующий свет. Приблизившись, он завис над землей. Свет постепенно тускнел до тех пор, пока сквозь него не проступил силуэт какой-то фигуры. Старец в свободных, развевающихся на ветру одеждах глянул на нее сурово. Девушка схватилась за грудь, почувствовав внутри сильное жжение, как будто ее собственное сердце воспламенилось.

— Кто ты, старик? — еще пыталась храбриться она. — Призрак, что ли? Ступай прочь, гуляй в другом месте.

— Тебе не оживить человека, — произнес призрак медленно.

— Почему это?

— Ты — не господь бог.

— Может быть. Но я оживила мертвую собаку. Вон хоть у нее спроси. Ах да, она в отключке. Придется поверить мне на слово, но клянусь, что я оживила ее псину.

— Не ты! Свиток, который ты выкрала. Воровка!

— А ты кто, покойный прокурор? Сгинь.

— Верни свиток.

— С какой стати?

— Он мой.

— Вот оно что! — Превозмогая боль, от которой потихоньку плавились ее внутренности, Карина вгляделась в лицо призрака. — Так ты — дед Федор! Это же ты приказал спустить меня с лестницы.

— Верни свиток!

Не отвечая, призрак требовательно протянул к ней руку.

— Хорошо, — согласилась она неожиданно. Качнувшись вперед и вправо, она вдруг одним прыжком подскочила к Глаше, схватила ее за руку и сильно дернула на себя. От толчка Глаша очнулась, не понимая, что происходит.

— Дедушка? — воскликнула она, увидев силуэт призрака. — Как я рада тебя...

Карина не дала ей договорить, грубо ударив по лицу.

— Ну что, старик, — воскликнула она, — начнем торговлю по новой?

Карина рассмеялась, хотя из уголка ее рта сочилась темная густая кровь и все внутри полыхало огнем.

— Любишь внучку? — Она ткнула в Глашин висок пистолетом. — Можешь не отвечать. Если с того света спасать ее кинулся, значит, она тебе не безразлична. Слушай меня, дед, внимательно. Мне все равно терять нечего. Не ты, так этот псих меня прикончит. Но твою Глашу я успею забрать с собой. Понял, старый? Или повторить?

— Чего ты хочешь?

ПОСЛЕДНЯЯ НОЧЬ КОЛДУНА

•

— Оживи мою мать. И меня оставь в покое. Разойдемся по-хорошему.

— Я не...

— Только вот этого — не надо! Ты прав: я не бог. Но зато ты — уж точно его заместитель. Вот и действуй, не трать напрасно время. Мне так хреново по твоей милости, что я могу долго не выдержать. А если пойму, что отдаю концы, — выстрелю. Оживляй мать и забирай свое хозяйство хоть в ад, хоть в рай, как заблагорассудится.

— Нет.

— Как это нет?!

— Я не выполню твою просьбу.

— Не можешь, что ли?

— Не хочу.

— Вот и вся любовь, — протянула Карина разочарованно. — Ну тогда, дед, извини. Что, Глаш, составишь мне компанию?

Она резко нажала на спусковой крючок.

Отчаянный крик Райского заглушил сухой щелчок, который раздался вместо выстрела.

— Черт!

Карина выстрелила снова. Потом еще раз. И еще...

— Ты не убьешь ее, — злорадно сообщил призрак.

— Ошибаешься! — заверещала Карина. Она принялась душить Глашу, но пальцы вдруг сильно обожгло. С воплем Карина отдернула их от ее горла. Вытаращив глаза, она смотрела на вытянутые вперед собственные руки. Обнажая мясо, с пальцев, точно перчатка, сползала кожа, сочась кровью и мутноватой, белой жидкостью. Карина в ужасе завизжала.

Тяжело дыша и держась за горло, Глаша поспешно отползла от нее подальше. Райский подхватил ее и, закрывая собой, отнес под развесистое дерево, где было не так мокро.

— Мои руки! Господи! Что вы со мной сделали? — рыдала Карина. Кожа уже облезла по локоть, точно облитая кислотой.

— Тебя погубил не я, а священный крест, — изрек призрак. — Глаша находилась под его защитой. Ты, Павел, все сделал правильно, — обернулся он к Райскому с одобрительной улыбкой.

— На самом деле спасли ее вы.

— Нет. Не я. Вернее, не только я.

До Глаши лишь сейчас дошло то, о чем они говорят. Она сунула руку за пазуху и вытащила бриллиантовый крестик на цепочке. Камни ярко светились. От крестика шло тепло, которое согревало ладонь.

Воя и дергаясь, Карина продолжала кататься по земле, но старик не обращал на нее внимания. Он взмахнул рукой, в которой неожиданно оказался знакомый пергамент, свернутый в рулон и перевязанный потрепанной ленточкой.

— Прощайте, — грустно сказал призрак. — Больше мы не увидимся.

— Нет! Ты обещал, что никогда не оставишь меня. Даже после смерти! — запротестовала Глафира. — Не уходи! — взмолилась она со страхом.

— Девочка моя, это не в моей власти. Чтобы помочь тебе, я нарушил запрет. Цена за такой проступок велика — больше мы не должны видеться. Но обещаю, что я, даже невидимый, буду молиться за тебя, родная.

— Но, дедушка, я не выдержу! Я не смогу стерпеть одиночества!

— Ты не одна, моя девочка. Одиночества не страшись. Прощай и будь счастлива. Время, отпущенное мне, истекло...

Призрак стал таять. Глаша еще что-то кричала и билась в сильных руках Павла, но все было бесполезно. Призрак исчез. Все погрузилось во тьму. Лишь где-то в глубине этой непроглядной тьмы глухо и жалобно скулила Карина.

•

ГЛАВА 34

Глаша упаковала последнюю коробку и с сожалением огляделась. Опустевший торговый зал казался неправдоподобно огромным.

— Ты не жалеешь? — спросила стоявшая рядом Валя.

— Не знаю. Нет. Я поняла, что это просто не мое.

— Ну, конечно. Теперь выйдешь замуж за своего миллионера и будешь жить долго и счастливо. Кстати, он уже сделал тебе предложение?

— Мы даже не говорили об этом, — усмехнулась Глаша. — Еще ничего не решено.

— Уж не собираешься ли ты послать его куда подальше? — забеспокоилась проницательная Валька.

— Не переживай. Послать можно только того, кто набивается. А он не набивается.

— Но он же заедет сегодня за тобой?

— Да. Только это ничего не значит. Мне нужно подумать обо всем, что произошло. Многое изменилось...

В отдел заглянула хорошо одетая дама и с недоумением оглядела голые стены.

— А куда все подевались? Здесь же одежда была.

— Съехали они, — ответила Валя.

— Какая жалость! Такая замечательная одежда была. Все, что купила у них, ношу, не снимая.

Валя многозначительно взглянула на Глашу, но та смотрела в другую сторону.

— Ладно, пошли чайку глотнем на дорожку, — предложила Валя, когда женщина, качая головой, удалилась.

Дина понуро сидела за столом, подперев кулаком щеку, и тоскливо разглядывала остывающий чай. Валя, хмыкнув неодобрительно, выудила из-под прилавка небольшую бутылку с завинчивающейся красной крышкой, наполненную жидкостью цвета жженого сахара.

●

— Бальзам собственного изготовления, — провозгласила она торжественно. — Чисто в лечебных целях.

— Опять ты со своей самогонкой, — поморщилась Дина.

— Обижаешь. Мой самогон у знающих людей — на вес золота. В данный момент ничего лучше не придумаешь. Вмиг всю хандру сгонит.

После «бальзама» и впрямь полегчало.

— Глаш, а что Карина? Совсем плохо? — спросила Дина.

— Свихнулась окончательно. Руки ей, конечно, подлечили, но рассудок уже не вернешь. Она все время кается в том, что убила свою мать, хотя в действительности это был несчастный случай.

— Бог ей судья, — вздохнула Валя. — Ты действительно решила пожить какое-то время в доме своего деда?

— Да. Думаю, это поможет мне разобраться в себе и узнать его получше.

— Смотри, не ударься там в мистику.

— Никогда. У меня теперь стойкий иммунитет к этому делу.

— Здра-а-авствуйте... — протянула Валя недовольно, обращаясь к кому-то, кто стоял у Глафиры за спиной. Девушки оглянулись. На пороге маялся все тот же мужчина, который все никак не мог выбрать брюки.

— Валя, я — к вам, — произнес он торжественно.

— Вижу, — вздохнула та, поднимаясь.

Глаша с Диной переглянулись.

— Решили наконец купить?

— Я по другому вопросу.

— По какому еще другому? Вы что, издеваетесь?

— По личному.

— Из торгинспекции, что ли? — вопросительно посмотрела Валя на подружек.

— Нет-нет. У меня к вам предложение.

ПОСЛЕДНЯЯ НОЧЬ КОЛДУНА

●

— Какое? — обреченно спросила Валя, ожидая самого худшего.

— Руки и сердца, — выдохнул тот.

— Во как приперло, — сокрушенно покачала Валя головой. — Может, я вам лучше подарю эти чертовы брюки? Зачем так надрываться-то?

— Да не нужны мне ваши брюки! — рассердился мужчина.

— А что вам надо?

— Вас! Вы мне сразу понравились, но у меня плохо получается знакомиться с женщинами. Вот я и выбрал первый попавшийся предлог. Понимаю, что выгляжу в ваших глазах идиотом. Но я не псих. Честное слово.

— Сомневаюсь...

— Понимаю. Вы меня совсем не знаете. Но я готов рассказать вам о себе все, что захотите.

— Прямо здесь? — прищурилась Валя, к которой постепенно начал возвращаться здоровый цвет лица вместе с природной язвительностью.

— Почему же? Мы можем поговорить в машине. Рабочий день уже заканчивается, и я готов отвезти вас домой.

— На чем? — Валя окинула его с головы до ног скептическим взглядом. — На самокате?

Не выдержав, Глаша быстро подошла к подруге и быстро шепнула той прямо в ухо:

— Не дури и соглашайся.

Интуиция подсказывала ей, что мужчина хоть и вел себя странно, но настроен был весьма серьезно. К тому же вещи, в которые он был одет, при ближайшем рассмотрении оказались фирменные и жутко дорогие.

— Ладно, девочки, пойду, что ли, взгляну на самокат, — вздохнула Валя и с видимой неохотой последовала за своим спутником к выходу. Выждав немного, подруги вприпрыжку бросились следом.

Полмагазина уже столпилось возле стеклянных дверей на улицу, зачарованно наблюдая за тем, как Валентина в сопровождении кавалера величественно садилась в машину. Протиснувшись в первые ряды, Глаша удовлетворенно хмыкнула, а Дина тихонько взвизгнула от восторга. Темно-зеленый «Ягуар» производил впечатление. Валькина физиономия сияла от счастья.

— Ничего себе самокат, — уважительно протянула Дина.

* * *

В Медведкове только что прошел дождь. Отовсюду капала вода. Двор, усыпанный опавшей листвой, казался выстланным золотым ковром.

— Ты точно не хочешь, чтобы я остался? — в который раз спросил Глашу Павел.

— Прости, но мне нужно привести мысли в порядок.

— Воля твоя.

— Ты разочарован, но я... Прости меня, пожалуйста.

— Разочарован — это еще мягко сказано. Не могу себе представить, что ты мне отказываешь. Обычно дамы сами предлагают мне руку и сердце, а ты...

Он помог ей занести в дом сумки с вещами и провизией, но прежде чем уйти, наклонился и поцеловал ее, легко и нежно коснувшись губами шеи. Почувствовав, как она напряглась, он сразу отступил и воскликнул отчаянно:

— Черт знает что! Почему ты меня боишься? Я что, монстр, что ли, какой-то? Я тебе противен?

Слышать от него эти слова было забавно, и Глаша улыбнулась.

— Глаша, я всего лишь хочу, чтобы мы были вместе, ругались, мирились, спали в одной постели, рожали и растили детей. Если ты захочешь, я могу терпеть сколько надо. Я не буду к тебе приставать. Обещаю. Просто мне важно, проснувшись, быть рядом с тобой.

ПОСЛЕДНЯЯ НОЧЬ КОЛДУНА
•

— Не надо! — воскликнула она умоляюще. — Ты обещал дать мне время.

— Не доверяешь мне? — с горечью воскликнул Райский и пнул ногой ворох листьев.

— Это не так. Это мои проблемы. Ты ни при чем.

— А кто при чем? Славик этот твой убогий?

— Нет. Он-то уж точно не при делах.

— Тогда я вообще ничего не понимаю. Все у тебя шиворот-навыворот. Ты ищешь любви и поддержки, а когда я их тебе предлагаю, ты меня отталкиваешь. Если ты будешь продолжать в том же духе, то воздвигнешь вокруг себя не просто забор — бетонную стену.

— Прости меня, — снова уныло промямлила Глаша. — Я постараюсь.

— Ладно, делай как знаешь. Я умею ждать, но мое терпение тоже не бесконечно.

Быстро поцеловав ее в лоб, Райский, не оглядываясь, пошел к машине, вскочил в нее и яростно тронул с места.

Только тогда Глаша позволила себе заплакать. Вытирая слезы, она поплелась в дом, тяжело волоча ноги. Глаша страдала, отталкивая Павла, но еще большую боль ей причиняло то, что она не могла признаться ему в своем страхе.

Она боялась его потерять.

Все, кого она любила, оставили ее. Мама — Глаше так не хватало ее любви и отчаянной храбрости, бабушка, которая, как умела, старалась уберечь ее от окружающего зла. Дед — ей так нужна была сейчас его мудрость.

Она не могла больше терять, ее сердце готово было разорваться.

Слова Карины глубоко запали ей в душу. Неважно, что она оказалась сумасшедшей. Она была права в одном: Павел не для нее. Как может она, заурядная, не слишком красивая женщина под тридцать, удержать возле себя такого мужчину? Он утверждал, что любит ее, но как долго продлится его любовь, когда вокруг столько же-

●

лающих? Нет, лучше даже не пытаться. Ей лучше жить одной. Ей надолго еще хватит воспоминаний, которые она умеет хранить и беречь, как никто другой.

Ступени крыльца вдруг жалобно застонали. Сердце Глаши затрепетало. «Павел вернулся», — решила она. Проявив непоследовательность, она рванулась ему навстречу и распахнула дверь.

— Славик? — отшатнулась она. — Откуда ты здесь?

— Ехал следом. Ты мне не рада? А я вот ждал как последний дурак, пока ты расстанешься со своим ухажером. Видел, как ты его отшила. Хвалю. — Славик довольно рыгнул, обдав Глашу перегаром, потом качнулся, но устоял на ногах.

— Ты что, пьян?

— Ну и что? Подумаешь, выпил рюмочку!

В данном случае рюмочка определенно была размером с ведро.

— Как я рад, Глаша! Мы начнем с тобой новую жизнь! Вот это хоромы!

Отодвинув ее с дороги, он ворвался в дом.

— Круто! Класс! А это вообще раритет! — восторженно вопил он, обходя комнату за комнатой.

Глаша догнала его уже на кухне, когда он пытался заглянуть в дубовый шкаф, резко схватила его за плечо и гневно выкрикнула:

— Убирайся!

Он облизнул губы и уставился на нее мутными глазами.

— Ишь как ты заговорила... — На лбу у него выступили крупные капли пота. — А я не дам тебе развода. Поняла? Не дам!

Он грубо схватил ее за плечи и, не давая опомниться, начал трясти, приговаривая:

— Ты моя. Только моя, слышишь?

— Отпусти! Ты мне противен, — выплюнула Глаша ему в лицо.

ПОСЛЕДНЯЯ НОЧЬ КОЛДУНА

●

— Ведьма! Вся в своего деда. Я-то знаю, что он передал тебе все свои секреты. Думаешь, сможешь поживиться этим в одиночку? Не выйдет!

— Ненормальный! Нет никаких секретов, очнись!

— Врешь! Тебе не отвертеться. Ты моя жена, и я имею право на половину твоего имущества. Я докажу!

Он сграбастал ее, рванул на груди блузку. Тонкий шелк лопнул с громким треском, на пол посыпались мелкие пуговицы. Славик принялся жадно тискать ее грудь, обдавая запахом спиртного. Глашу затошнило. Она извивалась и царапалась, когда он попытался повалить ее на широкий кухонный стол. Он залепил ей пощечину с такой силой, что она ударилась головой о столешницу.

Славик от природы был тщедушен, но алкоголь и неуправляемая злоба сделали его сильным. Глаша с ужасом поняла, что ей с ним не справиться.

Рыдая от отчаяния, девушка впилась зубами в его запястье. Он завизжал, а она, воспользовавшись моментом, выскользнула из-под него и бросилась наутек. Взревев, как раненый кабан, он ринулся следом, но Глаша уже успела юркнуть в какой-то чулан и закрыть дверь изнутри на щеколду.

Славик бесновался снаружи, бросался на дверь, потом стал колотить в нее чем-то тяжелым. Однако дом был построен на совесть, поэтому дверь выдержала.

Еще какое-то время Глафира, всхлипывая, слушала, как по всему дому что-то рушится, звенит битое стекло и трещит бумага. Потом все стихло.

Выждав немного, она решилась выбраться наружу. Дом был разгромлен. Славик не пощадил даже уникальную библиотеку деда. Несколько растерзанных антикварных томов валялись на полу.

Глаша опустилась на пол посреди разбитой мебели и искалеченных вещей. Это было слишком жестоко. Она приехала сюда искать убежища, но ее последнее пристанище варварски уничтожено.

Она плакала долго и безутешно, думая о том, что теперь у нее ничего не осталось. Совсем ничего.

Глафире показалось, что она чувствует запах дыма. Она подбежала к двери, чтобы посмотреть, толкнула ее, но дверь даже не шелохнулась, не только запертая, но и подпертая чем-то снаружи. Из единственной щели под притолокой густо валил едкий дым и обдавало жаром. Деревянная дверь была горячей.

Дом горел.

С колотящимся сердцем она вспомнила, что все окна в доме закрыты снаружи плотными ставнями. Через них не выбраться. Спасения оставалось искать только с черного хода. Внутри уже плавали клочья сизого дыма, глаза щипало, дышать становилось все труднее.

То и дело вытирая слезящиеся глаза, Глаша добралась до второй двери, но и она была крепко заперта.

Глаша отчаянно закашлялась, глаза невыносимо щипало. Ей трудно было сосредоточиться. Ею овладело такое чувство беззащитности и одиночества, что перед ним отступил даже страх. Ей вдруг расхотелось бороться, у нее разом кончились и силы и желание.

Не глядя по сторонам, корчась от рвущего легкие кашля, она вернулась в гостиную, легла на пол, свернувшись калачиком, подтянув ноги к самому животу, и закрыла глаза. Она не боялась сгореть заживо — знала, что огонь доберется до этой комнаты не сразу, к тому времени она уже будет мертва, отравленная угарным газом, и не почувствует, как пламя жадно лижет огненным языком ее тело. Пока пламя вовсю бушевало снаружи. Она слышала его гудение.

Скоро она встретится со всеми, кого так любила. А Райского она подождет. Может быть, там счастье для них станет возможным...

ПОСЛЕДНЯЯ НОЧЬ КОЛДУНА

•

Ей показалось, что в густом дыму она увидела смутные силуэты и улыбнулась им.

А потом она потеряла сознание.

* * *

— Очнись! Доктор, почему она не приходит в себя?

— А что вы хотели? Девушка чуть жива осталась. Ну вот, вот, смотрите. Она моргает!

— Глаша!!

Ее подняли, в нос ударил знакомый запах.

— Павел!

Он прижал ее к себе. Она улыбалась.

— Как хорошо, что ты здесь, — счастливо выдохнула она. — Но откуда? Ведь ты же уехал!

Она немного отстранилась, чтобы взглянуть на дом. Он уже не горел, хотя его обугленные стены выглядели ужасно. Белая пена стекала клочьями с почерневшей древесины. Под стенами образовался уже целый сугроб. Во дворе было тесно от машин и людей. «Скорая», пожарные, милиция.

— Кто устроил это светопреставление?

Подумав, что Глаша спрашивает о поджигателе, Павел неохотно ответил:

— Твой муж. Он божится, что не позволил бы тебе сгореть. Собирался якобы напугать тебя как следует, а потом спасти как герой. Этот псих рассчитывал, что после этого ты падешь ему на грудь и простишь все прошлые обиды.

— Где он?

— В машине «Скорой помощи».

— Он пострадал от пожара?

— Нет. От встречи со мной, — признался Павел мрачно.

Он снова прижал ее к себе, словно боялся, что она вдруг исчезнет. Глаша счастливо засмеялась. Вот она —

тихая гавань покоя и любви, в которую она стремилась всю жизнь. Под курткой Павла, рядом с ее щекой что-то зашевелилось и слабо пискнуло. Она отодвинулась и удивленно взглянула ему в лицо. Он не успел ответить, потому что из куртки высунулась недовольная, слегка встрепанная лобастая морда с круглыми карими глазами и сердито тявкнула.

— Это кто тут у нас?

— Ого, смотри-ка ты, и этот очухался. Герой!

Павел осторожно потянул вниз молнию и подхватил толстого черного щенка, который широко зевнул, попытался облизать ему щеки и немедленно заелозил.

— Это же ротвейлер, да?! — восторженно воскликнула Глаша. — Где ты его нашел?

— Это он меня нашел. А еще он спас тебе жизнь.

— Каким образом?

— Когда удалось сломать дверь, внутри все было в сплошном дыму. Дом огромный, и я понятия не имел, в какой ты комнате. Я боялся, что не успею тебя найти, и тут мне под ноги выкатился этот колобок. Пока я недоумевал, он тяпнул меня за ногу и стал тявкать, показывая, что я должен немедленно идти за ним следом. Он привел меня прямиком в гостиную, где ты лежала. Щенок, конечно, тоже надышался дымом, слегка обгорела шерсть, но в целом, доктор сказал, с ним все в порядке. Ему что-то вкололи, и он проспал у меня за пазухой все это время.

— Но, Павел, в доме не было никакой собаки!

— Я так и подумал, — откликнулся он без удивления.

— Ты так спокойно со мной соглашаешься?

— Если бы ты подольше общалась со своим дедом, то тоже ничему бы не удивлялась.

— Ты думаешь, что он...

— Это его последний подарок тебе. Твой ангел-хранитель. Возможно даже, в этом щенке спрятана душа

●

твоего Тайсона. Дед вполне мог это устроить. Договорился там с кем надо. У него наверху большие связи, — пошутил Павел. — Ну что, станем звать тебя Тайсоном? — обратился он к щенку.

Щенок немедленно тявкнул и заулыбался во всю пасть, демонстрируя, как ему нравится это имя.

Глаша осторожно перехватила щенка под передние лапы и прижала к груди. Он подумал немного и смачно лизнул ее в нос.

ЭПИЛОГ

— Так, молодые люди, опять шатались по ресторанам, и вся моя стряпня пропадет зря? — требовательно спросила Наталья Алексеевна, оглядывая румяных с мороза Павла и Глафиру, только что ввалившихся в прихожую и нагруженных яркими разноцветными фирменными пакетами.

— Нет-нет, Наталья Алексеевна, голубушка, мы совсем ничего не ели по дороге, — смеясь, начал оправдываться Павел.

Глаша с энтузиазмом поддакивала.

— Павел купил мне потрясающее платье! — похвасталась она, распахивая норковую шубку, чтобы немедленно продемонстрировать обновку.

Небесно-голубое платье заискрилось тысячей звезд.

— Красиво?

— Ничего. Теперь быстро мыть руки и за стол. А то вас потом не дозовешься. Надеюсь, вы не забыли, что к ужину у вас гости?

— Боже мой, Валя с мужем и детьми! — ахнула Глаша.

— И еще доктор, Альберт Натанович, — с удовольствием напомнила кухарка. — А Саша с Тайсоном должны вот-вот вернуться с прогулки. Я видела их в окно, опять валяют друг друга в сугробах.

Глаша кивнула, стремительно скинула полусапожки и побежала по лестнице на второй этаж, чтобы успеть переодеться. Новое платье она собиралась надеть на Рождество, которое уже не за горами.

Павлу удалось догнать ее только перед дверью их спальни. Он подхватил ее за талию, прижал к себе и звонко чмокнул. Губы его дрогнули, как бывало всегда, когда он хотел скрыть улыбку.

— Выглядишь, как победительница, — прошептал он.

— Да? А приз мне положен? — спросила она дерзко, скрывая смущение.

— Я думаю, — прошептал он ей на ухо, тесня в глубь спальни, — что награды лучше собирать лежа.

Подсечка — и они повалились на кровать. Вдруг Павел приподнялся на руках, озадаченно глядя на нее сверху.

— Напомни-ка, во сколько нам обошлось это платье?

— Восемьсот пятьдесят шесть евро, — пискнула Глаша виновато.

— В таком случае, лучше сначала снять его!

Литературно-художественное издание

Лана Синявская

ПОСЛЕДНЯЯ НОЧЬ КОЛДУНА

Ответственный редактор *О. Рубис*
Редактор *Т. Другова*
Художественный редактор *С. Груздев*
Технический редактор *Н. Носова*
Компьютерная верстка *Е. Кумшаева*
Корректор *Е. Дмитриева*

ООО «Издательство «Эксмо»
127299, Москва, ул. Клары Цеткин, д. 18/5. Тел. 411-68-86, 956-39-21.
Home page: **www.eksmo.ru** E-mail: **info@eksmo.ru**

Подписано в печать 16.09.2008.
Формат 84x108 ^{1}/$_{32}$. Гарнитура «Таймс». Печать офсетная.
Бумага тип. Усл. печ. л. 20,16.
Тираж 5000 экз. Заказ 3314.

Отпечатано с электронных носителей издательства.
ОАО "Тверской полиграфический комбинат". 170024, г. Тверь, пр-т Ленина, 5.
Телефон: (4822) 44-52-03, 44-50-34, Телефон/факс: (4822)44-42-15
Home page - www.tverpk.ru Электронная почта (E-mail) - sales@tverpk.ru

Оптовая торговля книгами «Эксмо»:
ООО «ТД «Эксмо». 142700, Московская обл., Ленинский р-н, г. Видное,
Белокаменное ш., д. 1, многоканальный тел. 411-50-74.
E-mail: **reception@eksmo-sale.ru**

По вопросам приобретения книг «Эксмо»
зарубежными оптовыми покупателями обращаться в ООО «Дип покет»
E-mail: **foreignseller@eksmo-sale.ru**

International Sales:
International wholesale customers should contact «Deep Pocket» Pvt. Ltd. for their orders.
foreignseller@eksmo-sale.ru

По вопросам заказа книг корпоративным клиентам,
в том числе в специальном оформлении,
обращаться по тел. 411-68-59 доб. 2115, 2117, 2118.
E-mail: **vipzakaz@eksmo.ru**

Оптовая торговля бумажно-беловыми
и канцелярскими товарами для школы и офиса «Канц-Эксмо»:
Компания «Канц-Эксмо»: 142702, Московская обл., Ленинский р-н, г. Видное-2,
Белокаменное ш., д. 1, а/я 5. Тел./факс +7 (495) 745-28-87 (многоканальный).
e-mail: **kanc@eksmo-sale.ru**, сайт: **www.kanc-eksmo.ru**

Полный ассортимент книг издательства «Эксмо» для оптовых покупателей:
В Санкт-Петербурге: ООО СЗКО, пр-т Обуховской Обороны, д. 84Е.
Тел. (812) 365-46-03/04.
В Нижнем Новгороде: ООО ТД «Эксмо НН», ул. Маршала Воронова, д. 3.
Тел. (8312) 72-36-70.
В Казани: ООО «НКП Казань», ул. Фрезерная, д. 5. Тел. (843) 570-40-45/46.
В Ростове-на-Дону: ООО «РДЦ-Ростов», пр. Стачки, 243А.
Тел. (863) 220-19-34.
В Самаре: ООО «РДЦ-Самара», пр-т Кирова, д. 75/1, литера «Е».
Тел. (846) 269-66-70.
В Екатеринбурге: ООО «РДЦ-Екатеринбург», ул. Прибалтийская, д. 24а.
Тел. (343) 378-49-45.
В Киеве: ООО «РДЦ Эксмо-Украина», ул. Луговая, д. 9.
Тел./факс: (044) 501-91-19.
Во Львове: ТП ООО «Эксмо-Запад», ул. Бузкова, д. 2.
Тел./факс (032) 245-00-19.
В Симферополе: ООО «Эксмо-Крым», ул. Киевская, д. 153.
Тел./факс (0652) 22-90-03, 54-32-99.
В Казахстане: ТОО «РДЦ-Алматы», ул. Домбровского, д. 3а.
Тел./факс (727) 251-59-90/91. gm.eksmo_almaty@arna.kz

Мелкооптовая торговля книгами «Эксмо» и канцтоварами «Канц-Эксмо»:
127254, Москва, ул. Добролюбова, д. 2. Тел. (495) 780-58-34.

Полный ассортимент продукции издательства «Эксмо»:
В Москве в сети магазинов «Новый книжный»:
Центральный магазин — Москва, Сухаревская пл., 12. Тел. 937-85-81.
Волгоградский пр-т, д. 78, тел. 177-22-11; ул. Братиславская, д. 12. Тел. 346-99-95.
Информация о магазинах «Новый книжный» по тел. 780-58-81.
В Санкт-Петербурге в сети магазинов «Буквоед»:
«Магазин на Невском», д. 13. Тел. (812) 310-22-44.

По вопросам размещения рекламы в книгах издательства «Эксмо»
обращаться в рекламный отдел. Тел. 411-68-74.

МАРИЯ

Новый талантливый автор издательство «Эксмо»

БРИКЕР

Романы Марии Брикер — увлекательное шоу, где каждому персонажу отведена своя роль в оригинальном сценарии с непредсказуемым финалом.

reality detective

В серии: "Не книжный переплет"
"Тени солнечного города"
"Изысканный адреналин".